OS SENTIDOS DO LULISMO

ANDRÉ SINGER

Os sentidos do lulismo
Reforma gradual e pacto conservador

5ª *reimpressão*

Copyright © 2012 by André Vitor Singer

Grafia atualizada segundo o Acordo Ortográfico da Língua Portuguesa de 1990, que entrou em vigor no Brasil em 2009.

Capa
Elisa von Randow

Imagem de capa
© Mauro Restiffe

Preparação
Márcia Copola

Checagem
Valéria Copola

Índice onomástico
Luciano Marchiori

Revisão
Jane Pessoa
Adriana Cristina Bairrada

Dados Internacionais de Catalogação na Publicação (CIP)
(Câmara Brasileira do Livro, SP, Brasil)

Singer, André Vitor
    Os sentidos do lulismo : reforma gradual e pacto conservador /
André Vitor Singer — 1ª ed. — São Paulo : Companhia das Letras,
2012.

    Bibliografia
    ISBN 978-85-359-2158-8

    1. Brasil - Política e governo 2. Ideologia - Brasil 3. Partido dos
Trabalhadores 4. Presidentes - Brasil - Eleição 5. Silva, Luiz Inácio
Lula da, 1945 - I. Título.

12-08786   CDD-320.981

Índice para catálogo sistemático:
1. Brasil : Governo Lula : Ciência política   320.981

[2021]
Todos os direitos desta edição reservados à
EDITORA SCHWARCZ S.A.
Rua Bandeira Paulista, 702, cj. 32
04532-002 — São Paulo — SP
Telefone (11) 3707-3500
www.companhiadasletras.com.br
www.blogdacompanhia.com.br
facebook.com/companhiadasletras
instagram.com/companhiadasletras
twitter.com/cialetras

*Para Melanie, que abriu a porta da casa
em meio à noite escura, Suzana e Helena*

Sumário

Introdução: Alguns temas da questão setentrional 9

1. Raízes sociais e ideológicas do lulismo 51
2. A segunda alma do Partido dos Trabalhadores 84
3. O sonho rooseveltiano do segundo mandato 125
4. Será o lulismo um reformismo fraco? 169

Apêndice: Tabelas e quadros citados no texto 223
Posfácio: No meio do caminho tinha uma pedra 233
Bibliografia 263
Índice onomástico 271

Introdução
Alguns temas da questão setentrional

Afirmamos que o camponês meridional está ligado ao grande proprietário rural por meio do intelectual. Este tipo de organização é o mais difundido em todo o Mezzogiorno e na Sicília. Forma um monstruoso bloco agrário que no seu conjunto funciona como intermediário e guardião do capitalismo setentrional e dos grandes bancos. Seu único objetivo é conservar o status quo.

Antonio Gramsci, *Alguns temas da questão meridional*

O lulismo existe sob o signo da contradição. Conservação e mudança, reprodução e superação, decepção e esperança num mesmo movimento. É o caráter ambíguo do fenômeno que torna difícil a sua interpretação. No entanto, é preciso arriscar os sentidos, as resultantes das forças em jogo, se desejamos avançar a compreensão do período. Faço a minha aposta principal em forma de pergunta, pois o processo ainda está em curso: a inesperada trajetória do lulismo incidirá sobre contradições centrais do capitalismo brasileiro, abrindo caminho para colocá-las em patamar superior?

Para tentar uma resposta, é necessário refazer os passos históricos e descer aos detalhes materiais e ideológicos que os sustentaram. Na aparência, tendo vencido a eleição de 2002 envolto ainda por restos da aura do movimento operário dos anos 1980, o ex--metalúrgico apenas manteve a ordem neoliberal estabelecida nos mandatos de Collor e FHC. Decidido a evitar o confronto com o capital, Lula adotou política econômica conservadora. Nos dois primeiros meses de 2003, o Comitê de Política Monetária (Copom) do Banco Central (BC) aumentou os juros de 25% para 26,5%.[1] De modo a pagar a dívida contraída com essa elevação, o Executivo subiu a meta de superávit primário de 3,75% em 2002,[2] já considerada alta,[3] para 4,25% do PIB (Produto Interno Bruto) e anunciou em fevereiro enorme corte, de 14,3 bilhões de reais, no orçamento público, quase 1% do produto estimado para aquele ano.[4] O poder de compra do salário mínimo foi praticamente congelado em 2003 e 2004.[5] Para completar o pacote, em 30 de abril de 2003 o presidente desceu a rampa do Planalto à frente de extensa comitiva para entregar pessoalmente ao Congresso projeto com reforma conservadora da Previdência Social. Entre outras coisas, a PEC (Proposta de Emenda à Constituição) 40 acabava com a aposentadoria integral dos futuros servidores públicos.

O efeito das decisões foi o esperado. O crescimento caiu de 2,7% nos últimos doze meses de Fernando Henrique Cardoso para 1,3% do PIB nos primeiros doze do PT. O desemprego aumen-

1. De acordo com Ralph Machado, a taxa real passou de 6% para 13% entre 2002 e 2003. Ver Ralph Machado, *Lula a.c.-d.c.*, p. 36.
2. Ralph Machado, *Lula a.c.-d.c.*, p. 37.
3. Ver Luís Nassif, "Política macroeconômica e ajuste fiscal", em B. Lamounier e R. Figueiredo (orgs.), *A era FHC*, p. 45.
4. Ver <www.jusbrasil.com.br/noticias/2560604>, consultado em 14 mar. 2010.
5. Houve um aumento real de 1,2% no salário mínimo entre 2003 e 2004. Ver *Folha de S.Paulo*, 1 mar. 2008, p. B1.

tou, passando de 10,5% no derradeiro dezembro tucano para 10,9% no primeiro dezembro petista (2003).[6] A renda média do trabalhador caiu 12,3%.[7] As instituições financeiras tiveram um resultado 6,3% maior.[8] Compreende-se, portanto, que na conclusão de *O ornitorrinco*, datada de julho de 2003, o sociólogo Francisco de Oliveira tenha afirmado que o Brasil era "uma acumulação truncada e uma sociedade desigualitária sem remissão".[9]

Entretanto, passados oito anos, o cenário era outro. Em dezembro de 2010 os juros tinham caído para 10,75% ao ano, com taxa real de 4,5%.[10] O superávit primário fora reduzido para 2,8% do PIB e, "descontando efeitos contábeis", para 1,2%.[11] O salário mínimo, aumentado em 6% acima da inflação naquele ano, totalizava 50% de acréscimo, além dos reajustes inflacionários, entre 2003 e 2010. Cerca de 12 milhões de famílias de baixíssima renda recebiam um auxílio entre 22 e duzentos reais por mês do Programa Bolsa Família (PBF).[12] O crédito havia se expandido de 25% para

6. Dados do IBGE, segundo <http://economia.uol.com.br>, consultado em 22 fev. 2011.

7. Comparação entre a renda média do trabalhador de março a dezembro de 2002 em relação a março-dezembro de 2003, de acordo com a Pesquisa Mensal de Emprego do IBGE. Em março de 2002, o IBGE adotou nova metodologia de pesquisa, por isso a comparação parte desse mês. Ver *Folha de S.Paulo*, 25 jan. 2008, p. B7.

8. Citado em Leda Paulani, *Brasil delivery*, p. 50.

9. Francisco de Oliveira, *Crítica à razão dualista/ O ornitorrinco*, p. 150.

10. Ver <http://economia.uol.com.br>/ultimas-noticias/redacao/2010/12/08/brasil-tem-maior-taxa-real-de-juros-do-mundo.jhtm>.

11. Ver <http://economia.estadao.com.br>, consultado em 22 fev. 2011. Segundo o ex-presidente do BNDES, Demian Fiocca, "descontando efeitos contábeis do Fundo Soberano e da concessão do pré-sal, o superávit primário federal foi reduzido de 2,8% em 2008 para 1,2% em 2009 e em 2010". Ver Demian Fiocca, "Por que o Brasil cresceu mais", *Folha de S.Paulo*, 21 fev. 2011, p. A3.

12. Eduardo Scolese, "Bolsa Família já beneficia 26% dos novos assentados", *Folha de S.Paulo*, 7 jun. 2010, p. A11.

45% do PIB,[13] permitindo o aumento do padrão de consumo dos estratos menos favorecidos, em particular mediante o crédito consignado.

As consequências dessas medidas, voltadas para reduzir a pobreza, ativando o mercado interno, foram igualmente lógicas. O crescimento do PIB, em 2010, pulou para 7,5%. O desemprego, em dezembro, havia caído para 5,3%, taxa considerada pelos economistas próxima ao pleno emprego. O índice de Gini, que mede a desigualdade de renda, foi de 0,5886 em 2002 para 0,5304 em 2010.[14] Entrevistada em novembro de 2010, a economista de origem portuguesa Maria da Conceição Tavares afirmava: "Eu estou lutando pela igualdade desde que aqui cheguei [1954]. E só agora é que eu acho que estamos no rumo certo".[15] Um ano antes, Conceição assinalava que o governo Lula estava "tocando três coisas importantes: crescimento, distribuição de renda e incorporação social".[16]

O que teria acontecido nos dois quadriênios em que Lula orientou o Brasil? Confirmou-se o truncamento da acumulação e a desigualdade "sem remissão", previstos por Oliveira, ou se entrou em fase de desenvolvimento com distribuição de renda, observada por Tavares? O país teria dado seguimento à vocação conservadora, que afogara, no passado, as possibilidades de desen-

13. O dado corresponde à expansão do crédito entre 2003 e 2010. Ver Eduardo Cucolo, "Crédito subsidiado chega a 1/3 do total", *Folha de S.Paulo*, 29 jun. 2010, p. B1.

14. Usamos aqui os dados de Marcelo Neri, *A nova classe média, o lado brilhante dos pobres*, p. 40, e "Desigualdade no Brasil atinge o menor nível em 2010, diz FGV", em <http://www1.folha.uol.com.br/poder/910726-desigualdade-no-brasil-atinge-o-menor-nivel-em-2010-dizfgv.shtml>, consultado em 4 jan. 2012. Ver quadro 2 do Apêndice.

15. Maria da Conceição Tavares, *Desenvolvimento e igualdade*, p. 17.

16. Idem, entrevista a Vera Saavedra Durão, *Valor*, 6 nov. 2009.

volvimento democrático, ou estariam certas as avaliações de que a aceleração do crescimento e a redução da desigualdade inauguravam etapa distinta? E, caso estivessem corretas as perspectivas otimistas, como teria sido possível destravar a economia e reduzir a iniquidade sem radicalização política, numa transição quase imperceptível do viés supostamente neoliberal do primeiro mandato para o reformismo do segundo?

Este livro não tem a pretensão de dar respostas definitivas a essas perguntas, mas procura oferecer um esquema interpretativo com base no qual elas podem ser equacionadas. Em resumo, o esquema proposto tem o seguinte roteiro. Teria havido, a partir de 2003, uma orientação que permitiu, contando com a mudança da conjuntura econômica internacional, a adoção de políticas para reduzir a pobreza — *com destaque para o combate à miséria* — e para a ativação do mercado interno, *sem confronto com o capital*. Isso teria produzido, em associação com a crise do "mensalão",[17] um realinhamento eleitoral que se cristaliza em 2006, surgindo o lulismo. O aparecimento de uma base lulista, por sua vez, proporcionou ao presidente maior margem de manobra no segundo mandato, possibilitando acelerar a implantação do modelo "diminuição da pobreza com manutenção da ordem" esboçado no primeiro quadriênio.

A expressão "realinhamento eleitoral" foi elaborada nos Estados Unidos para designar a mudança de clivagens fundamentais do eleitorado, que definem um ciclo político longo. Apesar de o conceito de realinhamento ser objeto de extenso debate na ciência política,[18] interessa-me nele apenas a ideia de que certas conversões de blocos de eleitores são capazes de determinar uma agenda de longo prazo, da qual nem mesmo a oposição ao governo conse-

17. Escândalo político-midiático envolvendo o PT em 2005.
18. Para um resumo didático dos debates sobre a noção de realinhamento, ver Cees van der Eijk e Mark N. Franklin, *Elections and voters*, pp. 183-7.

gue escapar. Por isso, a meu ver, 2002 pode ser o marco inicial de fase prolongada no Brasil, como aconteceu nos EUA com a ascensão de Franklin Delano Roosevelt. Em 1932, nos EUA, assim como em 2002 no Brasil, numa típica eleição de alternância, forma-se nova maioria. Em 2006, em pleito de continuidade, há relevantes trocas de posição social no interior da coalizão majoritária: em função das opções governamentais tomadas no primeiro mandato de Lula, a classe média se afasta e contingentes pobres ocupam o seu lugar. Isso quer dizer que, embora o processo de mudança tenha começado em 2002, a eleição decisiva do ponto de vista das classes, na qual o subproletariado adere em bloco a Lula e a classe média ao PSDB, é a de 2006.

Na realidade, conforme fui advertido nos debates em torno da tese do realinhamento, é possível que ele tenha começado antes, com a lenta penetração do PT em camadas mais pobres e no Nordeste[19] desde 1989, enquanto o PSDB vinha consolidando desde o seu próprio surgimento, em 1988, a condição de partido de classe média. Isso, aliás, seria compatível com o tipo de realinhamento que V.O. Key, Jr. chama de "secular".[20] Conforme explica Antonio Lavareda, no realinhamento secular as "transformações podem decorrer [...]de um processo bem mais discreto de acúmulo de modificações de longo prazo, onde uma extensa sequência de pleitos gradativamente corporifica o deslocamento de lealdades, fortalecendo um partido ou grupo de partidos em detrimento de outro(s)".[21]

Distinguir com precisão o tipo de realinhamento (crítico ou

---

19. Agradeço a Fernando Limongi, Gustavo Venturi e Timothy Power as observações a respeito.
20. V. O. Key, Jr., "Secular realignment and the party system", *The Journal of Politics*, vol. 1, n. 2, maio 1959.
21. Antonio Lavareda, *A democracia nas urnas*, p. 63.

secular) em curso, bem como o papel relativo nele jogado pelas eleições de 2002 e 2006, além das anteriores, demandaria pesquisas específicas que excedem os propósitos deste trabalho e espero venham a mobilizar outros cientistas políticos. O meu objetivo era chamar a atenção para as importantes mudanças que se divisavam nos dados relativos à eleição de 2006, alterações capazes de "definir um novo tipo de política, um novo conjunto de clivagens, que pode, então, durar por décadas".[22] No caso brasileiro, a agenda desse possível realinhamento é, a meu ver, a redução da pobreza. Note-se que, durante a vigência do realinhamento, pode haver troca de partidos no poder, como sucedeu em 1952 e 1956 com a vitória republicana nos Estados Unidos, seguida da volta do Partido Democrata à Presidência em 1960 e 1964, sem solução de continuidade em relação aos grandes objetivos nacionais estabelecidos na década de 1930, até que sobreviesse outro realinhamento, capaz de mudar a fase da política.

Em suma, foi em 2006 que ocorreu o duplo deslocamento de classe que caracteriza o realinhamento brasileiro e estabeleceu a separação política entre ricos e pobres, a qual tem força suficiente para durar por muito tempo. O lulismo, que emerge junto com o realinhamento, é, do meu ponto de vista, o encontro de uma liderança, a de Lula, com uma fração de classe, o subproletariado, por meio do programa cujos pontos principais foram delineados entre 2003 e 2005: combater a pobreza, sobretudo onde ela é mais excruciante tanto social quanto regionalmente, por meio da ativação do mercado interno, melhorando o padrão de consumo da metade mais pobre da sociedade, que se concentra no Norte e

22. John C. Berg, "The debate over realigning elections: where do we stand now?", *Paper* apresentado na reunião anual da North Eastern Political Science Association, 2003. Consultado em <www.allacademic.com>, 18 ago. 2010. Versão original em inglês, tradução livre minha.

Nordeste do país, sem confrontar os interesses do capital. Ao mesmo tempo, também decorre do realinhamento o antilulismo que se concentra no PSDB e afasta a classe média de Lula e do PT, criando-se uma tensão social que desmente, como veremos, a hipótese de despolarização da política brasileira pós-ascensão de Lula.

Foram as opções práticas do primeiro mandato, as quais precederam a crise do "mensalão" (2005) e com ela conviveram, mais do que qualquer programa explícito, que cristalizaram o realinhamento e fizeram surgir o lulismo. O pivô do lulismo foi de uma parte a relação estabelecida por Lula com os mais pobres, os quais, beneficiados por um conjunto de políticas voltadas para melhorar as suas condições de vida, retribuíram na forma de apoio maciço e, em algumas regiões, fervoroso da eleição de 2006 em diante. Paralelamente, o "mensalão" catalisou o afastamento da classe média, invertendo a fórmula de 1989, quando Lula foi derrotado exatamente pelos mais pobres, que tinham votado em Collor.

O lulismo, por sua vez, alterou a base social do PT e favoreceu, em particular no segundo mandato, a aceleração do crescimento econômico com diminuição da desigualdade, sobretudo mediante a integração do subproletariado à condição proletária via emprego formal. No plano ideológico, isso trouxe, outra vez, à tona a gramática varguista, que opunha o "povo" ao "antipovo". Não é difícil perceber, também, por que se repõem, no esquema interpretativo sugerido, alguns temas caros à tradição da ciência social brasileira. Impossibilitado de fazer, por ora, a necessária revisão da bibliografia pertinente, permito-me citar, de passagem, dois autores canônicos, apenas para ilustrar a volta de assuntos recorrentes. Para Celso Furtado e Caio Prado Jr., as virtualidades e empecilhos que tinha a nação para romper o círculo vicioso do atraso estavam vinculados à existência da *massa de miseráveis* no país. Vale a pena transcrever trecho de Caio Prado:

[...] a herança colonial brasileira ainda faz sentir, no essencial, todos ou pelo menos seus principais efeitos. Constituímos ainda, numa perspectiva ampla e geral [...], um aglomerado humano heterogêneo e inorgânico, sem estruturação econômica adequada, e em que as atividades produtivas de grande significação e expressão não se acham devidamente entrosadas com as necessidades próprias da massa da população. E como consequência desse estado de coisas [...] vai a economia brasileira incidir no círculo vicioso a que já nos referimos: *os baixos padrões e nível de vida da grande massa da população brasileira não dão margem para atividades produtivas em proporções suficientes para absorverem a força de trabalho disponível, e assegurarem com isso ocupação e recursos adequados àquela população.*[23] [grifos meus]

Deve-se recordar que o livro de Prado Jr. foi escrito depois da interrupção abrupta do percurso inaugurado pela Revolução de 1930, o qual, do seu jeito, atacara as principais contradições nacionais. Lembra Celso Furtado: "O modelo de industrialização substitutiva de importações estava longe de haver esgotado suas possibilidades como motor de crescimento".[24] Em outras palavras, o golpe de 1964 interrompeu o processo antes que a construção iniciada por Vargas se completasse.

Aspecto interessante da contradição brasileira é que a "grande massa" empobrecida *abria e fechava simultaneamente as perspectivas de desenvolvimento autônomo* do país. Abria, pois se tratava de mercado interno de que raros países dispunham; mas fechava, uma vez que o padrão de consumo era tão baixo que impedia a realização daquele potencial. A miséria anulava a possibilidade de surgir um setor industrial voltado para o mer-

23. Caio Prado Jr., *A revolução brasileira*, pp. 252-3.
24. Celso Furtado, *O longo amanhecer*, p. 17.

cado interno. Sem ter emprego, a massa miserável tornava-se uma espécie de "sobrepopulação trabalhadora superempobrecida permanente".[25] Seria necessário elevar as condições de existência das camadas mais pobres, superando a "situação de miserabilidade da grande massa da população do país, que deriva em última instância da natureza de nossa formação histórica", para iniciar um círculo virtuoso, pensava Caio Prado.[26] Ao fazê-lo, o mercado interno ampliado estimularia a criação de investimentos e empregos, rompendo finalmente o círculo vicioso anterior.

Apesar do quase meio século transcorrido desde a reflexão de Prado, e das expressivas transformações pelas quais passaram o Brasil e o mundo, a contradição fundamental, quando Lula tomou posse, em 1º de janeiro de 2003, continuava de pé. Uma série de relevantes contribuições intelectuais da década de 1970 procurou dar conta de como e por que a sobrepopulação trabalhadora superempobrecida permanente se reproduzia, não obstante a retomada da industrialização pela ditadura militar, a partir de 1967, no chamado "milagre econômico". O que se via naquela época era o paradoxo da *expansão do setor dinâmico com o aumento da desigualdade*, atestado pela piora na distribuição da renda. Como era possível que, mesmo ativando o mercado interno, como indicava Paul Singer,[27] a economia brasileira assistisse ao contínuo afastamento "entre a cúpula (o 'setor capitalista') e a

---

25. Sem querer entrar no debate especializado, uso de modo livre a expressão "sobrepopulação trabalhadora" inspirado em Marx, que fala em *sobrepoblación obrera* como *"producto necesario de la acumulación o del desarrollo de la riqueza sobre una base capitalista"*; Karl Marx, *El capital*, Livro 3, cap. 23, p. 786. Acrescento "superempobrecida e permanente" para marcar a especificidade brasileira.
26. Caio Prado Jr., *A revolução brasileira*, p. 264.
27. Paul Singer, *A crise do "milagre"*, p. 76.

base da pirâmide (o 'setor subdesenvolvido')", nas palavras de Maria da Conceição Tavares?[28]

Francisco de Oliveira sugeriu que, por trás da aparente dualidade entre um sistema dinâmico e outro atrasado, na realidade haveria uma integração de ambos, em detrimento dos pobres. O aumento da exploração, refletido na menor renda dos pobres, canalizaria riqueza para o alto, permitindo aumentar o suficiente o consumo dos ricos para sustentar a expansão do mercado interno, sem precisar diminuir a pobreza e a desigualdade.[29] A grande massa empobrecida estaria sendo absorvida pelo setor de serviços informal, por assim dizer, lavando os carros que a próspera indústria automobilística vendia para a classe média, numa das vívidas imagens de Oliveira. "Esses tipos de serviços, longe de serem excrescência e apenas depósito do 'exército industrial de reserva', são adequados para o processo de acumulação global e da expansão capitalista e, por seu lado, reforçam a tendência à concentração da renda."[30]

Em 1981, Paul Singer percebeu que a sobrepopulação trabalhadora superempobrecida permanente constituía, na realidade, fração de classe, à qual denominou subproletariado,[31] e logrou quantificá-la, concluindo tratar-se de nada menos que 48% da população economicamente ativa (PEA), contra apenas 28% de proletários (dados de 1976). Estava ali a chave para entender por que o processo político brasileiro não pode ser pensado sem se

28. Maria da Conceição Tavares, "O caso do Brasil", em M. da C. Tavares, *Desenvolvimento e igualdade*, p. 121. O ensaio foi publicado originalmente em 1972.
29. Francisco de Oliveira, *Crítica à razão dualista/ O ornitorrinco*.
30. Idem, ibidem, p. 58. Entre as obras importantes do período encontra-se, também, *A revolução burguesa no Brasil. Ensaio de interpretação sociológica*, de Florestan Fernandes. Esperamos, em outra oportunidade, realizar a revisão que o conjunto desses trabalhos merece.
31. Ver Paul Singer, *Dominação e desigualdade. Estrutura de classe e repartição da renda no Brasil*.

levar em consideração o elemento subproletário. Afinal, apresentando-se na cena política como massa, o subproletariado, por seu tamanho, influi decisivamente na luta de classes.

O fim do "milagre", a crise da dívida externa e a introdução do receituário neoliberal, que marcaram sucessivamente as décadas de 1980 e 1990, repuseram com vigor o problema da sobrepopulação trabalhadora superempobrecida permanente. Primeiro, a estagnação da economia e, depois, o combate à inflação por meio das importações produziram explosão de desemprego, jogando parcela do proletariado formado na época do milagre de volta à precariedade do subproletariado, além de segmentos do subproletariado no lumpemproletariado,[32] o que favoreceu a constituição do crime organizado nas zonas metropolitanas. Em 1999, Celso Furtado escrevia:

> Nosso país se singulariza por dispor de considerável potencial de solos aráveis não aproveitados, fontes de energia e mão de obra subutilizadas, elementos que dificilmente se encontram reunidos em outras partes do planeta. Por outro lado, abriga dezenas de milhões de pessoas subnutridas e mesmo famintas [...]. O cerne da questão é definir que modelo de desenvolvimento vai se propor ao Brasil para os próximos anos. É fundamental solucionar o problema da criação de empregos.[33]

A singularidade das classes no Brasil consiste no peso do subproletariado, cuja origem se deve procurar na escravidão,

---

32. A distinção entre a sobrepopulação trabalhadora atingida pelo pauperismo e o lumpemproletariado (marginalidade) está em Marx. Ver Karl Marx, *El capital*, Livro 3, cap. 23, p. 802. Comparece também em Paul Singer: o subproletariado é composto de "pobres que trabalham" (*Dominação e desigualdade*, p. 23).
33. Celso Furtado, *O longo amanhecer*, pp. 32 e 102.

que ao longo do século xx não consegue incorporar-se à condição proletária, reproduzindo massa miserável permanente e regionalmente concentrada. O Norte e o Nordeste têm índices de pobreza bem maiores que os do Sul e do Sudeste. O populoso Nordeste, em particular, é o principal irradiador de imigrantes para as regiões mais prósperas. Por isso, entendo que, ao tocar na questão da miséria, dinamizando, sobretudo, a economia nordestina, o lulismo mexe com a nossa "questão setentrional": o estranho arranjo político em que os excluídos sustentavam a exclusão.

O lulismo partiu de grau tão elevado de miséria e desigualdade, em país cujo mercado interno potencial é expressivo, que as mudanças estruturais introduzidas, embora tênues em face das expectativas radicais, tiveram efeito poderoso, especialmente quando vistas da perspectiva dos que foram beneficiados por elas: o próprio subproletariado. A conjuntura econômica mundial favorável entre 2003 e 2008, não só por apresentar um ciclo de expansão capitalista como por envolver um *boom* de *commodities*, ajudou a produzir o lulismo. No entanto, foram as decisões do primeiro mandato, intensificadas no segundo, que canalizaram o vento a favor da economia internacional para a redução da pobreza e a ativação do mercado interno. Lula aproveitou a onda de expansão mundial e optou por caminho intermediário ao neoliberalismo da década anterior — que tinha agravado para próximo do insuportável a contradição fundamental brasileira — e ao reformismo forte que fora o programa do PT até as vésperas da campanha de 2002. O subproletariado, reconhecendo na invenção lulista a plataforma com que sempre sonhara — um Estado capaz de ajudar os mais pobres *sem* confrontar a ordem —, deu-lhe suporte para avançar, acelerando o crescimento com redução da desigualdade no segundo mandato, e, assim, garantindo a vitória de Dilma em 2010 e a continuidade do projeto ao menos até 2014.

Mas, se está claro um dos possíveis sentidos do lulismo, cabe apontar o tipo de contradição que o acompanharia: ao promover um reformismo suficientemente fraco para desestimular conflitos, ele estende no tempo a redução da tremenda desigualdade nacional, a qual decai de modo muito lento diante do seu tamanho, em compasso típico dos andamentos dilatados da história brasileira (escravatura no Império, política oligárquica na República, coronelismo na modernização pós-1930).

Eis, em resumo, o esquema interpretativo que pretendo desenvolver nas páginas a seguir. Antes de deixar o leitor julgar por si mesmo, na leitura dos quatro capítulos que compõem a exposição, a qualidade das evidências empíricas que recolhi em benefício desta análise, devo fazer dois breves apontamentos teóricos. Aos que se aborrecem com as excursões pela teoria, mesmo que ligeiras, sugiro irem diretamente ao capítulo 1.

PERSPECTIVA DE CLASSE E REPOLARIZAÇÃO DA POLÍTICA

Se, do ponto de vista do comportamento eleitoral, o sentido ideológico do realinhamento lulista confirma as pesquisas que empreendi sobre os pleitos de 1989 e 1994,[34] quando assinalei que os votantes mais pobres queriam um Estado fortalecido para promover ações de combate à pobreza, mas rejeitavam o caminho da ruptura proposto pela esquerda, o lulismo enquanto rearranjo do bloco no poder me levou a buscar os fundamentos de classe do fenômeno. Decidi fazer a opção teórica de que o ângulo de classe continuava útil para explicar as sociedades capitalistas, em que pesem as mudanças ocorridas desde os anos 1950. Embora fuja ao

34. Ver André Singer, *Esquerda e direita no eleitorado brasileiro. As identificações ideológicas nas disputas presidenciais de 1989 e 1994*.

escopo do livro, voltado para a discussão do Brasil contemporâneo, entrar nos meandros do caudaloso debate a respeito do estatuto das classes sociais no século XXI, espero que algumas referências gerais sejam capazes de situar minimamente o leitor interessado no tema.

Ainda que fora de moda nos últimos anos, a perspectiva de classe continua a dar sinais de vitalidade *nas duas tradições de reflexão que a utilizam* — a originada em Marx e a que se nutre em Max Weber. Para relembrar de maneira esquemática as formulações de ambos, Marx propõe no *Manifesto comunista* a noção de que as classes se efetivam na *luta de classes*, sendo esta sempre "uma luta política".[35] Os autores do *Manifesto* indicam que o desenvolvimento das forças produtivas tende a criar diferentes *relações de produção e, portanto,* distintas *classes,* em potencial, *mas que estas só se realizam no plano da política.*

Forças produtivas e relações de produção constituem modos de produção, que na formulação do Prefácio à "Contribuição à crítica da economia política" aparecem assim: "A grandes traços podemos designar como outras tantas épocas de progresso, na formação econômica da sociedade, o modo de produção asiático, o antigo, o feudal e o moderno burguês".[36] Em cada um deles há *classes em si,* ocupando posições objetivas nas relações de produção. As classes podem transformar-se em *classes para si,* isto é, conscientes de seus interesses e dispostas a lutar por eles no plano da política. No caso de classes em si que não logram se unificar e conscientizar-se para a ação coletiva, tendem a aparecer na luta política como

---

35. Karl Marx e Friedrich Engels, *Manifesto comunista*, p. 27.
36. Há uma extensa literatura a respeito do desenvolvimento dos modos de produção. Como não é objetivo aqui discutir o assunto, mantivemos a referência ao esquema do Prefácio à "Contribuição à crítica da economia política", sabendo que para Marx o suposto evolucionismo é uma simplificação consciente. Ver Karl Marx e Friedrich Engels, *Obras escolhidas* (vol. 1), p. 302.

massa, estruturada de fora para dentro, como acontece em *O 18 Brumário*.[37] As classes fundamentais, por serem portadoras de um projeto histórico, como é o caso da burguesia e do proletariado no capitalismo, tenderiam a se organizar enquanto classes; as demais, a surgir na política como massa. O funcionamento da consciência, nas frações de classe que aparecem como massa, assemelha-se ao da pequena burguesia, isto é, seriam incapazes de perceber o contexto real em que estão situadas, pois este lhes é adverso.

Na visão alternativa de Weber, classe seria "todo grupo humano que se encontra em uma mesma situação de classe". A "situação de classe" é definida por um "conjunto de probabilidades típicas" de acesso a bens, a *status*, e de destino pessoal dentro de uma determinada ordem econômica.[38] Daí a tendência, nos estudos de extração weberiana, em localizar as classes a partir de múltiplos critérios objetivos, como renda, escolaridade, consumo etc. Sobre esse solo comum, diz Weber, "podem surgir processos de associação".[39] Mas não é obrigatório que isso ocorra. Como a mobilidade de uma classe a outra é razoavelmente simples, a "unidade" das classes sociais se "manifesta de modo muito diverso".[40] De maneira mais restrita, segundo Richard Aschcraft, "numa leitura plausível de Weber (adotada por um extenso segmento de sociólogos políticos americanos), é possível afirmar que ele definiu classes no sentido econômico em termos da fonte e da natureza da renda dos seus membros".[41]

37. Karl Marx, "O 18 Brumário de Luís Bonaparte", em K. Marx, *A revolução antes da revolução*.
38. Max Weber, *Economía y sociedad*, p. 242. Tradução minha.
39. Idem, ibidem.
40. Idem.
41. Richard Aschcraft, "A análise do liberalismo em Weber e Marx", p. 208. Mais adiante vamos ver, sobretudo no capítulo 4, como o critério de renda é decisivo para certa compreensão das classes no Brasil hoje.

As intensas transformações sofridas pela estrutura social capitalista no século XX, matriz das experiências analisadas por Marx no século XIX, tornaram difícil a tarefa dos que procuram pensar a partir das categorias formuladas por ele. Perry Anderson, já no início dos anos 1990, fazia o seguinte balanço de "cinco eixos de diferenciação"[42] das classes no capitalismo avançado. Em primeiro lugar, houve a ascensão dos serviços, com declínio da classe trabalhadora manual para cerca de 1/4 da força de trabalho, sendo superada pelo número de empregados do setor terciário, e, simultaneamente, o afrouxamento dos laços de solidariedade entre os dois segmentos. Em segundo, aumentou a diversidade interna da própria classe trabalhadora manual, com bons salários na ponta mais alta e longos períodos de desemprego na mais baixa. Em terceiro, surgiram novas clivagens etárias. O prolongamento da adolescência, com uma demora e dificuldade para ingressar no mercado profissional, gerou cultura juvenil autônoma. Simultaneamente, a longevidade incrementou o peso dos aposentados na população, restando aos trabalhadores da "segunda idade" carregar sozinhos pesado fardo econômico. Em quarto, o incremento do número de mulheres no mercado de trabalho fez crescer a importância da clivagem por gênero, tornando as reivindicações femininas pauta obrigatória das lutas trabalhistas. Em quinto, o maior número de imigrantes "erodiu a cultura de solidariedade na população trabalhadora".[43] O resultado de tudo isso foi uma intensa fragmentação da "antiga" classe operária.

Mas justamente pela compreensão das transformações apontadas acima — ou seja, pela captura das novas configurações de classe — é que seria possível apreender a dinâmica política con-

42. Perry Anderson e Patrick Camiller (orgs.), *Um mapa da esquerda na Europa Ocidental*.
43. Idem, ibidem, p. 22.

temporânea. Escrevendo em março de 2009, Anderson argumenta, por exemplo, que a incapacidade de uma das tradições intelectuais mais respeitáveis da Europa, a que foi inaugurada por Gramsci, para lidar com a fragmentação pós-moderna do trabalho dificulta-lhe a decifração da política italiana atual.[44]

Na linha de pesquisa que lê preferencialmente Weber, encontram-se afirmações parecidas. Os trabalhos de Geoffrey Evans, entre outros, procuram mostrar como o voto de classe, incorporadas, é claro, as novidades ocorridas desde os anos 1950, continua a ser relevante para explicar o comportamento político na Europa e nos Estados Unidos.[45] Sem dúvida, em função das transformações sociais, as classes precisam ser redefinidas. Sugere-se um esquema de quatro classes, separando a pequena burguesia (autônomos), uma classe gerencial de serviços, uma classe de trabalhadores não manuais de baixa responsabilidade (empregados de escritório de escalão baixo) e a classe trabalhadora propriamente dita.[46] O reconhecimento de uma fração de classe gerencial e outra ligada às funções de qualificação menor nos escritórios também comparece na tradição marxista. Já na década de 1970, Nicos Poulantzas assinalava que os engenheiros e técnicos seriam "portadores da reprodução das relações ideológicas no próprio seio do processo de produção material".[47] Por volta da mesma época, Paul Singer indicava no Brasil a existência de duas frações da pequena burguesia: a tradicional, composta de "produtores diretos não assalariados, proprietários dos seus meios de

44. Perry Anderson, "An invertebrate left", *London Review of Books*, vol. 31, n. 5, mar. 2009, pp. 12-8.
45. Ver Geoffrey Evans (ed.), *The end of class politics? Class voting in comparative context*.
46. Ver Ben Clift, "Social-democracy in the 21st century: still a class act?", em <http://wrap.warwick.ac.uk>, consultado em 23 fev. 2011.
47. Nicos Poulantzas, *As classes sociais no capitalismo de hoje*, p. 256.

produção", e a pequena burguesia recente, a qual incluiria assalariados que não se confundem com a classe trabalhadora por exercerem atividades gerenciais.[48] Décadas mais tarde, Fernando Haddad acrescentaria a sugestão de que a segunda camada é integrada também por "agentes sociais inovadores".[49]

Em resumo, há um conjunto de sintomas de que a categoria classe vem sendo reabilitada nas duas escolas para explicar a sociedade contemporânea.[50] De olho nessas contribuições, o sociólogo Louis Chauvel propôs uma definição de classe que busca tornar complementares os critérios de uma e de outra formulação. De acordo com Chauvel, classes deveriam ser entendidas como grupos sociais definidos, de um lado, pela quantidade de riqueza apropriada e, de outro, por três dimensões de identidade: temporal, cultural e coletiva. Na primeira, está em jogo a durabilidade da identificação. Na segunda, a existência de referências simbólicas comuns e estilos de vida compartilhados. Na terceira, a capacidade de participar de ação coletiva. Os elementos de identidade dão conta dos valores imateriais e poderiam se aplicar a qualquer agrupamento: de gênero, étnico, regional, religioso etc. O que os transforma em atributos de classe é o fato de se referirem a grupos sociais definidos no plano da economia (apropriação da riqueza).

No Brasil, afora a tradição inspirada em Marx, à qual voltaremos adiante, autores como Marcelo Neri, Amaury de Souza e Bolívar Lamounier, de um lado, e Jessé Souza, de outro, recorreram à noção de classe para dar conta das mudanças em curso no lulismo. Neri usa instrumental econômico e estatístico para medir classes

---

48. Paul Singer, *Dominação e desigualdade*, p. 18.
49. Fernando Haddad, *Trabalho e linguagem*, p. 110.
50. Ver Louis Chauvel, "Are social classes really dead? A French paradox in class dynamics", em G. Therborn (ed.), *Inequalities of the world*, pp. 298-9.

de renda. Inspirados em Weber, Souza e Lamounier buscam em pesquisas quantitativas as "características objetivamente mensuráveis, como a educação, a renda e a ocupação, entendidas como atributos individuais",[51] que seriam elementos para identificar as classes na sociedade brasileira. A partir delas, procedem a extensa análise de crenças e atitudes do que chamam "nova classe média".

Já Jessé Souza, também leitor de Weber e Pierre Bourdieu, argumenta que é na "transferência de valores imateriais" que reside o "mais importante" fator para separar as classes.[52] Procurará, por meio de pesquisas qualitativas, capturar a unidade simbólica do que chama "ralé" e "nova classe trabalhadora" no Brasil de hoje. Nos capítulos 3 e 4 o assunto será retomado.

Por agora, deseja-se destacar que este livro não se encontra isolado na decisão de usar a categoria "classe" para entender o período 2002-10. É original apenas a sugestão de que o deslocamento do subproletariado, uma fração de classe com importante peso eleitoral, provocou o surgimento do lulismo (capítulo 1). O lulismo, por seu turno, teria impactado o PT (capítulo 2), dando suporte à virada programática que começara em 2002. Em seguida, no segundo mandato, o governo Lula, sustentado pelo subproletariado e por um partido lulista, afiançou o modelo de arbitragem entre as classes fundamentais, dando asas a um imaginário rooseveltiano (capítulo 3). E o conjunto de mudanças pode ser entendido como um reformismo fraco, que, simultaneamente, reproduz e avança as contradições brasileiras (capítulo 4).

O ângulo de classe, diferentemente da maioria das explicações que tendem a enxergar despolarização e despolitização no período do lulismo, me levou a pensar que o realinhamento provocou uma repolarização e uma repolitização da disputa

---

51. Amaury de Souza e Bolívar Lamounier, *A classe média brasileira*, p. 13.
52. Jessé Souza, *Os batalhadores brasileiros*, p. 23.

partidária. É verdade que até em relação a autores do mesmo campo teórico há diferenças a esse respeito. Avaliando o pleito de 2006, Francisco de Oliveira refere-se a um suposto desinteresse do eleitorado, "reflexo de que a política não passa pelo conflito de classes".[53] De acordo com Oliveira, nesse pleito teria havido "a porcentagem mais alta de 'indiferença' eleitoral da história moderna brasileira, aproximando-se dos números da abstenção dos norte-americanos nas eleições presidenciais".[54] Ruy Braga observa que haveria um "efeito regressivo" do lulismo: nele, a política afasta-se dos embates hegemônicos e refugia-se "na sonolenta e desinteressante rotina dos gabinetes".[55] Desde esse ponto de vista, a polarização entre ricos e pobres ocorrida na eleição de 2006 (e reproduzida em 2010) teria sido ilusão de ótica. Mas, como se pode observar na tabela 1 do Apêndice, as taxas de abstenção em 2006 não foram maiores do que as apresentadas desde 1994, sendo até um pouco menores que as de 1998 e 2002, o que indica interesse pelo pleito. Retornaremos ao assunto adiante.

Em outra chave, Brasílio Sallum Jr.[56] também avalia haver despolarização, pois acha que se estabeleceu um consenso liberal-desenvolvimentista. Para ele, o governo Lula se aproximou da plataforma liberal de FHC, que consistia em tirar o Estado das atividades empresariais, desenvolver políticas sociais, equilibrar as

---

53. Francisco de Oliveira, "Hegemonia às avessas", em F. de Oliveira, R. Braga e C. Rizek (orgs.), *Hegemonia às avessas*, p. 23.
54. Idem, ibidem.
55. Ruy Braga, "Apresentação", em F. de Oliveira, R. Braga e C. Rizek (orgs.), *Hegemonia às avessas*, p. 8.
56. Brasílio Sallum Jr. e Eduardo Kugelmas, "Sobre o modo Lula de governar", em B. Sallum Jr., *Brasil e Argentina hoje*; Brasílio Sallum Jr., "A crise do governo Lula e o déficit de democracia no Brasil", em L. C. Bresser-Pereira (org.), *A economia brasileira na encruzilhada*; idem, "El Brasil en la 'pos-transición': la institucionalización de una nueva forma de Estado", em I. Bizberg (org.), *México en el espejo latinoamericano*.

finanças públicas e derrubar a antiga proteção varguista à empresa nacional. Sobretudo, haveria um consenso de que a estabilidade monetária seria um valor supremo. A plataforma liberal teria se combinado, desde o governo do PSDB, com a busca de inserção internacional competitiva, passando pelo estímulo a diversas atividades agrícolas, industriais e de serviços, e atração de multinacionais que pudessem adensar cadeias produtivas internas. Em outras palavras, seria um liberalismo seletivo, associado à defesa de setores específicos da economia.

Mas as medidas de proteção à parcela mais pobre da população não teriam caráter liberal. Por isso, o terreno comum entre tucanos e petistas deveria ser considerado "liberal-desenvolvimentista". Sallum Jr. reconhece o que denomina de "novo ativismo estatal" no segundo mandato de Lula, que, embora pudesse significar uma inflexão desenvolvimentista, continuaria a ser liberal, ou seja, atuaria dentro dos marcos estabelecidos no governo anterior. A hipótese de uma inflexão desenvolvimentista, sugerida por Sallum Jr., é interessante para caracterizar o lulismo, como veremos no capítulo 3. Porém, cabe ressaltar que a política social, voltada para os mais pobres, com reflexos sobre o mercado interno e as relações de classe, inicia desde 2005-06 uma polarização entre ricos e pobres que escapa ao terreno comum de um possível liberal-desenvolvimentismo, pois ela opõe de maneira consistente os que desejam maior intervenção estatal aos que preferem soluções de mercado.

Igualmente para Luiz Werneck Vianna, o empenho, bem-sucedido, do governo Lula teria sido o de despolitizar e, portanto, despolarizar os conflitos.[57] Vianna percebe na constituição de um "Estado de compromisso", arbitrando em seu interior a negocia-

---

57. Luiz Werneck Vianna, "O Estado Novo do PT", no sítio *Gramsci e o Brasil*, <www.acessa.com/gramsci/>, consultado em 24 fev. 2011.

ção entre grupos de interesse, a característica central do lulismo. "Nesse ambiente fechado à circulação da política, a sua prática se limita ao exercício solitário do vértice do presidencialismo de coalizão, o chefe de Estado."[58] A despolitização resultante se refletiria no esvaziamento do Parlamento e do sistema de partidos, cuja função de comunicar a opinião que se forma na sociedade civil estaria, assim, bloqueada. Ou seja, por razões diferentes das sugeridas por Oliveira e Braga, que estão pensando no sequestro neoliberal da política, Sallum Jr. e Werneck Vianna coincidem quanto à inclinação do governo Lula à pasteurização.

Um quinto autor, Marcos Nobre, expõe, com outras nuances, o que seria a "anulação" da política no lulismo. Nobre sugere que a cultura política brasileira teria encontrado, na saída da ditadura, um estilo particular, o peemedebismo, de absorver a "ascensão de pobres e remediados à condição de representados políticos".[59] O peemedebismo se caracterizaria por um sistema de vetos construído no período de transição à democracia, o qual representaria a capacidade de bloquear mudanças estruturais. A partir de 2005, com a plena incorporação do PMDB ao seu governo, Lula teria passado a "ampliar de tal maneira o centro político que a polarização praticamente desapareceu". Ao fazê-lo, destruiu a bipolaridade existente no período FHC. A peemedebização do lulismo implicaria uma "regressão política", fazendo prever "uma reorganização de grandes proporções", uma vez que "o sistema político não sobrevive sem polarização". Enquanto isso não acontece, teríamos "uma sociedade amputada por uma representação política excludente", o que explicaria por que a eleição de 2010 teria ficado "entre o chocho e o abstruso, sem nada de realmente relevante entre

---

58. Idem, ibidem.
59. Marcos Nobre, "O fim da polarização", piauí, n. 51, dez. 2010, pp. 70-4. Todas as citações de Nobre se referem a esse artigo.

as duas coisas", numa análise que lembra a de Oliveira sobre o pleito de 2006. Em suma, o sistema de vetos teria retirado qualquer possibilidade de movimento à política.

Penso, entretanto, que, nesse aspecto, a razão está com Fábio Wanderley Reis, quando indica que o lulismo produziu não despolarização, mas um tipo de polarização distinto: "O lulismo, combinando simbolismo popular e empenho redistributivo, resultou em algo inédito nas disputas presidenciais, tendendo a caracterizar o processo eleitoral de maneira geral: a intensa correlação, que transpareceu com nitidez especial na eleição de 2006, entre o apoio eleitoral a um candidato ou outro e a posição socioeconômica dos eleitores — com as projeções regionais dessa correlação".[60] Mas, coerentemente com a visão construída desde a década de 1970, Reis não vê polaridade *ideológica*, e sim processo de identificação com base em "imagens toscas", desde o qual se poderia enxergar "o caso de Lula como parte de uma nova onda populista na América Latina, que alguns identificam em casos como o dos Kirchner, na Argentina, e os de Hugo Chávez (Venezuela), Evo Morales (Bolívia) e Rafael Correa (Equador)".[61] Procuraremos argumentar que o lulismo faz uma rearticulação ideológica, que tira centralidade do conflito entre direita e esquerda, mas reconstrói uma ideologia a partir do conflito entre ricos e pobres.

Note-se que, embora Reis tenha tentado evitar as conotações negativas da expressão "populismo", ao argumentar que o neopopulismo não precisa estar carregado de apelos fraudulentos e instituições frágeis, como aparece, por exemplo, na exposição de

60. Fábio Wanderley Reis, "Identidade política, desigualdade e partidos brasileiros", *Novos Estudos*, n. 87, jul. 2010, p. 70.
61. Idem, ibidem.

Fernando Henrique Cardoso em conferência na OEA,[62] ambos entendem o populismo pelo viés cognitivo. "O populismo está de volta, ainda de forma restrita. Mas está de volta e é uma ameaça à democracia", disse o ex-presidente referindo-se à América Latina. O populismo, de acordo com Cardoso, caracteriza-se por uma relação personalista e direta do líder carismático com a população, em lugar do governo baseado em regras e instituições. Notabiliza-se, outrossim, pela crítica constante a essas mesmas instituições, que passam a ser desacreditadas, e por um discurso simplificado e vazio, "assente na manipulação e na propaganda em vez de em fatos ou na opinião informada". A visão "cognitivista" do lulismo exclui a visada de classe, desde a qual Francisco Weffort analisou, em sua época, o populismo varguista,[63] e que atualizada permite, a meu ver, entender o lulismo. Voltarei a debater o esquema interpretativo de Reis, um dos mais completos sobre a política brasileira contemporânea, ao longo do livro.

Há, finalmente, uma terceira linha de compreensão, que destaca a existência de polarização, mas sem identificar o deslocamento ideológico produzido pelo lulismo no interior dela. Rudá Ricci vincula a vitória de Lula em 2006 ao voto dos mais pobres e, ao analisar a eleição de 2008, chega à conclusão de que se manteve a polarização PT-PSDB, "tendo o PMDB como fiel desta balança".[64] A análise de Fernando Limongi e Rafael Cortez vai adiante, indicando que a polarização entre PT e PSDB foi transplantada para os estados na eleição de 2010. "A polarização PT-PSDB na eleição presidencial repercute e reorganiza as disputas pelos governos estaduais."[65]

62. Ver a conferência pronunciada por Fernando Henrique Cardoso em 30 mar. 2006 na OEA. Consultado em <http://www.oas.org>, 25 jan. 2011.
63. Francisco Weffort, *O populismo na política brasileira*.
64. Rudá Ricci, *Lulismo*, pp. 95 e 124.
65. Fernando Limongi e Rafael Cortez, "As eleições de 2010 e o quadro partidário", *Novos Estudos*, n. 88, dez. 2010, p. 37.

Juarez Guimarães, por sua vez, tomando como foco o segundo turno da eleição de 2010, afirma que se deu uma "polarização inédita na história brasileira recente".[66] Nela, Guimarães enxerga componentes ideológicos: esquerda e direita teriam vindo à tona, "conformando uma disputa que indicava dois caminhos diametralmente opostos para o Brasil".

A diferença entre a minha abordagem e a dos autores dessa última corrente é que, embora estejamos de acordo que a polarização PT-PSDB, estabelecida desde 1994, continua a existir e é decisiva, penso que ela mudou de conteúdo. Estaríamos em face de uma repolarização da política brasileira, na vigência da qual o sentido da disputa entre PT e PSDB se alterou. Guimarães tem razão ao perceber que o PT se tornou "mais Brasil". O busílis é que, ao se tornar "mais Brasil", ele se torna menos "dos trabalhadores", isto é, opera um deslocamento de classe e, portanto, ideológico, que Guimarães não incorpora à sua análise. A ascensão do subproletariado, do qual o PT se tornou o representante na arena política, por isso se assemelhando a um "partido dos pobres" de estilo anterior a 1964, significa que as classes fundamentais passam para o fundo da cena. Foi por isso que a polarização entre esquerda e direita esmaeceu, sendo substituída por uma polarização entre ricos e pobres, parecida com a do período populista.

Um sintoma de que não há despolarização é o comparecimento estável nas eleições presidenciais de 2002, 2006 e 2010 (ver tabela 1 do Apêndice). Sem voltar ao recorde de participação estabelecido na eleição de 1989, com abstenção de somente 12% no primeiro turno e 14% no segundo, a ausência nas eleições desde 2002 esteve dentro da faixa estabelecida em 1994 e 1998, ao redor de 20%. Não houve diminuição do interesse porque a disputa en-

---

66. Juarez Guimarães, "A nova dialética da vida política", *Teoria e Debate*, n. 90, nov./dez. 2010, p. 12.

tre ricos e pobres mobiliza o eleitorado. Os números apresentados nos capítulos 1 e 4 são expressivos de que em 2006 e 2010 houve nítida separação entre o voto dos pobres e o dos ricos. Simultaneamente, ocorreu diminuição do alinhamento ideológico que prevaleceu entre 1989 e 2002, quando os votos da esquerda estavam com o PT e os da direita eram anti-PT. A hipótese que testei em *Esquerda e direita no eleitorado brasileiro*[67] se confirmou *até 2002* (*inclusive*). Apesar da baixa escolaridade média do eleitorado, havia uma coerência ideológica dos votos em cerca de 3/4 dos eleitores: aqueles que se colocavam à direita, entre os quais os de baixa renda, tendiam a votar nos candidatos mais conservadores, a começar por Collor, o contrário acontecendo conforme se avançava para as rendas maiores, em que aumentava, estatisticamente, a adesão à esquerda e o voto em Lula. Mas isso se altera em 2006.

Em suma, penso que no lulismo a polarização se dá entre ricos e pobres, e não entre esquerda e direita. Por isso, a divisão lulista tem uma poderosa repercussão regional, e o Nordeste, que é mais pobre, concentra o voto lulista. Daí, igualmente, termos maioria tucana de São Paulo para o Sul, e petista do Rio de Janeiro para o Norte. Isso significa que o lulismo dilui a polarização esquerda/direita porque busca equilibrar as classes fundamentais e esvazia as posições que pretendem representá-las na esfera política. Desse ângulo, as análises que falam em despolarização e despolitização têm um momento de verdade, isto é, descrevem *parcialmente* o processo. Acontece que o lulismo separa os eleitores de baixa renda das camadas médias, tornando os dois principais partidos do país — PT e PSDB — representativos desses polos sociais. Assim, mesmo que obrigados a ficarem programaticamente próximos em função do realinhamento, PT e PSDB são as expressões de uma polarização

67. André Singer, *Esquerda e direita no eleitorado brasileiro. A identificação ideológica nas disputas presidenciais de 1989 e 1994*.

35

social talvez até mais intensa do que a dramatizada por PTB e UDN nos anos 1950. A diferença está em que os partidos de agora evitam a radicalização *política* da polarização *social*.

Não por acaso, o realinhamento iniciado em 2002 lembra o descrito por Maria do Carmo Campello de Souza para a etapa 1945-64.[68] A autora mostra que o PTB começava a ganhar terreno fora dos grandes centros, obrigando a UDN a buscar refúgio no seu reduto natural, a classe média urbana. O lulismo fez o PT crescer no interior do Nordeste, solapando as fileiras do DEM, o que empurrou a oposição a procurar energia junto às camadas urbanas em ascensão, como explicitou o ex-presidente Fernando Henrique Cardoso.[69] Ainda segundo Campello de Souza, nessa passagem de acordo com a análise de Gláucio Soares,[70] o eleitorado do pré-1964 estava se realinhando com o PTB (pobres das cidades e do interior) e a UDN (classes médias urbanas), como se dá hoje com o PT e o PSDB.

POLÍTICA DE MASSAS E REVOLUÇÃO PASSIVA

A aplicação mecânica de conceitos atrapalha a apreensão do objeto. Bem usados, entretanto, os conhecimentos gerados pela explicação de circunstâncias históricas anteriores podem ser aliados na iluminação do presente. Constituindo, desde o alto, o subproletariado em suporte político, o lulismo repete mecanis-

68. Maria do Carmo Campello de Souza, *Estado e partidos políticos no Brasil (1930-1964)*. Cabe registrar que Souza aplica o termo "realinhamento" à tendência histórica detectada antes por Gláucio Ary Dillon Soares. Ver, desse autor, *Sociedade e política no Brasil*, pp. 89-93.
69. Fernando Henrique Cardoso, "O papel da oposição", *Interesse Nacional*, n. 13, abr./jun. 2011.
70. Gláucio Ary Dillon Soares, *Sociedade e política no Brasil*.

mo percebido por Marx em *O 18 Brumário*.[71] A análise de Marx é que as frações de classe que demonstram dificuldades essenciais para se organizar e tomar consciência de si, como já vimos, apresentam-se na política enquanto massa. Destituída da possibilidade de agir por meios próprios, a massa se identifica com aquele que, desde o alto, aciona as alavancas do Estado para beneficiá-la.

Quando a massa encontra uma liderança que a unifica, entra em cena de maneira intempestiva, por não ser precedida do vagaroso percurso que acompanha a ascensão de classe que se auto-organiza. No entanto, é necessário deixar explícito, para evitar mal-entendidos, que as similitudes entre o Bonaparte III e Lula são limitadas.[72] Nenhuma revolução antecedeu o lulismo, como aconteceu na França com Bonaparte III. Tampouco há elementos militares envolvidos em sua gênese, como no episódio francês. Parecem-se apenas na política de massas de caráter projetivo, sem a qual o viés profundamente popular do lulismo se torna incompreensível, e na inclinação a pairar acima das classes, deixando opaco o solo em que finca as raízes.

Do ponto de vista dos resultados, sendo um exemplo de movimento *sem mobilização*, poder-se-ia considerar o lulismo um caso de "revolução passiva", conforme pensada por Gramsci. Cabe recordar a definição de Carlos Nelson Coutinho: "Deve-se sublinhar, antes de mais nada, que um processo de revolução passiva, ao contrário de uma revolução popular, realizada a partir 'de baixo', jacobina, implica sempre a presença de dois momentos: o da 'restauração' (na medida em que é uma reação à possibilidade de uma

---

71. Karl Marx, "O 18 Brumário de Luís Bonaparte", em K. Marx, *A revolução antes da revolução*.
72. Agradeço a Paulo Arantes e Iná Camargo Costa a recomendação de cautela com a analogia.

transformação efetiva e radical 'de baixo para cima') e o da 'renovação' (na medida em que muitas demandas populares são assimiladas e postas em prática pelas velhas camadas dominantes)".[73] O próprio Coutinho adverte que "o conceito de revolução passiva constitui [...] um importante critério de interpretação para compreender não só episódios capitais da história brasileira, mas também, de modo mais geral, todo o processo de transição de nosso País à modernidade capitalista".[74] Não seria o lulismo mais um capítulo a ser adicionado ao rol de passagens modernizadoras sem mobilização às quais se aplicaria a noção de revolução passiva?

Werneck Vianna, para quem o Brasil "pode ser caracterizado como o lugar por excelência da revolução passiva",[75] entende que, no caso do lulismo, entretanto, ocorre uma inversão do modelo. Aqui, as forças da antítese (leia-se: o PT) "não quiseram assumir os riscos de sua vitória", optando por assumir o programa da tese (leia-se: PSDB), contra a qual haviam construído a sua identidade.[76] Então, foi "o elemento de extração jacobina" quem acionou "os freios".[77] Ou seja, em lugar de o partido conservador cooptar os quadros revolucionários para executar de maneira controlada as alterações renovadoras, na prática lulista os elementos conservadores é que foram cooptados pelos dirigentes de origem progressista, corroborando o diagnóstico de Oliveira, para quem "parece que os dominados dominam, pois

73. Carlos Nelson Coutinho, *Gramsci, um estudo sobre seu pensamento político*, p. 198.
74. Idem, ibidem, pp. 202-3. Ver também Emir Sader (org.), *Gramsci, poder, política e partido*, pp. 77-86.
75. Luiz Werneck Vianna, *A revolução passiva*, p. 43.
76. Idem, "O Estado Novo do PT", no sítio *Gramsci e o Brasil*, <www.acessa.com/gramsci/>, consultado em 24 fev. 2011.
77. Idem, ibidem.

fornecem a 'direção moral' e, fisicamente até, estão à testa de organizações do Estado".[78]

Oliveira está às voltas com o paradoxo de uma troca no *comando* do Estado, sem que houvesse um correspondente desvio na *orientação* do Estado. Ele interpretará o enigma como sendo "o avesso" da hegemonia, isto é, a *transformação* do consenso para a *manutenção* da dominação. Eis o absurdo: em lugar de justificar a conservação, o consenso *simula* a mudança, que na superestrutura de fato se realiza (o paradoxo de Werneck), apenas para afiançar a dominação antiga. Diante do tamanho da encrenca, Oliveira afirma: "É uma revolução epistemológica para a qual ainda não dispomos de ferramenta teórica adequada".[79]

Werneck resolve de modo distinto a "inversão da lógica da revolução passiva".[80] Enquanto Oliveira enxerga "capitulação ante a exploração desenfreada",[81] Werneck aponta que a "forma bizarra" da revolução passiva lulista implicou o *bloqueio da agenda conservadora* constituída pelas reformas tributária, previdenciária, sindical e trabalhista. A estranheza do quadro leva Werneck a ressaltar o papel da "ação carismática do seu principal fiador e artífice",[82] o presidente da República, que precisa equilibrar as tensões "importadas" para dentro do Estado a partir do seu prestígio popular. Na esteira desse raciocínio, Ricci sugere que só Lula seria capaz de formular um discurso que articula retardo e mo-

---

78. Francisco de Oliveira, "Hegemonia às avessas", em F. de Oliveira, R. Braga e C. Rizek (orgs.), *Hegemonia às avessas*, p. 26.
79. Idem, ibidem, p. 27.
80. Luiz Werneck Vianna, "O Estado Novo do PT", no sítio *Gramsci e o Brasil*, <www.acessa.com/gramsci/>, consultado em 24 fev. 2011.
81. Francisco de Oliveira, "Hegemonia às avessas", em F. de Oliveira, R. Braga e C. Rizek (orgs.), *Hegemonia às avessas*, p. 27.
82. Luiz Werneck Vianna, "O Estado Novo do PT", no sítio *Gramsci e o Brasil*, <www.acessa.com/gramsci/>, consultado em 24 fev. 2011.

dernização, atingindo assim uma sociedade em que o capitalismo tem forma híbrida, meio norte-americana (capitalista moderna) e meio atrasada.[83] Vale notar que o primeiro ano do governo Dilma Rousseff desmentiu as expectativas tanto de Werneck Vianna quanto de Ricci, pois, mesmo sem o carisma e a capacidade retórica de Lula, Dilma conseguiu equilibrar as tensões importadas para dentro do Estado e manter o discurso que equaciona, em estilo lulista, as disparidades do capitalismo nacional.

Para complicar ainda mais o quadro, a contar de 2005-06, o setor "atrasado" da sociedade brasileira, a saber, a massa rural e semirrural do Nordeste, que não encontrava lugar nas relações de mercado capitalistas "normais", se desliga do bloco histórico ao qual sempre esteve vinculada, ultimamente representado pelo PFL--DEM, aderindo ao lulismo.[84] Para ficar no âmbito das categorias gramscianas, a importância desse descolamento equivale à resolução do que poderíamos chamar de a nossa "questão setentrional", aludindo ao famoso ensaio do comunista sardo sobre a "questão meridional" na Itália. Gramsci acredita que a burguesia industrial italiana formara um bloco histórico com os latifundiários do Sul. A debilidade do capitalismo italiano residia em não ter rompido com os elementos do Sul retardatário, quando da unificação do país. O *Risorgimento* do século XIX resultou de uma aliança da burguesia liberal moderada com os grandes proprietários, sob a égide da monarquia, numa típica revolução passiva. O atraso do Sul era funcional para a burguesia do Norte, uma vez que representava um mercado cativo e também fonte de mão de obra barata.[85] A

83. Rudá Ricci, *Lulismo*, pp. 85-93.
84. Ver, a respeito, Ricardo Luiz Mendes Ribeiro, "A decadência longe do poder. Refundação e crise do PFL", dissertação de mestrado, São Paulo, DCP/USP, 2011.
85. Ver Carlos Nelson Coutinho, *Gramsci, um estudo sobre seu pensamento político*, p. 67.

massa camponesa, incapaz de "dar uma expressão centralizada às suas aspirações e necessidades",[86] fica ligada, por meio dos intelectuais locais, "ao grande proprietário rural".[87] Em outras palavras, o desenvolvimento do capitalismo na Itália estava travado por vasto bloco histórico que reunia dos industriais do Norte ao camponês do Sul, deixando a classe operária isolada.[88] A situação beneficiava até mesmo a aristocracia operária, cuja expressão política seria o reformismo social-democrata, que podia ser cooptada devido às altas margens de lucro da burguesia nortista. Não seria possível alterar o quadro, a menos que se operasse "com base nas forças populares tais quais são historicamente determinadas", pensava o dirigente do PCI.[89]

No Brasil há inúmeras indicações de que as massas agrárias também estiveram tradicionalmente sob o domínio dos grandes proprietários rurais. O coronelismo, que expressa o vínculo e a função dos chefes locais na evolução do país, não deve ser desconsiderado, como atesta Victor Nunes Leal,[90] mesmo depois da redemocratização de 1945. As constatações concernentes às bases sociais do conservadorismo na década de 1990 por Scott Mainwaring, Rachel Meneguello e Timothy Power[91] revelam a durabilidade da ligação, quase adentrando o século XXI.

O populismo varguista deixou intocada a estrutura corone-

---

86. Antonio Gramsci, "Alguns temas da questão meridional", *Temas de Ciências Humanas*, n. 1, 1977, p. 36.

87. Idem, ibidem, p. 38.

88. Ver Carlos Nelson Coutinho, *Gramsci, um estudo sobre seu pensamento político*, p. 67.

89. Antonio Gramsci, "Un esame della situazione italiana", conforme Carlos Nelson Coutinho, *Gramsci, um estudo sobre seu pensamento político*, p. 61.

90. Ver Victor Nunes Leal, *Coronelismo, enxada e voto*.

91. Scott Mainwaring, Rachel Meneguello e Timothy Power, *Partidos conservadores no Brasil contemporâneo*.

lista, embora deslocasse a oligarquia cafeeira paulista do centro do poder. De acordo com Weffort,[92] o varguismo representa tentativa de equilibrar as diferentes frações burguesas, tendo como suporte as massas urbanas em expansão, oriundas da migração rural, e os coronéis do interior. Por isso, quando os movimentos populares dos anos 1960 tentaram romper o elo entre as massas rurais e os latifundiários, por meio de uma reforma agrária substantiva, o pacto populista veio abaixo. Com a ditadura militar (1964-85), a união entre as massas rurais nordestinas e o bloco conservador se renova, gerando repetidas vitórias da Arena nos chamados grotões, o que postergou a decomposição do regime castrense. Redemocratizado o país, o PFL constituirá um dos principais partidos nacionais, herdando o vínculo conservador secular. Sustentado pela antiga fidelidade de extração coronelista, o PFL chegou a competir com o PSDB pela primazia na sucessão de FHC em 2002.[93] A relação entre conservadores e massas do interior, sobretudo no Nordeste, é rompida apenas quando acontece o deslocamento lulista em 2006, que se projeta para 2010 e além. Em resumo, o realinhamento eleitoral de 2006 significa a *mudança de um padrão histórico de comportamento político das camadas populares no Brasil, em particular no Nordeste.*

A fração de classe "sempre esquecida enquanto uma classe de indivíduos 'precarizados' que se reproduz há gerações"[94] se desligou das classes dominantes em 2006. Daí a polarização entre ricos e pobres. Para Jessé Souza, a ralé, como ele chama a fração de classe que nós denominamos subproletariado, seria explorada enquanto "cor-

---

92. Ver Francisco Weffort, *O populismo na política brasileira*, a quem sigo na análise do populismo.
93. A morte de Luís Eduardo Magalhães, em abril de 1998, representou um baque para as pretensões pefelistas.
94. Jessé Souza, *A ralé brasileira*, p. 21.

po" pela classe média tradicional.[95] "A classe média brasileira, por comparação com suas similares europeias, por exemplo, tem o singular privilégio de poder poupar o tempo das repetitivas e cansativas tarefas domésticas, que pode ser reinvestido em trabalho produtivo e reconhecido fora de casa." Daí a resistência da classe média ao programa do lulismo de erradicação da miséria, produzindo-se reação muito distante da indiferença política.

O lulismo mexe com um conflito nuclear no Brasil, aquele que opõe "incluídos" e "excluídos". Jessé Souza chega a propor que numa "sociedade perifericamente moderna como a brasileira" esse é o conflito central, e não o que opõe trabalhadores e burgueses,[96] subordinando em "importância todos os demais". Não obstante haver um equívoco, como veremos, nessa formulação, ela expressa a relevância de termos quase 1/3 da população brasileira despreparada "para o trabalho produtivo no capitalismo altamente competitivo de hoje".[97] Ou seja, no fato marcante de que nas camadas populares brasileiras há uma vasta porcentagem que está *aquém do proletariado*. Sem essa compreensão, não se perfila a importância do lulismo.

O problema é que Jessé Souza, ao dar centralidade ao conflito *inclusão versus exclusão*, tira o capitalismo de cena. Embora numa sociedade que reproduz a exclusão de maneira tão estrutural e contínua o conflito que a exclusão produz seja de alta relevância, não se pode esquecer que a oposição entre o capital e o trabalho define o destino de toda a época em que vivemos, sendo necessário integrar o problema da exclusão ao conjunto das relações de produção, se quisermos desvendar a totalidade. Na resolução de se o mercado será livre para movimentar o moinho satânico de Po-

95. Idem, ibidem, p. 24.
96. Idem, p. 25.
97. Idem, p. 22.

lanyi, como gosta de dizer Francisco de Oliveira, ou se o trabalho imporá restrições que preservem o sentido da vida humana, joga--se o futuro da humanidade. Daí decorre que as classes que encarnam as forças organizadas do capital e do trabalho travem uma luta que é a mais central de todas nas sociedades capitalistas, ainda que, no chão brasileiro, ela se combine com a existência histórica da sobrepopulação trabalhadora superempobrecida permanente, como procurei apontar acima.

É mister, portanto, reconhecer que o conflito de classes está condicionado no Brasil pela existência de uma vasta fração de classe que luta por aceder ao mundo do trabalho formal em regime capitalista, com todos os defeitos que ele possui, tendo estado historicamente dele excluída. Daí a relevância do que poderíamos chamar de a nossa "questão setentrional", se considerarmos que o epicentro dessa fração de classe está no Nordeste. Como lembra Sonia Rocha, "a pobreza no Brasil tem um forte componente regional", sendo que "o Nordeste permanece como a região mais pobre do país".[98]

Deve-se, então, enxergar que a existência dessa camada dava à burguesia uma supremacia sobre a classe trabalhadora, fazendo com que esta não pudesse aspirar a conquistas mais amplas enquanto não atraísse para a sua órbita o subproletariado. *O lulismo não representa tal passagem* — que talvez fosse mais bem sintetizada pela organização autônoma, como é tentada pelo Movimento dos Trabalhadores Rurais Sem Terra (MST), caso ela fosse capaz de congregar dezenas de milhões de subproletários. Porém, o lulismo constituiu a ruptura *real* da articulação anterior, ao *descolar* o subproletariado da burguesia, abrindo possibilidades inéditas a partir dessa *novidade histórica*.

Mais que *inversão* de quadros (Werneck Vianna) ou de propó-

---

98. Sonia Rocha, *Pobreza no Brasil*, p. 135.

sitos (Oliveira), o lulismo representa a criação de um bloco de poder novo, com projeto próprio, para cuja compreensão as noções de *política de massa* (*O 18 Brumário*) e de *revolução passiva* (Gramsci) me parecem úteis, desde que filtradas pela cor local. Um poder *aparentemente* acima das classes que leva adiante a integração do subproletariado à condição proletária, assim como o varguismo soldou os migrantes rurais à classe trabalhadora urbana por meio da industrialização, da CLT e do PTB. Donde as linhas de continuidade entre varguismo e lulismo devam ser objeto de cuidadosa pesquisa.

O que torna difícil avaliar o tamanho da virada em curso no lulismo, fazendo pensar até em retrocesso, é o fato de que se esperava a execução de um programa "intensamente reformista no sentido clássico que a sociologia política aplicou ao termo".[99] Isso teria, provavelmente, levado a uma radicalização entre burguesia e proletariado, com um incremento da mobilização social, como queria a primeira alma do PT. "Começadas as grandes mudanças estruturais, seguir-se-ia o momento da mobilização popular e da sua contínua intensificação",[100] escreveu Werneck Vianna. Mas a revolução passiva em andamento, mesmo cumprindo parte da agenda dos subordinados, não inclui o roteiro imaginado antes.

Na prática ocorreu algo como um "semitransformismo". Os quadros do PT que anteriormente defendiam o programa "intensamente reformista" se tornaram agentes de um reformismo fraco, comprometidos com a decisão de não causar a radicalização que pregavam na origem. Meu argumento é que o reformismo lulista é lento e desmobilizador, mas é reformismo. Cria-se a ilusão de ótica da estagnação para, na realidade, promover modificações em

99. Francisco de Oliveira, "O avesso do avesso", em F. de Oliveira, R. Braga e C. Rizek (orgs.), *Hegemonia às avessas*, p. 369.
100. Luiz Werneck Vianna, "O Estado Novo do PT", no sítio *Gramsci e o Brasil*, <www.acessa.com/gramsci/>, consultado em 24 fev. 2011.

silencioso curso. Com respeito à pobreza, por exemplo, cabe ressaltar que a velocidade de redução nem é pequena em termos absolutos, sobretudo no Nordeste. A queda da desigualdade, medida pelo índice de Gini, como veremos nos capítulos 3 e 4, ganhou rapidez no lulismo do segundo mandato. Representa, entretanto, um movimento vagaroso diante da abissal desigualdade brasileira, mantendo-se um largo estoque de iniquidade para as décadas seguintes, e se realiza sem mobilização e organização desde baixo, o que pode comprometê-lo numa situação de crise.

Note-se, por fim, que a reação das camadas médias às inflexões em curso, mesmo que o espírito que as preside seja moderado e conciliador, reflete a brisa da mudança. A polarização que ocorre na sociedade é sintoma de movimento nas estruturas. O subproletariado se firma no suporte a Lula e ao PT, na expectativa de que se cumpra o programa de inclusão, enquanto a classe média se unifica em torno do PSDB, na procura de restaurar o *status quo ante*, mesmo que isso não possa ser dito com todas as letras.

Ao longo dos capítulos procurei dar substância empírica ao esquema interpretativo adiantado nesta Introdução. Tomei, contudo, a opção de não fechar a porta às explicações alternativas. Como já disse, o lulismo é recente e o seu sentido histórico não se fixou. Em outras palavras, o fenômeno está em movimento quando este livro é concluído, não recomendando conclusões precipitadas. Acresce o fato de eu ter participado do primeiro mandato de Luiz Inácio Lula da Silva na Presidência da República — como se conta no Posfácio —, obrigando-me a redobrar os cuidados com a objetividade. Afinal, a meta do trabalho, por ser acadêmico, é contribuir para aumentar o conhecimento sobre o lulismo — independentemente das virtudes e defeitos que cada um nele possa depositar do ponto de vista subjetivo.

Comecei a estudar o assunto quando deixei o governo federal, em meados de 2007, tendo publicado o primeiro resultado da pesquisa em 2009, na revista *Novos Estudos*, do Cebrap. Em 2010, a mesma publicação editou artigo que escrevi sobre o impacto do lulismo no PT, segundo passo do conjunto. Depois, uma exposição a respeito do segundo mandato, preparada para seminário da FGV--SP, saiu em *piauí* em outubro de 2010. Agradeço aos editores Flávio Moura e Joaquim Toledo Jr. (*Novos Estudos*) e Mario Sergio Conti (*piauí*) a oportunidade de apresentar os meus argumentos nos dois prestigiosos veículos que dirigiam.

A divulgação dos três artigos suscitou uma série de debates que me levaram a mudar aspectos do argumento, ampliar outros e até mesmo eliminar alguns, chegando ao esquema interpretativo acima exposto. Sou, desse modo, devedor de todos os que participaram das referidas discussões. Pela natureza dispersa da contribuição não poderei citar cada um dos presentes, mas gostaria de que soubessem do meu reconhecimento.

Por meio de Roberto Schwarz, agradeço aos círculos de domingo, em cujas conversas esclareci diversos pontos. Roberto, a quem estou ligado por amizade e antigos vínculos familiares, foi inspirador na construção de hipóteses que comparecem no livro, mas não tem responsabilidade alguma sobre seus problemas e insuficiências.

Graças ao convite de Francisco de Oliveira e Ruy Braga pude me integrar ao Centro de Estudos dos Direitos da Cidadania (Cenedic) da Faculdade de Filosofia, Letras e Ciências Humanas da USP e ouvir experientes colegas pesquisadores. Chico, que foi meu principal interlocutor na volta de Brasília, mostrou que pensamento radical e aceitação das divergências podem conviver e se fertilizar. Por meio dele, e de Ricardo Musse, quero agradecer, igualmente, aos companheiros do Laboratório de Estudos Karl

Marx (Lemarx) da USP, parceiro do Cenedic, por inúmeras sessões de animado debate.

Fui beneficiado pelo ambiente acadêmico civilizado e respeitoso do Departamento de Ciência Política (DCP) da USP, a cujos colegas, orientandos e alunos, agradeço por meio dos que exerceram a chefia no período, professores Álvaro de Vita e Fernando Limongi. As aulas e os seminários do DCP foram oportunidades de avaliar hipóteses, passo indispensável para a conformação de raciocínios que, afinal, têm muito de coletivos. Márcia, Rai e Ana, assim como a equipe que lideram, ofereceram, como sempre, o apoio logístico e administrativo imprescindível. Em nome de Gustavo Venturi, do Departamento de Sociologia, gostaria de agradecer, também, aos colegas dos demais departamentos da FFLCH que participaram das discussões.

A sessão presidida por Gabriel Cohn no Instituto de Estudos Avançados (IEA) da USP, com a presença de José Augusto Guilhon Albuquerque e Luiz Carlos Bresser-Pereira, em março de 2010, foi valiosa para fazer avançar a pesquisa. Por meio do IEA, agradeço também ao Ipea, à PUC-SP, à UFSCar, ao Cedec, ao Cebrap, à ABCP, à ANPOCS, à Escola de Governo e ao Instituto Moreira Salles (IMS) pela oportunidade de discutir os temas do livro.

Fora do ambiente acadêmico, companheiros de atividade partidária, jornalistas e amigos deram contribuições ao desenvolvimento do trabalho. Em nome de Elói Pietá, Ricardo de Azevedo e Carlos Henrique Árabe, agradeço à Fundação Perseu Abramo, aos militantes da Mensagem ao Partido (PT), à Casa da Cidade, à Via Campesina e ao MST. Amir Khair aceitou convite para conversar sobre aspectos econômicos da análise. A ele e aos participantes da mesa das segundas, obrigado. Renato Pompeu, depois de me entrevistar, fez o obséquio de me mandar um ótimo livro de Göran Therborn, que usei. Por seu intermédio deixo registrada a dívida com os jornalistas que se interessaram pelas minhas ideias.

A forma final do livro tem por base tese de livre-docência defendida no Departamento de Ciência Política da Universidade de São Paulo. Procurei, na medida de minhas forças, incorporar ao volume ora apresentado as sugestões da excelente banca constituída pelos professores Fernando Limongi, Francisco de Oliveira, Leda Paulani, Luiz Carlos Bresser-Pereira e Maria Victoria Benevides, que proporcionaram um momento de vivo confronto intelectual no Salão Nobre da Faculdade de Filosofia, Letras e Ciências Humanas no final de setembro de 2011. Agradeço aos examinadores a generosidade de considerar os meus argumentos, mesmo quando deles discordavam, sempre com a seriedade e o espírito crítico indispensável à boa atividade universitária.

Os editores que deram guarida ao trabalho na Companhia das Letras, Matinas Suzuki Jr. e Otavio Costa, fizeram sugestões valiosas, sobretudo para as seções completamente inéditas (a Introdução, o capítulo 4 e o Posfácio). Sou grato a eles tanto pela inteligência das observações quanto pela calorosa acolhida de que fui objeto.

Por fim, a família foi crucial. Paul Singer, que me ensinou ao longo do tempo quase tudo o que sei, leu, discutiu e corrigiu erros (os muitos que certamente sobraram não passaram por ele). As palavras são poucas para expressar o quanto lhe devo. Silvia Elena Alegre — ânimo dos dias, luz da vida — leu, conversou, ajudou com os números, caminhou junto passo a passo. Por intermédio dela, aceitem, filhas, netos, irmãs, cunhados e sobrinhos, a minha gratidão.

Cumpre reiterar, entretanto, que os defeitos do livro são exclusiva responsabilidade do autor.

1. Raízes sociais e ideológicas do lulismo[1]

UM DESLOCAMENTO SILENCIOSO

No futuro, quando for escrita a crônica dos dois mandatos de Luiz Inácio Lula da Silva, talvez o pleito de 29 de outubro de 2006 apareça como mera repetição dos resultados de quatro anos antes, eleição em que o candidato do PT venceu o do PSDB por uma diferença de 20 milhões de votos.[2] Na superfície, a reiteração da maioria firmada em 2002. Mas, encoberto sob cifras quase idênticas, houve em 2006 um realinhamento de bases sociais, fazendo emergir o lulismo.

Aos esforços despendidos para entender o lulismo,[3] vale

1. Versão modificada de artigo com o mesmo título publicado em *Novos Estudos*, n. 85, nov. 2009, pp. 83-102.
2. Lula teve 47% dos votos válidos no primeiro turno de 2002 e 49% na reeleição de 2006. Em números absolutos, Lula teve 52 788 428 de votos contra 33 366 430 de votos para José Serra, no segundo turno de 2002, e 58 295 042 de votos contra 37 543 178 de votos para Geraldo Alckmin, no segundo turno de 2006.
3. A bibliografia sobre o lulismo tem se multiplicado com rapidez. Cita-se aqui uma amostra. Ver, no campo petista, "O PT e o lulismo", artigo assinado por Gilney

acrescentar a sugestão de que ele é, sobretudo, representação de uma fração de classe que, embora majoritária, não consegue construir desde baixo as próprias formas de organização. Por isso, só podia aparecer na política *depois* da chegada de Lula ao poder. A combinação de elementos que empolga o subproletariado é a expectativa de um Estado suficientemente forte para diminuir a desigualdade sem ameaça à ordem estabelecida. Dado tal arranjo ideológico, a possível hegemonia lulista não seria "às avessas", como sugeriu Oliveira, ainda que, ao juntar elementos de esquerda e de direita, cause a impressão de inverter o arranjo lógico dos argumentos, pois sempre se teve como evidente que, para diminuir a desigualdade no Brasil, seria preciso alterar a ordem.[4]

A percepção do movimento profundo que ocorreu em 2006 foi dificultada porque ele se deu sem mobilização e "sem fazer-se notar", como assinalou um ex-ministro.[5] O silêncio causado pela desmobilização provocou confusão à direita e à esquerda. Dez meses antes da reeleição, a revista *Veja* publicava que Lula seria derrotado porque, de acordo com pesquisa do Ibope, 40% do apoio obtido em 2002 tinha se esfumado e a "política assistencialista" não conseguiria segurar o eleitor de baixa renda. "A disputa eleitoral de verdade se dará entre Serra e Alckmin", escrevia a *Veja*,

---

Viana em 31 out. 2007, e "Duas agendas: na crise, de duas, uma", de Renato Simões, 23 maio 2009, ambos no sítio <www.pt.org.br>, consultado em 25 ago. 2009. Em outra vertente, verificar Merval Pereira, *O lulismo no poder*, e Rudá Ricci, *Lulismo. Da era dos movimentos sociais à ascensão da nova classe média brasileira.*
4. Ver Francisco de Oliveira, "O avesso do avesso", em F. de Oliveira, R. Braga e C. Rizek (orgs.), *Hegemonia às avessas*. Quando ia adiantada a redação deste livro, foi publicado por José de Souza Martins *A política do Brasil, lúmpen e místico*, que apresenta interpretação alternativa tanto à minha quanto à de Oliveira. Infelizmente não houve tempo para analisar os argumentos de Martins com o devido cuidado, o que ficará para oportunidade próxima.
5. Roberto Amaral, "As eleições de 2006 e as massas: uma emergência frustrada?", no sítio <www.psbnacional.org.br>, consultado em 25 ago. 2009, p. 6.

mesmo avisando que previsões de longo prazo em matéria de eleição falhavam tanto quanto as meteorológicas.[6] Mesmo abertas as urnas, Oliveira ainda duvidava da "interpretação corrente" segundo a qual "o Brasil eleitoral se dividiu entre pobres e ricos". "Seria ótimo, se fosse plausível que os 40% de votos de Alckmin foram dos 'ricos', e que a votação de Lula foi exclusivamente dos 'pobres'", escreveu Oliveira sobre o primeiro turno.[7]

A origem do mal-entendido é dupla. De um lado, houve um movimento subterrâneo de eleitores não de baixa renda, mas de *baixíssima renda*, que tendem a ficar invisíveis para os analistas; reforçou esse efeito o fato de o deslocamento ter sido simultâneo ao estardalhaço em torno do "mensalão", escândalo que teceu, a partir de maio de 2005, um cerco político-midiático ao presidente, deixando-o na defensiva por cerca de seis meses.[8] No período do "mensalão", o governo efetivamente perdeu parcela importante do suporte que trazia desde a eleição de 2002. Nas camadas médias, a rejeição desdobrou-se em nítida preferência por candidato de oposição à Presidência em 2006. "Entre os brasileiros de escolaridade superior, a reprovação a Lula deu um salto de dezesseis pontos percentuais, passando de 24% em agosto para 40% hoje", escrevia a *Folha de S.Paulo* em 23 de outubro de 2005. Três meses depois, porém, enquanto os mais ricos, seguindo no viés

6. *Veja*, n. 1936, 21 dez. 2005, p. 55: "De agosto para cá, segundo o Ibope, Lula perdeu nove pontos percentuais entre aqueles que, até a eclosão da crise, eram seus eleitores mais fiéis: brasileiros que ganham até um salário mínimo".

7. Francisco de Oliveira, "O avesso do avesso", em F. de Oliveira, R. Braga e C. Rizek (orgs.), *Hegemonia às avessas*, p. 21. No primeiro turno de 2006, que ocorreu no dia 1º de outubro, Lula teve 46 662 365 de votos e Geraldo Alckmin, 39 968 369, Heloísa Helena, 6 575 393, e Cristovam Buarque, 2 538 544.

8. Usando balizamentos de mídia, pode-se dizer que a fase aguda do "mensalão" se iniciou com a reportagem da *Veja* que começou a circular em 14 de maio de 2005 e terminou com a entrevista presidencial ao programa *Roda Viva*, da TV Cultura de São Paulo, em 7 de novembro do mesmo ano.

53

anterior, optavam em massa (65%) pelo então pré-candidato do PSDB, entre os de renda familiar de até cinco salários mínimos ocorria uma virada em sentido contrário, com um aumento dos índices de satisfação a respeito do mandato de Lula.[9] Sobretudo no fundo da sociedade, onde circulam personagens de escassa repercussão, houve uma crescente inclinação, desde pelo menos o início de 2006, a manter no Palácio do Planalto o ex-retirante pernambucano que tinha as mesmas origens dos seus recém--apoiadores.[10]

A divergência entre os estratos de renda crescerá ao longo de 2006, e os números encontrados pelo Ibope perto do primeiro e do segundo turno expressam uma disputa socialmente polarizada, como mostram as tabelas 1 e 2.[11] Nelas, a disposição da parcela mais pobre de sufragar Lula inverte-se de maneira linear à medida que aumenta o rendimento, de sorte que os mais ricos dão folgada maioria a Alckmin.

O que atrapalhou a compreensão e levou analistas como Oliveira a considerarem pouco plausível que os quase 40 milhões de votos em Alckmin no primeiro turno proviessem apenas dos "ricos" foi a singularidade brasileira, que *grosso modo* transforma em "classe média" todos (aí incluídos setores assalariados de baixa renda) os que não pertencem à metade da população que tem *baixíssima renda*. Lula foi eleito, sobretudo, pelo apoio que teve neste segmento, enquanto Alckmin contou, além do voto dos mais ricos, com certa sustentação na fatia de eleitores de classe média baixa, que vagamente corresponde ao que o mercado chama de

9. *Folha de S.Paulo*, 5 fev. 2006.
10. Ver resultados das pesquisas Datafolha nas edições da *Folha de S.Paulo* de 23 out. 2005 e 5 fev. 2006.
11. Agradeço ao Centro de Estudos de Opinião Pública (Cesop) da Unicamp a cessão de dados do Ibope/2006 e a Gustavo Venturi a cessão de dados da Fundação Perseu Abramo.

TABELA 1:

INTENÇÃO DE VOTO POR RENDA FAMILIAR MENSAL

NO PRIMEIRO TURNO DE 2006

	ATÉ 2 SM	+ DE 2 a 5 SM	+ DE 5 a 10 SM	+ de 10 SM	TOTAL
Lula	55%	41%	30%	29%	45%
Alckmin	28%	38%	45%	44%	34%
Heloísa Helena	6%	9%	14%	11%	9%
Cristovam	1%	3%	4%	5%	2%
Outros	1%	1%	0,3%	1%	1%
BR/Nulo/ Indecisos	8%	9%	7%	9%	9%
TOTAL	100%	100%	100%	100%	100%*

Fonte: Ibope. Pesquisa com amostra nacional de 3010 eleitores realizada entre 28 e 30 de setembro de 2006.

* Pequenas variações no total correspondem ao arredondamento das porcentagens.

"classe C". Na faixa de mais de dois a cinco salários mínimos de renda familiar mensal, por exemplo, Alckmin quase empatava com Lula às vésperas do primeiro turno (tabela 1), mas, entre os eleitores de baixíssima renda (até dois salários mínimos de renda familiar mensal), *Lula aparecia com uma vantagem de 26 pontos percentuais sobre Alckmin*. Era, destarte, verdadeira a interpretação de que o Brasil se dividiu entre pobres e ricos. A polarização social do pleito efetuou-se pela implantação de Lula entre os eleitores de baixíssima renda, visível desde o primeiro turno, assim como a de Alckmin entre os de ingresso mais alto (acima de dez salários mínimos de renda familiar mensal).

TABELA 2:

INTENÇÃO DE VOTO POR RENDA FAMILIAR MENSAL NO
SEGUNDO TURNO DE 2006

	ATÉ 2 SM	+ DE 2 a 5 SM	+ DE 5 a 10 SM	+ de 10 SM	TOTAL
Lula	64%	56%	44%	36%	57%
Alckmin	25%	35%	46%	54%	33%
Branco/ Nulo/ Não sabe/ Não opinou	10%	9%	11%	10%	10%
TOTAL	100%	100%	100%	100%	100%*

Fonte: Ibope. Pesquisa com amostra nacional de 8680 eleitores realizada entre 26 e 28 de outubro de 2006.
* Pequenas variações no total correspondem ao arredondamento das porcentagens.

Os dados indicam que o lulismo foi expressão de uma camada social específica e a clivagem entre eleitores de baixíssima renda e de "classe média", que apareceu nos debates pós-eleitorais sob a forma de "questionamento do real papel dos chamados 'formadores de opinião'",[12] outorgou uma característica única à eleição de 2006. Em perspectiva comparada, as cientistas políticas Denilde Oliveira Holzhacker e Elizabeth Balbachevsky observaram que em 2002 o voto em Lula "não estava especialmente associado com nenhum estrato social", enquanto em 2006 "os eleitores de classe baixa se mostram significativamente mais inclinados a dar seu voto a Lula".[13] O único caso anterior de polarização por renda em

12. Roberto Amaral, "As eleições de 2006 e as massas: uma emergência frustrada?", no sítio <www.psbnacional.org.br>, consultado em 25 ago. 2009, p. 9.
13. Denilde O. Holzhacker e Elizabeth Balbachevsky, "Classe, ideologia e política: uma interpretação dos resultados das eleições de 2002 e 2006", *Opinião Pública*, vol. 13, n. 2, nov. 2007, pp. 294-6.

eleições presidenciais, desde a redemocratização, surgira no segundo turno de 1989, sendo que naquela ocasião a candidatura Lula estava, não por acaso, no lado oposto da linha que dividia pobres e ricos. Enquanto Fernando Collor de Mello alcançava vantagem de dez pontos percentuais na faixa de até dois salários mínimos de renda familiar mensal, no segmento mais alto quem obtinha vantagem análoga era Lula (tabela 2 do Apêndice).

Se no primeiro turno de 1989 havia uma nítida tendência de crescimento do apoio a Collor com a queda da renda, levando à concentração do voto collorido entre os mais pobres, no campo oposto ("classe média") ocorria uma dispersão nas opções por Lula, Brizola, Covas e Maluf, não caracterizando, ainda, a *polarização*, que viria a acontecer no segundo turno.[14] Em entrevista concedida após aquele pleito, Lula afirmava: "A verdade nua e crua é que quem nos derrotou, além dos meios de comunicação, foram os setores menos esclarecidos e mais desfavorecidos da sociedade [...]. Nós temos amplos setores da classe média com a gente — uma parcela muito grande do funcionalismo público, dos intelectuais, dos estudantes, do pessoal organizado em sindicatos, do chamado setor médio da classe trabalhadora".[15] Consciente do peso eleitoral dos "mais desfavorecidos", acrescentava: "A minha briga é sempre esta: atingir o segmento da sociedade que ganha salário mínimo. Tem uma parcela da sociedade que é ideologicamente contra nós, e não há por que perder tempo com ela: não adianta tentar convencer um empresário que é contra o Lula a ficar do lado do trabalhador. Nós temos que ir para a periferia, onde estão milhões de pessoas que se deixam seduzir pela promessa fácil de casa e comida".[16]

---

14. André Singer, "Collor na periferia: a volta por cima do populismo?", em B. Lamounier (org.), *De Geisel a Collor, o balanço da transição*, p. 138.
15. André Singer (org.), *Sem medo de ser feliz*, pp. 98-9.
16. Idem, p. 98.

Em trabalhos sobre 1989, notei, entretanto, que a vitória de Collor não decorria apenas de "promessas fáceis". Havia uma hostilidade às greves, cuja onda ascensional se prolongou desde 1978 até as vésperas da primeira eleição direta para presidente, e da qual Lula era, então, o símbolo maior. Observava-se aumento linear da concordância com o uso de tropas para acabar com as greves conforme declinava a renda do entrevistado, indo de um mínimo de 8,6%, entre os que tinham renda familiar acima de vinte salários mínimos, a um máximo de 41,6% entre os que pertenciam a famílias cujo ingresso era de apenas dois salários mínimos (ver tabela 3 do Apêndice). Em outras palavras, ao contrário do esperado, *os mais pobres demonstravam maior hostilidade às greves do que os mais ricos.*

Na época, assinalei que a resistência às greves e à candidatura Lula, manifestada por eleitores de baixíssima renda, estava associada, além do mais, a uma autolocalização intuitiva à direita do espectro ideológico (quadro 1).[17] Não obstante, tratava-se de direita peculiar, uma vez que favorável à intervenção do Estado na economia, como se pode ver na tabela 4 do Apêndice. Como resolver a aparente contradição? Sugeri que os eleitores mais pobres buscariam a redução da desigualdade, da qual teriam consciência, por meio de intervenção direta do Estado, *evitando movimentos sociais que pudessem desestabilizar a ordem.* Para eleitores de menor renda, a clivagem entre esquerda e direita não estaria em ser contra a redução da desigualdade ou a favor desta, e sim em *como* diminuí-la. Identificada como *opção que punha a ordem em risco,* a esquerda era preterida em benefício de solução pelo alto, de uma *autoridade* constituída que pudesse proteger os mais pobres sem ameaça de instabilidade. Esse seria o sentido da adesão intuitiva à direita no espectro ideológico. Era comum, nas pesquisas, os elei-

---

17. Ver André Singer, *Esquerda e direita no eleitorado brasileiro. As identificações ideológicas nas disputas presidenciais de 1989 e 1994.*

tores de baixa escolaridade entenderem a direita como o que é "direito" ou como sinônimo de "governo", a esquerda sendo o "errado" e a oposição. Se aceitarmos que tais associações expressam escolha pela ordem, o presumível erro de acepção fica mitigado e torna inteligível o viés desfavorável a Lula.

Como vimos, o modelo de comportamento político descrito acima tem antecedentes. Marx, em *O 18 Brumário*,[18] revela que a projeção de anseios numa figura vinda de cima, que deriva da necessidade de ser constituído enquanto ator político *desde o alto*, é típica de classes ou frações de classe que têm dificuldades estruturais para se organizar. A natureza do vínculo esclarece por que o seu surgimento sempre causa surpresa. Como eles "não podem representar-se, antes têm que ser representados",[19] aparecem na política de repente, *sendo criados de cima para baixo*, sem aviso prévio, sem a mobilização lenta (e barulhenta) que caracteriza a auto-organização autônoma das classes subalternas quando se dá nos formatos típicos do século XIX, isto é, dos movimentos e partidos operários.

O fato de Collor ter decepcionado a camada que o elegeu ao provocar a recessão de 1990-91, levando à perda de suporte que favoreceu o impedimento em 1992, não afetou os fundamentos do comportamento político que o pleito de 1989 revelara. Nas eleições presidenciais seguintes, de 1994 e 1998, o "conservadorismo popular", acionado pelo medo da instabilidade, venceu Lula pela segunda e terceira oportunidade. Percebia-se, vagamente, um poder de veto das classes dominantes, o qual residia na capacidade de mobilizar o voto de baixíssima renda contra a esquerda. O que não se distinguia com nitidez eram as raízes ideológicas do mecanismo.

Em 1993, a pesquisa Cultura Política voltou a investigar a lo-

18. Karl Marx, "O 18 Brumário de Luís Bonaparte", em K. Marx, *A revolução antes da revolução*, p. 325.
19. Idem, ibidem.

calização dos eleitores no espectro ideológico, usando distribuição de dez pontos em lugar de sete. O resultado foi semelhante ao colhido quatro anos antes. A esquerda (posições de 1 a 4) reunia 27% das preferências, contra 45% da direita (posições de 7 a 10).[20] Os levantamentos de opinião, aliás, indicam permanente supremacia conservadora na distribuição do eleitorado entre esquerda e direita, como se observa no quadro 1.

QUADRO 1:

POSIÇÃO NO ESPECTRO IDEOLÓGICO (BRASIL), 1989-2006

	ESQUERDA	CENTRO	DIREITA	OUTRAS RESPOSTAS/ NÃO SABE
1989 (Datafolha, set.)	22%	19%	37%	22%
1997 (F. Perseu Abramo, nov.)	19%	21%	34%	25%
2000 (Datafolha, jun.)	27%	16%	37%	21%
2002 (Criterium, out.)	26%	18%	39%	16%
2003 (Datafolha, abr.)	26%	16%	41%	16%
2006 (F. Perseu Abramo, mar.)	26%	20%	40%	14%
2006 (Datafolha, ago.)	22%	17%	35%	26%
2010 (Datafolha, maio)	20%	17%	37%	26%

Fonte: Para Datafolha, relatório "Posição política, 20/21 de maio de 2010", em <http://datafolha.folha.uol.com.br>, consultado em 3 abr. 2012, exceto para 2000, em <www1.folha.uol.com.br/folha/Brasil/ult96u3010.shtml>, consultado em 3 abr. 2012. Para Criterium e Fundação Perseu Abramo: Fundação Perseu Abramo, conforme o sítio <www2.fpa.org.br>, consultado em 18 set. 2009. Obs.: As posições na escala de 1 a 7 foram assim agrupadas: esquerda = 1 a 3; centro = 4; direita = 5 a 7.

20. André Singer, *Esquerda e direita no eleitorado brasileiro*, p. 182.

As pesquisas mostram, igualmente, que a tendência à direita cai com o aumento da renda, dando-se o contrário com a esquerda. Por isso, as derrotas de Lula em 1994 e 1998 podem ser entendidas, ao menos em parte, como reedições de 1989. Apesar de a estabilidade monetária ter se sobreposto, em 1994 e 1998, aos argumentos abertamente ideológicos utilizados por Collor (ameaça comunista) em 1989, o resultado foi que as duas campanhas de Fernando Henrique Cardoso mobilizaram os eleitores de menor renda contra a esquerda. Antonio Manuel Teixeira Mendes e Gustavo Venturi demonstraram que, na esteira do Plano Real, o melhor resultado de Lula em 1994 ocorreu entre os estudantes, entre os assalariados registrados com escolaridade secundária ou superior, e entre os funcionários públicos. Já os trabalhadores sem registro formal, portanto desvinculados da organização sindical, deram os melhores resultados a Fernando Henrique.[21] Em 1998, a coligação governista procurou convencer, com sucesso, os eleitores de que Cardoso seria o melhor condutor do país em meio à crise financeira internacional que ameaçava a *estabilidade* conquistada quatro anos antes e que Lula supostamente não conseguiria manter.[22] De acordo com Tarso Genro, "boa parte das massas excluídas simplesmente repercutiram esta estratégia manipuladora [...]". Para Genro, em 1998 "pesou significativamente, mais do que ocorreu com a eleição de Collor, uma grande parte da população marginalizada, lumpesinada ou meramente excluída do mun-

21. Antonio Manuel Teixeira Mendes e Gustavo Venturi, "Eleição presidencial: o Plano Real na sucessão de Itamar Franco", *Opinião Pública*, vol. 2, n. 2, dez. 1994, pp. 43-5.
22. Ver Paul Singer, "No olho do furacão", *Teoria e Debate*, n. 39, out./ dez. 1998, p. 22: "Muitos votaram pela reeleição porque Fernando Henrique Cardoso tinha apoio internacional, do qual Lula carecia".

do da Lei e do Direito".[23] Em decorrência, os argumentos da campanha de Lula de que Fernando Henrique tinha abaixado "a cabeça para os banqueiros e agiotas internacionais [...], aumentou os juros [...] e as empresas estão fechando e demitindo"[24] não atraíram mais do que os cerca de 30% de votos válidos que pareciam, então, constituir o teto do candidato, quando, na realidade, eram o teto da esquerda, socialmente limitada pela rejeição do subproletariado no extremo inferior de renda.

Ainda em 2002, depois de unir-se a partido de centro-direita, anunciar candidato a vice de extração empresarial, assinar carta-compromisso com garantias ao capital e declarar-se o candidato da paz e do amor, Lula contava com *menos* intenção de voto entre os eleitores de renda mais baixa do que entre os de renda superior. Wendy Hunter e Timothy Power notaram que "no núcleo de apoio recebido por Lula nas suas quatro tentativas prévias de chegar à presidência, ocorridas entre 1989 e 2002, encontravam-se os eleitores com maior nível de escolaridade, concentrados principalmente nos estados mais urbanos e industriais do Sul e do Sudeste".[25] Em suma, a base social de Lula e do PT expressava a esquerda numa sociedade cuja metade mais pobre pendia para a direita.

Só *depois* de assumir o governo Lula obteve a adesão plena do segmento de classe que buscava desde 1989, deixando, porém, de contar com o apoio que sempre tivera na classe média. "Lula perdeu intenções e, provavelmente, votos entre alguns de seus eleitores 'tradicionais', 'decepcionados' com os 'escândalos'. Substituiu-

23. Tarso Genro, "Um confronto desigual e combinado", *Teoria e Debate*, n. 39, out./ dez. 1998, p. 5.

24. Jorge Almeida, *Marketing político, hegemonia e contra-hegemonia*, p. 219. Note-se o tom *enragé* da campanha de 1998, abandonado em 2002.

25. Wendy Hunter e Timothy J. Power, "Recompensando Lula — Poder executivo, política social e as eleições brasileiras em 2006", em C. R. Melo e M. A. Sáez (orgs.), *A democracia brasileira*, p. 334.

-os, porém, e compensou as perdas, *com votos de 'não eleitores', pessoas que nunca haviam votado nele antes*",[26] afirma Marcos Coimbra, diretor do Instituto Vox Populi (grifos meus). Entre a eleição de 2002, entendida como sendo a da *demorada ascensão da esquerda* em país de tradição conservadora, e *a reeleição de Lula por outra base social e ideológica*, em outubro de 2006, operou-se uma transformação decisiva e que se faz necessário entender.

AS BASES MATERIAIS DO VOTO

Marcos Coimbra registra que "as primeiras pesquisas feitas logo após o começo do governo captaram uma nítida mudança nas atitudes dos eleitores de classe popular, apontando para o aumento de sua autoestima e da confiança, de que o Brasil iria melhorar, agora que as políticas de governo passariam a ter outra intenção e finalidades: um governo diferente, com gente diferente, fazendo coisas diferentes".[27] Três anos depois da posse, quando outro pleito apontava no horizonte, tais "mudanças nas atitudes" se expressariam na forma de uma adesão que salvou Lula da morte política a que parecia condenado pela rejeição da classe média.

Na análise de Coimbra, o "fundamento" da aprovação ao governo, que por sua vez levou ao voto em 2006, "foi a sensação de eleitores de renda baixa e média de que o seu poder de consumo aumentara, seja em produtos tradicionais (alimentos, material de construção), seja em novos (celulares, DVDs, passagens aéreas)".[28] Com efeito, a partir de setembro de 2003, com o lançamento do

---

26. Marcos Coimbra, "Quatro razões para a vitória de Lula", *Cadernos Fórum Nacional* (Instituto Nacional de Altos Estudos), n. 6, fev. 2007, p. 7.
27. Idem, ibidem, p. 13.
28. Idem, p. 11.

Programa Bolsa Família (PBF) inicia-se uma gradual melhora na condição de vida dos mais pobres. No princípio apenas unificação de programas de transferência de renda herdados da administração Fernando Henrique, o qual, por sua vez, copiara a fórmula de governos locais petistas, o PBF foi aos poucos convertido, pela quantidade de recursos a ele destinados, numa espécie de pré-renda mínima para as famílias que comprovassem situação de extrema necessidade. Em 2004, o programa recebeu verba 64% maior e, em 2005, quando explode o "mensalão", teve um aumento de outros 26%, mais que duplicando em dois anos o número de famílias atendidas, de 3,6 milhões para 8,7 milhões. Entre 2003 e 2006, o Bolsa Família viu o seu orçamento multiplicado por treze, pulando de 570 milhões de reais para 7,5 bilhões de reais, e atendia a cerca de 11,4 milhões de famílias perto da eleição de 2006.[29]

Diversos estudos encontraram indícios de que o PBF teve influência nos votos recebidos por Lula em 2006. Elaine Cristina Licio e colaboradores verificaram, por meio de *survey*, "no que se refere à atitude dos beneficiários do Programa", que entre eles "a porcentagem de voto em Lula foi cerca de 15% maior no primeiro e segundo turnos" em comparação com a obtida na média do eleitorado.[30] Yan de Souza Carreirão associa a alta votação de Lula nas regiões Nordeste e Norte ao fato de o programa ter se concentrado naquelas áreas. Lula teve, no primeiro turno, por exemplo, cerca de 60% dos votos válidos do Nordeste e apenas 33% dos do Sul, sendo que o investimento do PBF na região nordestina foi três vezes

29. Sobre o crescimento do PBF, ver Jairo Nicolau e Vitor Peixoto, "As bases municipais da votação de Lula em 2006", *Cadernos Fórum Nacional* (Instituto Nacional de Altos Estudos), n. 6, fev. 2007, p. 20, e José Prata Araújo, *Um retrato do Brasil*, p. 155.
30. Elaine Cristina Licio, Lúcio R. Rennó e Henrique Carlos de O. de Castro, "Bolsa Família e voto na eleição presidencial de 2006: em busca do elo perdido", *Opinião Pública*, vol. 15, n. 1, jun. 2009, p. 43.

maior do que na sulista.[31] Em observação mais segmentada, Nicolau e Peixoto observaram que "Lula obteve percentualmente mais votos nos municípios que receberam mais recursos *per capita* do Bolsa Família",[32] mostrando a repercussão do programa nos chamados grotões, tipicamente o interior do Norte/Nordeste, que sempre fora tradicional território do conservadorismo. Vale notar que, de acordo com Coimbra, entre os que votaram em Lula pela primeira vez em 2006, a maioria eram mulheres de renda baixa, "o público-alvo por excelência do Bolsa Família", pois são as mães que recebem o benefício.[33]

Soa consistente a afirmação de que o PBF cumpriu um papel na segunda vitória de Lula. Porém, "a importância do Bolsa Família não deve ser subestimada e nem exagerada", adverte Coimbra. "Sozinho não bastaria para explicar o resultado da eleição",[34] diz o diretor do Vox Populi. Cláudio Djissei Shikida e colaboradores argumentam que raciocínios centrados no local de votação correm o risco de apenas mostrar a coincidência geográfica de dois fatores, a saber, a presença do PBF, dada a pobreza do lugar, e o voto em Lula, mas não a *relação causal* entre ambas. O Bolsa Família foi logicamente destinado em maior proporção às regiões pobres e aos municípios de menor Índice de Desenvolvimento Humano (IDH), pois lá se localizava a maior parte das famílias que a ele faziam jus. Mas o fato de a votação em Lula ter sido maior nessas

31. Yan de Souza Carreirão, "Evolução das opiniões do eleitorado durante o governo Lula e as eleições presidenciais brasileiras de 2006", em <www.waporcolonia.com>, 2007, consultado em 30 ago. 2009.
32. Jairo Nicolau e Vitor Peixoto, "As bases municipais da votação de Lula em 2006", *Cadernos Fórum Nacional* (Instituto Nacional de Altos Estudos), n. 6, fev. 2007, p. 21.
33. Marcos Coimbra, "Quatro razões para a vitória de Lula", *Cadernos Fórum Nacional* (Instituto Nacional de Altos Estudos), n. 6, fev. 2007, p. 7.
34. Idem, ibidem.

regiões e municípios não implica que ela fosse *causada* pelo PBF ou *só* por ele. Fazendo uso de outro instrumental estatístico para compulsar as tendências municipais, Shikida e colaboradores concluem: "O PBF mostrou alguma evidência de impacto positivo na eleição, porém os resultados não se mostraram robustos. Mesmo se significativo fosse, o valor do estimador seria bem menor do que o necessário para que essa fosse a variável-chave para a compreensão da eleição de Lula".[35]

Shikida e colaboradores sugerem que o controle dos preços, enquanto impulsionador do aumento do poder de compra entre as camadas pobres, pudesse ser mais explicativo da inflexão ocorrida em 2006. Chamam a atenção, por exemplo, para o fato de que, entre 2003 e 2006, a cesta básica subiu 8,5% e 10,4% em Porto Alegre e São Paulo, e em Recife e Fortaleza a variação foi de 4% e de −3%. Terá sido coincidência Lula ter perdido no Rio Grande do Sul e em São Paulo nos dois turnos, ao passo que no estado de Pernambuco recebeu 82% dos votos no segundo turno e, no Ceará, 75%?[36]

Na mesma linha, mirando além do Bolsa Família, Hunter e Power lembram que o aumento real de 24,25% no salário mínimo durante o primeiro mandato teve um impacto mais abrangente do que o PBF. Ademais, o Bolsa Família e a elevação do salário mínimo, *somados*, dinamizaram as economias locais menos desenvolvidas, "que dependem, em grande medida, de comércio pequeno e gastos no varejo para a sua sobrevivência. Então, não é surpreendente que as vantagens da minoria [sic] tenham aumentado dramaticamente nos últimos três anos nas regiões Norte e

35. Cláudio Djissey Shikida, Leonardo Monteiro Monastério, Ari Francisco de Araújo Junior, André Carraro e Otávio Menezes Damé, "'It's the economy, companheiro!': an empirical analysis of Lula's re-election", em <http://works.bepress. com>, 2009, consultado em 30 ago. 2009. Texto original em inglês, tradução minha.
36. Idem, ibidem.

Nordeste do Brasil. Tampouco causa surpresa que tanto o comparecimento como o apoio a Lula nessas duas regiões tenham crescido em 2006 comparado a 2002".[37]

O primeiro aumento importante do salário mínimo, 8,2% reais, ocorreu em maio de 2005,[38] e é razoável imaginar que a poderosa combinação Bolsa Família-salário mínimo tenha demorado alguns meses para produzir efeitos, o que ajuda a entender por que as pesquisas de intenção de voto registram crescente adesão dos mais pobres a partir do início de 2006. Mas, além do acréscimo de renda obtido pelos milhões de brasileiros que recebem um salário mínimo da Previdência Social,[39] outra possibilidade aberta aos aposentados, às vezes principal fonte de recursos em pequenas comunidades, foi o uso do crédito consignado. O crédito consignado fez parte de uma série de iniciativas oficiais a qual tinha por objetivo expandir o financiamento popular, que incluiu uma multiplicação expressiva do empréstimo à agricultura familiar (sobretudo no Nordeste), do microcrédito e da bancarização de pessoas de baixíssima renda.

Criado em 2004, o recurso do crédito consignado permitiu aos bancos descontar empréstimos em parcelas mensais retiradas da folha de pagamento do assalariado ou do aposentado. A redução do risco decorrente da devolução garantida acarretou uma queda em quase treze pontos percentuais da taxa de juros desses empréstimos, e, em 2005, depois de crescer quase 80%, o crédito

---

37. Wendy Hunter e Timothy J. Power, "Recompensando Lula — Poder executivo, política social e as eleições brasileiras em 2006", em C. R. Melo e M. A. Sáez (orgs.), *A democracia brasileira*, p. 347. No original em inglês, há uma referência que está truncada na tradução para o português: "*retail sales over the past three years have climbed most dramatically in the North and Northeast*".

38. *Folha de S.Paulo*, 1 mar. 2008, p. B1.

39. Em 2011, 18,6 milhões de beneficiários recebiam salário mínimo, quase 10% da população. *Folha de S.Paulo*, 17 fev. 2011, p. A6.

consignado punha em circulação dezenas de bilhões de reais, usados, em geral, para o consumo popular. No capítulo da assistência social, com a promulgação do Estatuto do Idoso, em janeiro de 2004, a idade mínima para receber o Benefício de Prestação Continuada (BPC), que paga um salário mínimo a idosos ou portadores de necessidades especiais cuja renda familiar *per capita* seja inferior a 1/4 de salário mínimo, caiu de 67 para 65 anos. Em 2006, 2,4 milhões de cidadãos recebiam o BPC.

Além das medidas de alcance geral, que propiciaram a ativação de setores antes inexistentes na economia (por exemplo, clínicas dentárias para a baixa renda), uma série de programas focalizados, como o Luz para Todos (de eletrificação rural), regularização das propriedades quilombolas, construção de cisternas no semiárido etc., favoreceu o setor de baixíssima renda. Carreirão reproduz cruzamento realizado pelo Datafolha em junho de 2006 que mostra a influência de ser atendido por programa governamental sobre a disposição de reeleger o presidente. Os números revelam que a intenção de voto em Lula pulava de 39%, na média, para 62%, quando o entrevistado participava de algum programa federal.[40]

Em resumo, o tripé formado pelo Bolsa Família, pelo salário mínimo e pela expansão do crédito, somado aos referidos programas específicos, e com o pano de fundo da diminuição de preços da cesta básica, resultou em diminuição da pobreza a partir de 2004, quando a economia voltou a crescer e o emprego a aumentar. É o que Marcelo Neri chama de "o Real do Lula": "No biênio 1993-95 a

40. Yan de Souza Carreirão, "Evolução das opiniões do eleitorado durante o governo Lula e as eleições presidenciais brasileiras de 2006", em <www.waporcolonia.com>, 2007, consultado em 30 ago. 2009, p. 19.

proporção de pessoas abaixo da linha da miséria cai 18,47% e, no período 2003-05, a mesma cai 19,18%".[41]

Em particular no ano de 2005, quando eclodiu o escândalo do "mensalão", ocorreu, segundo classificação de Waldir Quadros, a primeira redução significativa da miséria desde o Plano Real,[42] presumivelmente em consequência do conjunto de ações do governo Lula. Ou seja, durante a fase em que os atores políticos tinham a atenção voltada para as denúncias do "mensalão", o governo concluía em silêncio o "Real do Lula", que, diferentemente do original, beneficiava apenas a camada da sociedade que não sai nas revistas.[43] No capítulo 3 vamos examinar de que maneira, durante o segundo mandato, a geração de empregos, decorrente da ativação do mercado interno, tornou-se o esteio da redução da pobreza, acelerando os efeitos obtidos no primeiro quadriênio lulista.

FRAÇÃO DE CLASSE E IDEOLOGIA

Tomadas em conjunto, as iniciativas do primeiro mandato foram muito além de simples "ajuda" aos pobres. Sem falar nos programas específicos, o aumento do salário mínimo, a expansão do crédito popular, o aumento da formalização do trabalho (o

41. Marcelo Neri, "Miséria, desigualdade e políticas de renda: o Real do Lula", 2007, em <www3.fgv.br>, consultado em 30 ago. 2009.
42. Denilde O. Holzhacker e Elizabeth Balbachevsky, "Classe, ideologia e política: uma interpretação dos resultados das eleições de 2002 e 2006", *Opinião Pública*, vol. 13, n. 2, nov. 2007, p. 289, reproduzem interessante estudo de Waldir Quadros, segundo o qual a massa de miseráveis teria caído de 38% em 2004 para 22% em 2005.
43. "Lá não tem moças douradas/ Expostas, andam nus/ Pelas quebradas teus exus/ Não tem turistas/ Não sai foto nas revistas"; Chico Buarque de Holanda, "Subúrbio", em *Carioca*.

desemprego caiu de 10,5% em dezembro de 2002 para 8,3% em dezembro de 2005)[44] e a transferência de renda pelo PBF, aliados à contenção de preços, sobretudo da cesta básica (e em alguns casos deflação, como decorrência da desoneração fiscal), constituem uma plataforma, no sentido de traçar uma direção política para os anseios de certa fração de classe. Não apenas porque objetivamente foram capazes de aumentar a capacidade de consumo de pessoas de baixa renda, como atesta o acesso de 29 milhões à "classe C" entre 2003 e 2009,[45] mas porque sugerem um caminho a seguir: manutenção da estabilidade com expansão do mercado interno. Nesse sentido, colocam Lula *à frente de um projeto*, que é também compatível com aspectos de sua biografia, dando projeção ideológica aos ganhos materiais.

Coimbra, orientador de diversas pesquisas quantitativas e qualitativas na época, chama a atenção não só para o fato de Lula ser o político de origem mais humilde a ter chegado ao topo do sistema, como para "a intensa campanha negativa que sofreu em suas tentativas anteriores", tendo feito dele alguém que mexeu com a "autoimagem e o amor-próprio" do eleitorado popular.[46] Convém lembrar que Lula é o primeiro presidente da República que sofreu a experiência da miséria, o que não é irrelevante, dada a sensibilidade que demonstrou, uma vez na Presidência, para a realidade dos miseráveis. É plausível a suspeita de Francisco de Oliveira de que a eleição de 2006 comprove que Lula se elevou "à condição de *condottiere* e de mito".[47]

Oliveira acrescenta, entretanto, que esse é um tipo de lideran-

---

44. Dados do IBGE citados por José Prata de Araújo, *Um retrato do Brasil*, p. 145.
45. Cálculo de Marcelo Neri, da FGV-RJ. Para mais detalhes, ver capítulo 3.
46. Marcos Coimbra, "Quatro razões para a vitória de Lula", *Cadernos Fórum Nacional* (Instituto Nacional de Altos Estudos), n. 6, fev. 2007, p. 12.
47. Francisco de Oliveira, "Hegemonia às avessas", piauí, n. 7, jan. 2007.

ça que "despolitiza a questão da pobreza e da desigualdade", o que leva o autor a questionar a natureza da hegemonia que estaria surgindo e a lançar a sugestão de que ela agiria às avessas, isto é, para consolidar a "exploração desenfreada", em lugar de minar o modelo superexplorador. À primeira vista, um lulismo despolitizante seria compatível com a "síndrome do Flamengo", hipótese formulada por Fábio Wanderley Reis para explicar a ascensão do MDB nos anos 1970 e depois generalizada como visão estrutural da política brasileira. Esse enquadramento sustenta que um eleitorado de baixa escolaridade terá necessariamente que orientar-se por "imagens toscas",[48] não se devendo esperar que esteja informado das orientações substantivas adotadas pelos atores nem que se guie por elas. A "síndrome do Flamengo" faz o eleitor de baixa escolaridade escolher o partido mais ou menos como opta por um time de futebol. O MDB dos anos 1970 era o "partido do povo", assim como o Flamengo era o "time do povo". Da mesma forma que o voto popular no MDB não simbolizava necessariamente, para espanto do senso comum, rejeição ao governo militar, o voto em Lula não representaria nenhum tipo de opção ideológica, antes, pelo contrário, seria fruto de uma *desideologização*. As opções populares, regidas por mecanismos de identificação e acionadas por imagens difusas, nada expressariam de substantivo.

Tal esquema foi relançado pela análise de Carreirão sobre o Estudo Eleitoral Brasileiro (Eseb) de 2006, que, em dezembro daquele ano, detectou declínio do apoio à esquerda quando comparado ao Eseb 2002 (de 26% para 9%), bem como um salto do número de entrevistados que não sabia se posicionar na escala (de 23% em 2002 para 42% em 2006).[49] O expressivo aumento dos

48. Fábio Wanderley Reis, "Participação política", *Valor Econômico*, 7 jul. 2008.
49. Yan de Souza Carreirão, "Identificação ideológica, partidos e voto na eleição presidencial de 2006", *Opinião Pública*, vol. 13, n. 2, nov. 2007. De acordo com

que ficavam fora do espectro ideológico foi entendido por Carreirão como corroboração de "que após o primeiro mandato do presidente Lula houve na percepção dos eleitores brasileiros uma diluição das diferenças ideológicas entre os partidos (e lideranças políticas)".[50] Conclusão semelhante à de Holzhacker e Balbachevsky, segundo as quais ocorrera "um esvaziamento da dimensão ideológica e do confronto de classes para explicar a vitória de Lula nas eleições de 2006".[51] Nessa visão, é como se, depois do primeiro mandato, uma parte dos eleitores localizados à esquerda tivessem perdido o rumo, retirando à ideologia a influência que esta antes pudesse ter tido no processo eleitoral.

Sem entrar em discussão metodológica, vale registrar que o resultado do Eseb 2006 é algo discrepante do encontrado pelas pesquisas resumidas no quadro 1. Embora se possa detectar nos levantamentos do Datafolha uma redução da esquerda (de 26% em 2003 para 22% em 2006, segundo o quadro 1) e da direita (de 41% em 2003 para 35% em 2006), e um concomitante crescimento do número de entrevistados que não sabia se posicionar no espectro (de 16% para 26%) entre abril de 2003 e agosto de 2006, as oscilações são bem menores que as apontadas pelo Eseb (o fato desta pesquisa ter utilizado escala de 0 a 10, enquanto as do quadro 1 usam escala de 1 a 7, não seria suficiente para explicar o tamanho da diferença).

A partir dos dados do Eseb, Carreirão argumenta que, se de um lado teria havido perda de substância ideológica, os "sentimentos partidários", a saber, tanto a preferência quanto a rejeição de

---

Carreirão, o Eseb 2002 foi uma pesquisa empreendida pelo DataUFF e pelo Cesop/ Unicamp, enquanto o Eseb 2006 foi levado adiante pelo Cesop/Unicamp e Ipsos.
50. Yan de Souza Carreirão, "Identificação ideológica, partidos e voto na eleição presidencial de 2006", *Opinião Pública*, vol. 13, n. 2, nov. 2007, p. 332.
51. Denilde O. Holzhacker e Elizabeth Balbachevsky, "Classe, ideologia e política: uma interpretação dos resultados das eleições de 2002 e 2006", *Opinião Pública*, vol. 13, n. 2, nov. 2007, p. 304.

determinado partido, "mostraram-se associados à decisão do voto". Pergunta-se ele, então, se estaríamos diante do que fora antevisto por Fábio Wanderley Reis e Mônica Mata Machado de Castro em 1992, quando, usando a noção de "síndrome do Flamengo", previam, em artigo que analisava dados colhidos no começo da reestruturação partidária (1982), que decantada a nova configuração de partidos se divisariam outra vez "as linhas básicas de clivagem", com uma sigla adquirindo "a imagem de partido dos pobres — ou dos trabalhadores, desde que esta expressão seja tomada de maneira suficientemente difusa para tornar-se equivalente àquela".[52] Ou seja, não um partido de classe, mas do povo. Nesse *script*, o PT estaria agora substituindo o MDB dos anos 1970, tanto na falta de conteúdo quanto na capacidade de reter a lealdade popular.

Hunter e Power, contudo, perceberam sinais de que, na eleição de 2006, o PT *não* teria acompanhado o ex-presidente em sua troca de base. Lula teria deixado um eleitorado tipicamente urbano e escolarizado por um francamente popular, mas o mesmo não teria ocorrido com o PT. "Ao comparar a tendência da base de apoio geográfico do partido na Câmara dos Deputados com a de Lula, a incongruência é crescente. Enquanto Lula obteve seu desempenho mais notável nas regiões menos desenvolvidas (os chamados 'grotões', calcanhar de aquiles histórico do PT), o baluarte do partido continuou sendo as zonas mais urbanizadas e industriais do Brasil."[53] Em outras palavras, o candidato à reeleição foi mais sufragado quanto menor o IDH do estado, mas a votação da bancada federal do partido manteve-se associada às unida-

---

52. Fábio Wanderley Reis e Mônica Mata Machado de Castro, "Regiões, classe e ideologia no processo eleitoral brasileiro", *Lua Nova*, n. 26, 1992, p. 131.
53. Wendy Hunter e Timothy J. Power, "Recompensando Lula — Poder executivo, política social e as eleições brasileiras em 2006", em C. R. Melo e M. A. Sáez (orgs.), *A democracia brasileira*, p. 338.

des de maior IDH.[54] Lula teve particular sucesso no Nordeste e no Norte, ao passo que a votação do PT continuou relevante no Sudeste e no Sul. Por isso, Lula teria crescido entre o primeiro turno de 2002 e o de 2006, passando de 47% para 49% dos votos válidos, enquanto a bancada federal petista caiu, de 91 para 83 eleitos.[55]

No capítulo 2 procurarei mostrar que, posteriormente a 2006, houve uma inflexão da base social do PT, diminuindo a distância inicial entre lulismo e petismo. Em resumo, argumentarei que o lulismo era uma força nova em 2006, a qual aderiu ao PT *lentamente,* mas acabou por tomar conta do partido, que, por seu turno, já vinha mudando de orientação programática desde 2002. O resultado é que o PT ofereceria, depois de 2006, um canal partidário sólido ao lulismo, afastando o risco populista de se projetar uma liderança carismática "solta", sem partido. Entretanto, a desconexão temporária entre as bases do lulismo e as do petismo em 2006 foi o sinal de que havia *entrado em cena uma força nova,* constituída por Lula à frente de uma fração de classe antes caudatária dos partidos da ordem. Mais que um efeito geral de desideologização e despolitização, portanto, o que estava em curso era a emergência de *outra* orientação ideológica, que antes não se encontrava no tabuleiro político. O lulismo, ao executar o programa de *combate à pobreza dentro da ordem,* confeccionou via ideológica própria, com a união de bandeiras que não pareciam combinar.

A meu ver a "continuidade do governo Lula com o governo FHC" na condução macroeconômica "baseada em três pilares: metas de inflação, câmbio flutuante e superávit primário nas contas públicas"[56] foi uma decisão política *e* ideológica. A elevação do superávit primário para 4,25% do PIB, a concessão de independên-

54. Idem, ibidem, p. 11.
55. Idem, p. 7.
56. José Prata Araújo, *Um retrato do Brasil,* p. 75.

cia operacional ao BC, que teve à sua frente um deputado federal eleito pelo PSDB com autonomia para determinar a taxa de juros, e a inexistência de controle sobre a entrada e saída de capitais constituíram o meio encontrado para assegurar elemento vital na conquista do apoio dos mais pobres: a manutenção da ordem.

O governo Lula afastou-se de aspectos do programa de esquerda adotado pelo PT até o fim de 2001, o qual criticava "a estabilidade de preços [...] alcançada com o sacrifício de outros objetivos relevantes, como o crescimento econômico", a abolição das "restrições ao movimento de capitais" e a Lei de Responsabilidade Fiscal por tolher "elementos importantes de autonomia dos entes federados, engessando, em alguns casos, os investimentos em políticas sociais".[57] O objetivo foi impedir que uma reação do capital provocasse instabilidade econômica e atingisse os excluídos das relações econômicas formais. Para trabalhadores com carteira assinada e organização sindical, a luta de classes em regime democrático oferece alternativas de autodefesa em momentos de instabilidade. Porém, os que não podem lançar mão de instrumentos equivalentes, por não estarem organizados, seriam vulneráveis à propaganda oposicionista contra a "bagunça".

Os anos FHC legaram um pacto com a burguesia que envolvia juros altos, liberdade de movimento dos capitais e contenção do gasto público. Se é verdade que o desemprego resultante inviabilizou o sonho peessedebista de vinte anos seguidos no poder (a perene quimera do ciclo rooseveltiano, como se verá no capítulo 3), também é certo que o Real conquistara o eleitorado popular. A continuidade do "pacote FHC" foi a condição da burguesia para não haver guerra de classes e consequente risco de Lula ser visto como o presidente que destruiu o Real.

57. Diretório Nacional do PT, *Concepção e diretrizes do programa de governo do PT para o Brasil*, mar. 2002, pp. 20-1 e 25.

Não tenho elementos para julgar se a correlação de forças permitia arriscar outra via, implicando algum grau de confronto com o capital. O fato é que o governo optou por conter a subida dos preços pelo caminho ortodoxo, aprofundando as receitas neoliberais, com a combinação de corte no gasto público e aumento de juros. Com efeito, a redução da demanda e a volta dos dólares que haviam fugido com medo da esquerda seguraram a inflação, que tinha alcançado a marca de 12,53% em 2002, caindo a 9,3% em 2003, 7,6% em 2004 e 5,7% em 2005. O presidente vocalizou, então, o discurso conservador de que o seu mandato não adotaria nenhum plano que pusesse em risco a estabilidade, preferindo administrar a economia com a "prudência de uma dona de casa". Se, ao fazê-lo, estabelecia um hiato em relação ao passado do seu próprio partido, em troca criava uma ponte *ideológica* com os mais pobres.

No entanto, se tivesse se limitado a conceder ao capital as garantias necessárias para manter a estabilidade, Lula só repetiria o relativo sucesso do primeiro mandato de FHC, o qual não logrou galvanizar o eleitorado mais pobre, apesar de emplacar o discurso de que "tudo é um processo", equivalente tucano da "prudência da dona de casa", garantindo a vitória de 1998. O pulo do gato de Lula foi, sobre o pano de fundo da ortodoxia econômica, construir substantiva política de promoção do mercado interno voltado aos menos favorecidos, a qual, somada à manutenção da estabilidade, *corresponde a nada mais nada menos que a realização de um completo programa de classe* (ou fração de classe, para ser exato). Não o da classe trabalhadora organizada, cujo movimento iniciado no final da década de 1970 tinha por bandeira a "ruptura com o atual modelo econômico",[58] mas o da fração de classe que Paul Singer

58. Idem, p. 15.

chamou de "subproletariado" ao analisar a estrutura social do Brasil no começo dos anos 1980.

Subproletários são aqueles que "oferecem a sua força de trabalho no mercado sem encontrar quem esteja disposto a adquiri-la por um preço que assegure sua reprodução em condições normais".[59] Estão nessa categoria "empregados domésticos, assalariados de pequenos produtores diretos e trabalhadores destituídos das condições mínimas de participação na luta de classes".[60] Para encontrar uma maneira de quantificá-los, Singer usou informações sobre ocupação e renda fornecidas pelo Pnad de 1976, concluindo que seria razoável considerar subproletários os que tinham renda de até um salário mínimo *per capita* e metade dos que tinham renda de até dois salários mínimos *per capita*.[61] De acordo com esse critério, 63% do proletariado era, na realidade, composto de subproletários.[62] Em números absolutos, significava dizer que, dos 29,5 milhões de proletários existentes no Brasil naquela época, 18,6 milhões faziam parte da fração subproletária da classe. Dos outros participantes da população economicamente ativa (PEA), 8 milhões seriam pequeno-burgueses e 1,3 milhão burgueses.[63] Em outras palavras, o subproletariado constituía 48% da PEA.

Apesar de não se dispor de uma atualização para o trabalho realizado por Paul Singer, a lógica permite supor que os processos de aumento da produtividade, desindustrialização, desemprego estrutural, subemprego, precarização do trabalho em geral e crescimento da pobreza que acompanharam a implantação do neoli-

---

59. Paul Singer, *Dominação e desigualdade*, p. 22.
60. Idem, ibidem, p. 83.
61. Idem, p. 86.
62. Idem, p. 129.
63. Idem, p. 108.

beralismo nos anos 1990 tenham, no mínimo, mantido a proporção de subproletários na sociedade. Oliveira vai nessa direção em texto originalmente publicado em 2003, no qual afirma que "o trabalho sem-formas inclui mais de 50% da força de trabalho, e o desemprego aberto saltou de 4% no começo dos anos 1990 para 8% em 2002, segundo a metodologia conservadora do IBGE; entre o desemprego e o trabalho sem-formas, transita, entre o azar e a sorte, 60% da força de trabalho brasileira".[64] Cumpre lembrar que, em 1980, 44% das famílias no Brasil tinham renda de até dois salários mínimos[65] e, um quarto de século depois, 47% do eleitorado estava na mesma faixa de renda.[66]

Dado o seu tamanho, o subproletariado encontra-se no centro da equação eleitoral brasileira, e o coração do subproletariado está no Nordeste. Não somente porque na região empobrecida, que é a segunda mais populosa do país, habita boa parte dos subproletários, mas porque dela irradiam os subproletários que buscam oportunidade no centro capitalista, que é o Sudeste. Nucleado no Nordeste, onde Lula conta com elementos biográficos, mas estendendo-se para o conjunto do país, o lulismo, segundo indicam os dados eleitorais de 2006 e 2010, fincou raízes no subproletariado brasileiro.[67]

---

64. Francisco de Oliveira, "Política numa era de indeterminação: opacidade e encantamento", em F. de Oliveira e C. Rizek (orgs.), *A era da indeterminação*, p. 34. Na arguição da minha tese, Oliveira reclamou da frouxidão do conceito de subproletariado para caracterizar uma fração de classe. Possivelmente esteja certo, pois se trata de uma primeira aproximação que aguarda novas pesquisas para melhor elaboração.
65. Paul Singer, *Repartição da renda*, p. 42.
66. "Segundo o Datafolha, os eleitores com renda de até dois salários mínimos representam 47% do total", publicou a *Folha de S.Paulo* em 8 out. 2006.
67. Ver no capítulo 4 os dados referentes à eleição de 2010, que confirmaram o enraizamento do lulismo no subproletariado, especialmente no Nordeste.

E AGORA, JOSÉ?

A persistência do que poderíamos chamar de "conservadorismo popular" marca a distribuição das preferências ideológicas no Brasil pós-redemocratização, com a direita reunindo quase sempre cerca de 50% mais eleitores do que a esquerda (quadro 1). Venturi mostra que a pendência para a direita do eleitorado de menor escolaridade (que está associada à renda), já observada em 1989, continuava presente quase duas décadas depois.[68] Em 2006, enquanto os eleitores de escolaridade superior se dividiam por igual entre a esquerda (posições 1 e 2 = 31%), o centro (posições 3, 4 e 5 = 32%) e a direita (posições 6 e 6 = 31%), entre os que frequentaram até a quarta série do ensino fundamental a direita tinha 44% de preferência, quase o triplo de adesão que tinha a esquerda (16%) e o centro (15%).[69] A conclusão de Venturi é que, "passadas mais de duas décadas de democracia, a construção de uma hegemonia político-cultural identificada como de esquerda não avançou".[70]

Em outras palavras, apesar do sucesso do PT e da CUT, a esquerda não foi capaz de dar a direção ao subproletariado, fração de classe particularmente difícil de organizar. O subproletariado, a menos que atraído por propostas como a do Movimento dos Trabalhadores Rurais Sem Terra (MST), tende a ser politicamente constituído desde cima, como observou Marx a respeito dos camponeses da França em 1848. Atomizados pela sua inserção no sistema produtivo, ligada ao trabalho informal intermitente, com períodos de desemprego, necessitam de alguém que possa, desde o

68. Gustavo Venturi, "Esquerda ou direita?", *Teoria e Debate*, n. 75, jan./fev. 2008, p. 39.
69. Idem, ibidem.
70. Idem.

alto, receber e refletir as suas aspirações dispersas. Na ausência de avanço da esquerda nessa seara, o primeiro mandato de Lula terminou por encontrar outra via de acesso ao subproletariado, amoldando-se a ele, mais que o modelando, e, ao mesmo tempo, fazendo dele uma base política autônoma. É isso que obriga a esquerda a se reposicionar.

A emergência do lulismo tornou necessário, também, o reposicionamento dos demais segmentos político-ideológicos. O discurso de Lula em defesa da estabilidade tirou a plataforma a partir da qual a direita mobilizava os mais pobres, sobrando-lhe apenas o recurso às denúncias de corrupção, assunto limitado à classe média. O aumento dos votos para Lula à direita, como se pode verificar na comparação entre as tabelas 5 e 6 do Apêndice, restringe praticamente ao centro a base da oposição. Diante da dificuldade de ganhar eleições presidenciais só com a classe média, os oposicionistas precisam, de algum modo, se aproximar do lulismo, como se comprova pelo discurso da campanha presidencial do psdb em 2010 e pela criação do Partido Social Democrático (psd) em abril de 2011.

Em 2002, embora os índices de Lula fossem maiores em todos os segmentos ideológicos, a situação permanecia como em 1989: o crescimento da intenção de voto no candidato do pt se dava conforme se ia da direita para a esquerda. Em situação desse tipo, o centro ainda tinha chances de recuperar, adiante, o eleitorado popular de direita e sonhar com a volta ao Planalto, sobretudo se a ordem viesse a estar ameaçada. Note-se que, dada a existência de uma "direita popular", o centro é a posição mais associada à classe média conservadora no Brasil, e não a direita.[71] Em 2006, como reflexo do deslocamento de classe, o voto em Lula aumenta em direção aos extremos, tanto esquerdo quanto direi-

---

71. Ver André Singer, *Esquerda e direita no eleitorado brasileiro*, pp. 177-84.

to, e cai ao centro (tabela 6 do Apêndice). O fato de Lula receber votos à esquerda e à direita de modo equivalente deixa em minoria a alternativa de classe média, organizada em torno de formulação centrista.

Para a esquerda, isso impõe a tarefa de redefinir o discurso à sombra de uma liderança popular no sentido pleno da palavra e ter que se defrontar com o retorno de imagens que marcaram a era Vargas. Está certo Oliveira quando afirma que há "um fenômeno novo" em curso, que "não é nada parecido com qualquer das práticas de dominação exercidas ao longo da existência do Brasil"[72] (embora não seja a "hegemonia às avessas", e sim uma efetiva representação do subproletariado). Mas há sintomas de que, como sói acontecer na história, o recém-nascido busque no passado a linguagem para se expressar, como aponta Marx nos parágrafos iniciais de *O 18 Brumário*.

O *popular* que havia ficado fora de moda, seja pela retórica neoliberal, ao centro, seja pelo conteúdo de classe, à esquerda, está de volta. Diferentemente da experiência peessedebista, o "Real do Lula" veio acompanhado de mensagem que faz sentido para os mais pobres: a de que pela primeira vez o Estado brasileiro olha para eles, os deserdados, e, portanto, se popularizou. Eis o motivo de o ex-presidente insistir que "nunca na história deste país...". Irritados, os supostos "formadores de opinião" não percebem que Lula não está se dirigindo a eles e martelam a tecla de que a história não começou com Lula, o que é verdade. Contudo, ouvido vários degraus abaixo, o bordão adquire sentido distinto: Nunca na história dos mais humildes o Estado olhou tanto para eles.

O relativo desinteresse de Lula pelos "formadores de opinião" significa que o deslocamento de classe tirou centralidade dos es-

---

72. Francisco de Oliveira, "Hegemonia às avessas", em F. de Oliveira, R. Braga e C. Rizek (orgs.), *Hegemonia às avessas*, p. 25.

tratos médios, que eram importantes no alinhamento anterior. Nele, a esquerda organizava o proletariado e segmentos da "classe média", notadamente servidores públicos, em torno de uma ideologia de esquerda, isto é, do discurso classista. O centro agregava as "classes médias" privadas ao redor da modernização do capitalismo, e a direita mobilizava o subproletariado contra a esquerda nos momentos cruciais. O conflito político geral era filtrado pelo debate entre os setores ilustrados.

À medida que passou a ser sustentado pela camada subproletária, Lula obteve autonomia similar à que Luís Bonaparte adquiriu com a súbita adesão dos camponeses em 10 de dezembro de 1848.[73] Com ela, Lula cria um ponto de fuga para a luta de classes, que passa, sobretudo no segundo mandato (ver capítulo 3), a ser arbitrada desde cima, ao sabor da correlação de forças. Se a reforma da Previdência, que tirava benefícios do servidor público e fazia parte do programa do capital, foi aprovada, a reforma trabalhista, que visava tirar direitos dos assalariados, foi adiada *sine die*, e assim por diante.

Juiz acima das classes, o lulismo não precisa afirmar que o povo alcançou o poder ou que os dominados "comandam a política", como na formulação que Oliveira foi buscar na África do Sul pós-*apartheid*.[74] Ao incorporar pontos de vista tanto conservadores, principalmente o de que a conquista da igualdade não requer um movimento de classe auto-organizado que rompa a ordem capitalista, quanto progressistas, a saber, o de que um Estado fortalecido tem o dever de proteger os mais pobres independente-

---

73. Na Introdução mencionamos os pontos de *O 18 Brumário*, de Marx, que são aplicáveis ao lulismo. No capítulo 3 retomamos a ideia de solução arbitral, utilizada por Gramsci.

74. Francisco de Oliveira, "Hegemonia às avessas", em F. de Oliveira, R. Braga e C. Rizek (orgs.), *Hegemonia às avessas*, p. 26.

mente do desejo do capital, ele achou em símbolos dos anos 1950 a gramática necessária para a sua construção ideológica. A velha noção de que o conflito entre um Estado popular e elites antipovo se sobrepõe a todos os demais cai como uma luva para um período em que a polaridade esquerda/direita foi empurrada para o fundo do palco. Enunciado por um nordestino saído das entranhas do subproletariado, o discurso popular ganha uma legitimidade que talvez não tenha tido na boca de estancieiros gaúchos. Não espanta que o debate sobre o populismo tenha ressurgido das camadas pré-sal anteriores a 1964, onde parecia destinado a dormir para sempre.

2. A segunda alma do Partido dos Trabalhadores[1]

O conflito de duas almas num mesmo peito provavelmente não era fácil para nenhum de nós.

Konrad Haenisch, sobre o Partido Social-Democrata da Alemanha ao votar os créditos de guerra, em agosto de 1914[2]

A transformação do Partido dos Trabalhadores (PT) salta à vista daqueles que, por diferentes motivos, acompanham o percurso da agremiação fundada em fevereiro de 1980 no Colégio Sion,[3] em São Paulo. Militantes percebem, dia a dia, que antigas práticas já não vigoram, cedendo o lugar a condutas inusitadas pelos critérios de antes. Jornalistas acostumados aos vaivéns da

---

1. Versão bastante modificada de artigo com o mesmo título publicado em *Novos Estudos*, n. 88, dez. 2010, pp. 89-111.

2. Citado em Carl Schorske, *German Social Democracy (1905-1917)*, p. 290. Tradução minha.

3. Funcionando em São Paulo desde 1901, a escola da Congregação Nossa Senhora do Sion é das mais tradicionais da cidade. A sede do colégio, no também tradicional bairro de Higienópolis, abrigou a reunião fundadora do PT.

política brasileira com frequência assinalam o contraste entre o passado e o presente do partido. A literatura acadêmica se esforça por dar conta do sentido das mudanças que o PT atravessa. Entender os rumos petistas tornou-se um dos assuntos prediletos do debate informado no Brasil desde que Lula chegou à Presidência da República.

A dificuldade está em, como escreveu sobre outro tema Gildo Brandão, tratar-se de matéria rebelde.[4] Quando parece fixar--se uma forma — por exemplo, a de grupo pragmático —, eis que surge a sombra da velha ideologia na diretriz para o programa presidencial de 2010. Quando se pensa divisar a passagem para o lado da ordem capitalista, um congresso partidário reafirma, por unanimidade, a convicção socialista. Afinal, para onde vai o PT?

No que concerne às pesquisas universitárias, podem-se distinguir quatro macro-orientações (sem atentar aos aspectos específicos que singularizam cada contribuição). A primeira aborda a crescente moderação do discurso. Com tonalidades diversas, a depender da inclinação do autor, um conjunto de trabalhos nota que o PT não pretende mais revolucionar a sociedade.[5] Uma segunda vertente concentra-se na passagem de partido acentuadamente ideológico, com inserção eleitoral marcada por tal traço, para legenda com acento maximizador, isto é, disposta a qualquer

4. Aos que acompanharam a trajetória de Gildo Marçal Brandão, saudoso colega do Departamento de Ciência Política da Universidade de São Paulo, não escapará que o título deste capítulo alude também ao subtítulo do seu livro *A esquerda positiva. As duas almas do Partido Comunista, 1920/1964*.
5. Ver Oswaldo E. do Amaral, *A estrela não é mais vermelha*; David Samuels, "From socialism to social democracy", *Comparative Political Studies*, vol. 37, n. 9, 2004; Antonio Ozaí da Silva, "Nem reforma nem revolução: a estrela é branca", em V. A. de Angelo e M. A. Villa (orgs.), *O Partido dos Trabalhadores e a política brasileira (1980-2006)*.

tipo de aliança para conseguir votos.[6] Em terceiro estão os que apontam para o enfraquecimento do vínculo com os movimentos sociais e uma paralela inserção estatal privilegiada. Ainda na linha de fechamento dos canais de participação, e olhando para a organização interna, indicam a transição de estrutura na qual a militância tinha peso — com a existência de núcleos por locais de trabalho e contribuição financeira dos membros — para uma em que a cúpula profissionalizada tende a dar as cartas e o financiamento é externo.[7] Por fim, encontram-se os textos acadêmicos que salientam o câmbio na origem social dos simpatizantes, com intensa popularização das fontes de apoio.[8]

Em que pese o interesse da ciência política no PT ter propiciado um painel rico e nuançado, captando variados matizes da saga petista, o que se completa por meio de produção que busca relacioná-la a elementos de natureza estrutural na sociedade brasileira,[9] restam perguntas no ar, como a que ressoa num dos títulos

6. Ver Wendy Hunter, "The normalization of an anomaly, the worker's party in Brazil", *World Politics*, vol. 59, abr. 2007; idem, "The Partido dos Trabalhadores: still a party of the left?", em P.R. Kingstone e T.J. Power (orgs.), *Democratic Brazil revisited*.
7. Ver Pedro Floriano Ribeiro, "O PT, o Estado e a sociedade", e David Samuels, "A democracia brasileira sob o governo de Lula e do PT", ambos em V. A. de Angelo e M. A. Villa (orgs.), *O Partido dos Trabalhadores e a política brasileira (1980-2006)*.
8. Ver Luciana Fernandes Veiga, "Os partidos brasileiros na perspectiva dos eleitores: mudanças e continuidades na identificação partidária e na avaliação das principais legendas após 2002", *Opinião Pública*, vol. 13, n. 2, nov. 2007; Gustavo Venturi, "PT 30 anos: crescimento e mudanças na preferência partidária, impacto nas eleições de 2010", *Perseu*, n. 5, segundo semestre 2010.
9. Ver Francisco de Oliveira, "Política numa era de indeterminação: opacidade e reencantamento" e "O momento Lênin", em F. de Oliveira e C. Rizek (orgs.), *A era da indeterminação*; Juarez Guimarães, *A esperança crítica*; Carlos Henrique Goulart Árabe, "Desenvolvimento nacional e poder político, o projeto do Partido dos Trabalhadores em um período de crise", dissertação de mestrado, Campinas, Unicamp, 1998.

acima mencionados: "O Partido dos Trabalhadores: ainda um partido de esquerda?". Munido das devidas cautelas, este capítulo procura desenvolver um raciocínio em três etapas. Na primeira, conta-se a trajetória da agremiação vincada pela conexão entre classe e postura radical até a emergência, na campanha de 2002, da segunda alma, que, ao tornar-se dominante, arquivou o radicalismo de origem. A diferença desta análise, comparada a anteriores, reside sobretudo na periodização adotada e na caracterização do conteúdo envolvido no movimento de moderação. No segundo passo, relata-se o processo de popularização do PT que vê surgir, sociologicamente, uma espécie de "partido dos pobres", conforme antecipou Fábio Wanderley Reis em entrevista publicada em outubro de 2004,[10] com características que lembram as do PTB anterior a 1964. Por fim, no terceiro movimento, argumenta-se que, embora a segunda alma tenha sido amplamente reforçada pela popularização recém-analisada, o partido não se desfez da sua ala esquerda, sugerindo a hipótese de que os mandatos de Lula tenham representado síntese, *ad hoc*, das duas almas.

AS DUAS ALMAS

O espírito do Sion

Vindo à luz na crista da onda democrática que varreu o Brasil da segunda metade dos anos 1970 até o fim dos 1980, o PT foi embalado pela aspiração de que a volta ao estado de direito representasse também um reinício do país, como se fosse possível começar do zero, proclamando uma verdadeira República em lugar da

---

10. Rafael Cariello, "PT e PSDB fazem polarização de pobres e ricos, diz analista", *Folha de S.Paulo*, 8 out. 2004.

"falsa" promulgada em 1889. Sob o signo da "nova sociabilidade"[11] forjada na oposição à ditadura, a proposta de fundação do partido, aprovada em Congresso dos Metalúrgicos (janeiro de 1979), falava em criar um partido "sem patrões", que não fosse "eleitoreiro" e que organizasse e mobilizasse "os trabalhadores na luta por suas reivindicações e pela construção de uma sociedade justa, sem explorados e exploradores",[12] expressão que significava, na época, uma referência cifrada a socialismo.

O caráter *radical* do partido, que fazia desse traço elemento diferenciador numa cultura política tingida pela ambiguidade e pela conciliação de elites, tinha o sentido de negar as limitações das fases anteriores. Não poderei desenvolver aqui, mas desconfio que tal radicalismo esteja vinculado à tradição que Antonio Candido afirmou ser "essencialmente um fenômeno ligado às classes médias".[13] O importante é que não se entenderá o significado da virada ocorrida em 2002 sem que se leve em conta a origem radical do PT. Conforme Angelo Panebianco, "poucos aspectos da fisionomia atual e das tensões que se desenvolvem diante dos nossos olhos em tantas organizações parecem compreensíveis se não se retroceder à sua fase constitutiva".[14]

Cabe recordar que o próprio golpe de 1964 abriu período de radicalização na história brasileira. Na área cultural, em particular, como mostra Roberto Schwarz,[15] a derrubada do governo João Goulart ensejou inesperado crescimento da esquerda, o qual

11. Francisco de Oliveira, "Política numa era de indeterminação: opacidade e encantamento", em F. de Oliveira e C. Rizek (orgs.), *A era da indeterminação*, p. 20.
12. Diretório Nacional do PT, *Resoluções de Encontros e Congressos*, São Paulo, Fundação Perseu Abramo, 1998, p. 48.
13. Antonio Candido, *Vários escritos*, p. 196.
14. Angelo Panebianco, *Modelos de partido*, p. xvii.
15. Roberto Schwarz, "Cultura e política, 1964-1969", em R. Schwarz, *O pai de família e outros estudos*.

durou pelo menos até a edição do AI-5 (dezembro de 1968). Entre as teses em voga na esquerda da época, estava a de que na República de 1946 a tentativa de aliança do "povo" com a burguesia nacional teria prejudicado a nitidez da perspectiva de classe. Nessa visão, a concepção etapista difundida pela esquerda tradicional[16] atrapalhou os subalternos, que ficaram desorganizados diante da ofensiva da direita militar, apoiada pelos empresários, em 1964, deixando cair, como um castelo de cartas, os projetos de emancipação acalentados sob a proteção do populismo.

Segundo Francisco Weffort, "na adesão das massas ao populismo *tende necessariamente a obscurecer-se a divisão real da sociedade em classes com interesses sociais conflitivos e a estabelecer-se a ideia do povo* (ou da Nação) *entendido como uma comunidade de interesses solidários*".[17] A crítica ao populismo e ao Partido Comunista Brasileiro (PCB) passou a ser comum na intelectualidade de esquerda e acabou levada aos foros de fundação do PT (1980), quando a abertura trouxe de volta algo da efervescência universitária reprimida em 1968. Não por acaso, Weffort tornou-se, por muitos anos, secretário-geral do PT, o segundo homem, após Lula, na hierarquia do partido recém-fundado.

A radicalização havia atingido também o meio católico, o qual desenvolveu, nos interstícios da repressão, extensa rede de organismos populares, as Comunidades Eclesiais de Base (CEBS), ainda durante a vigência da ditadura. Iniciada a transição para a

---

16. "Segundo esse esquema, a humanidade em geral e cada país em particular — o Brasil naturalmente aí incluído — haveriam necessariamente que passar através de estados ou estágios sucessivos de que as etapas a considerar, e anteriores ao socialismo, seriam o feudalismo e o capitalismo"; Caio Prado Jr., *A revolução brasileira*, pp. 38-9. De acordo com essa visão, a etapa brasileira daquele momento era de passagem do feudalismo para o capitalismo, o que excluía qualquer iniciativa pelo socialismo.

17. Francisco Weffort, *O populismo na política brasileira*, p. 159.

democracia, as CEBS, imbuídas de uma perspectiva crítica ao capitalismo, tiveram destaque na conformação do PT. Foi crucial o papel exercido pelo cristianismo como fonte do sentimento radical que caracterizou o espírito a que, não por acaso, estou chamando "do Sion".

O terceiro e mais decisivo *front* foram os sindicatos de trabalhadores que cresceram nos recessos da ditadura, representando, em parte, camada operária recente, advinda do "milagre" econômico, os quais propunham ruptura com o velho sindicalismo do período populista. Com o vigor típico dos gestos inaugurais, o "novo sindicalismo" pregava a liberdade sindical e a revogação da legislação varguista que, segundo se dizia, inspirada no fascismo italiano, atrelava o movimento operário ao Estado.

A confluência das três vertentes produziu rara associação de pensamento radical com amplos estratos da sociedade, como havia ocorrido na Europa um século antes, quando a extensa penetração de ideais socialistas marcou o fim do século XIX e início do XX. A singularidade brasileira foi anotada por Perry Anderson, para quem o PT constituiu o único partido de trabalhadores de massas criado no planeta depois da Segunda Guerra Mundial.[18] Cercado pela atmosfera eufórica da redemocratização, sobretudo a partir das greves que eclodiram em 1978 no ABC paulista, o PT despertou a atenção do mundo. Compreende-se: quando em outras partes do planeta a reação neoliberal começava a desmontar o que fora construído no pós-guerra, no Brasil greves de massa pareciam civilizar o que Rosa Luxemburgo chamou de as "formas bárbaras de exploração capitalista". Conviria, também, comparar a trajetória do PT com a do PSOE, refundado em 1976. O programa espanhol falava em "partido de classe com caráter de

18. Perry Anderson, "Jottings on the conjuncture", *New Left Review*, n. 48, nov./ dez. 2007, p. 23.

massas, marxista e democrático", rejeitava "qualquer caminho de acomodação ao capitalismo" e visava "a assunção do poder econômico e político, e a socialização dos meios de produção, distribuição e troca pela classe trabalhadora".[19] Eduardo G. Noronha aponta a existência de vários fatores comuns às transições na Espanha e no Brasil: longo período autoritário, transição sob crise econômica e "economias complexas e recém-saídas de *booms* econômicos".[20]

O PT soube cultivar o terreno aberto pela classe trabalhadora. Da cultura participativa aos direitos cidadãos da Constituição de 1988, o partido cumpriu papel histórico semelhante ao desempenhado por socialistas europeus, a saber, o de generalizar "dimensões fundamentais da igualdade".[21] O discurso voltado "à organização de classe num sentido estrito"[22] obteve êxito entre os trabalhadores industriais, nas categorias em expansão do setor de serviços, como bancários e professores, entre os funcionários públicos e, até mesmo, junto ao universo agrário, tão duramente cerceado pelo coronelismo. A militância entusiasmada e a autenticidade das propostas fizeram do PT experiência aberta à participação. Fraco do prisma eleitoral, embora em crescimento permanente, extraía vigor de ser a voz de forças sociais vivas, enquanto estas tiveram energia para avançar.

Falando por esse movimento social, o partido se propôs a combater, mesmo que isolado, os vícios e arcaísmos do patrimonialismo nacional. Em nome dele, recusou-se a sufragar Tancredo

19. Ver, a respeito, Patrick Camiller, "Espanha: sobrevivência do socialismo", em P. Anderson e P. Camiller (orgs.), *Um mapa da esquerda na Europa Ocidental*, p. 116.
20. Eduardo G. Noronha, "Ciclo de greves, transição política e estabilização: Brasil, 1987-2007", *Lua Nova*, n. 76, 2009, pp. 119-68.
21. Jessé Souza, *A construção social da subcidadania*, p. 166.
22. Francisco de Oliveira, *Collor, a falsificação da ira*, p. 24.

Neves no Colégio Eleitoral (1985), arcando com o ônus de fragmentar a frente antiditadura; decidiu não votar a favor da Constituição de 1988, apesar de seus aspectos altamente progressistas, em benefício de um projeto ainda mais avançado; recusou o apoio desinteressado do PMDB no segundo turno de 1989, o qual poderia ter significado a vitória de Lula. À medida que expressava impulso social florescente, o radicalismo do PT acabou por influenciar a redemocratização brasileira, deixando vestígios nos avanços daquela primavera. O reconhecimento de direitos fundamentais para a classe trabalhadora, como a "educação, a saúde, o trabalho" (artigo 6º da Constituição), e de institutos de participação direta (plebiscito, referendo e iniciativa popular, previstos no artigo 14) é um dos resultados da década das greves (1978-88). O PT, nos anos 1980, contribuiu para que, como na Espanha e Portugal na década anterior, aspirações longamente represadas emergissem com potência suficiente para deslocar o pêndulo da trajetória nacional. Segundo Noronha, "a conjunção de fatores favoráveis à eclosão de greves verificada no Brasil dos anos 1980 só encontra paralelo em países que passaram por transições políticas nas décadas de 1970 e 1980".[23]

A derrota da Frente Brasil Popular, em 1989, inicia, entretanto, a restauração. Os governos seguintes buscaram emendar a Constituição recém-promulgada, de modo a retirar os direitos aprovados e dar conteúdo neoliberal à democracia em construção. Com a derrubada das barreiras protecionistas, a recessão, o desemprego, a quebra das cadeias produtivas, Collor, e depois Fernando Henrique Cardoso, demoliram as fundações da onda democrática, e vasta parcela da classe trabalhadora "virou suco" (leia-se: caiu na "sobrepopulação trabalhadora superempobrecida

---

23. Eduardo G. Noronha, "Ciclo de greves, transição política e estabilização: Brasil, 1987-2007", *Lua Nova*, n. 76, 2009, pp. 123-4.

permanente").[24] Em decorrência, os sindicatos recuaram. O número de greves despencou da média anual de 1102 entre 1985 e 1989 para 440 entre 1999 e 2002.[25] Não obstante o impedimento de Collor em 1992, o avanço neoliberal prosseguiu através dos dois governos de Cardoso. Vencedor das eleições no primeiro turno em 1994 e 1998, e sustentado por ampla coalizão de centro-direita, FHC realizaria de maneira sólida e organizada o programa vitorioso em 1989: ajustar o país ao neoliberalismo, desfazendo as conquistas do período anterior. Nesse percurso complexo, aqui altamente resumido, dois pontos merecem ser destacados. A derrota da greve dos petroleiros em 1995, que partiu a espinha do combalido movimento sindical, e a elevação do desemprego, a partir de 1996, que teve nítida incidência sobre o declínio das greves.[26]

No plano ideológico, a queda do Muro de Berlim, ainda que libertadora para a esquerda democrática, somou-se à reação interna, fazendo dos anos 1990 momento de avanço dos valores capitalistas. Reconhecendo que o quadro havia se transformado, o I Congresso do PT, em 1991, elabora estratégia que busca ampliar o espaço para a luta institucional, uma vez que o movimento social entrara em descenso. "O PT situa-se, hoje, num terreno mais vasto e complexo da luta de classes. Questões como a combinação da luta de massas com ação de governo [...] apresentam-se como tarefas imediatas",[27] afirma o texto aprovado na ocasião.

Mas o problema de fundo não podia ser resolvido por meio de resoluções congressuais. Como enfrentar a maré montante da contraofensiva burguesa, quando as condições objetivas determi-

24. Ver nota 25 na p. 18.
25. Eduardo G. Noronha, "Ciclo de greves, transição política e estabilização: Brasil, 1987-2007", *Lua Nova*, n. 76, 2009, p. 126.
26. Idem, ibidem, p. 135.
27. Diretório Nacional do PT, *Resoluções de Encontros e Congressos*, São Paulo, Fundação Perseu Abramo, 1998, p. 517.

nadas pela conjuntura internacional e nacional eram tão desfavoráveis? As dificuldades práticas da tarefa podem ser capturadas na análise das campanhas presidenciais de 1994 e 1998, realizada por Jorge Almeida.[28] Na primeira oportunidade, diz Almeida, "o enfrentamento da questão do Plano Real foi marcado por uma sucessão de indecisões que acabavam sendo percebidas pela população". Na segunda, transmitia-se "insegurança e incerteza, sobretudo em relação ao programa de FHC".

Privado da força motriz dos anos 1980, o PT procura afiançar-se no plano institucional, o que implicava buscar alianças. O interessante é que o caráter crescentemente eleitoral do partido, que aparece em 1998 sob a forma de uma associação com o PDT que quase custou a extinção do PT no Rio de Janeiro, não foi acompanhado de revisão programática. O encontro nacional de 1998, por exemplo, propunha a "implementação de um programa radical de reformas" que contribuirá "para a refundação de uma perspectiva socialista no país".[29] Pode-se dizer, talvez, que os anos 1990 representaram a passagem de um partido de tipo ideológico, cujo anseio por votos se subordina ao caráter doutrinário da campanha, para um partido responsável, que busca maximizar votos, mas não altera o seu programa com vistas a isso.[30]

---

28. Ver Jorge Almeida, *Como vota o brasileiro*, p. 144, e *Marketing político, hegemonia e contra-hegemonia*, p. 188.
29. Diretório Nacional do PT, *Resoluções de Encontros e Congressos*, São Paulo, Fundação Perseu Abramo, 1998, p. 675.
30. A tipologia aqui utilizada é a de Giovanni Sartori. De acordo com o autor italiano, haveria cinco tipos de partido: "(i) partidos de testemunho, que não estão interessados em maximizar votos; (ii) partidos ideológicos, interessados em votos principalmente pela doutrinação; (iii) partidos responsáveis, que não submetem suas políticas e seus programas à obtenção de mais votos; (iv) partidos sensíveis, para os quais ganhar eleições ou maximizar os votos tem prioridade; e, finalmente, (v) partidos puramente demagógicos, irresponsáveis, que são apenas maximizadores de votos"; G. Sartori, *Partidos e sistemas partidários*, p. 357.

Apesar de fazer concessões eleitorais, o PT continuou a ser um vetor de polarização. As diretrizes aprovadas em dezembro de 2001 afirmavam: "A implementação do nosso programa de governo para o Brasil, de caráter democrático e popular, representará *a ruptura* com o atual modelo econômico, fundado na abertura e desregulação radicais da economia nacional e na consequente subordinação de sua dinâmica aos interesses e humores do capital financeiro globalizado" (grifo meu). Sem abrir mão da perspectiva de classe, o partido foi relevante para a maior iniciativa anticapitalista do início do século XXI: o Fórum Social Mundial (2001), não por coincidência inaugurado na capital do Rio Grande do Sul, o estado mais importante governado pelo PT na época. É que entre o espírito de Porto Alegre[31] e o do Sion havia continuidade evidente: ambos expressavam insatisfação com o mundo organizado e moldado pelo capital.

O espírito do Anhembi

Se existe um momento específico que simboliza a irrupção da segunda alma do PT, acredito ter sido o da divulgação da "Carta ao Povo Brasileiro", em 22 de junho de 2002. É óbvio que houve longa gestação anterior, e seus fios podem ser rastreados, no mínimo, até a derrota de 1989, cuja história foge aos objetivos deste capítulo. Mas a silenciosa criatura veio à luz somente quando se iniciava a campanha de 2002 e, em nome da vitória, se impôs com facilidade surpreendente. Não ocorreu o vagaroso confronto que por anos protagonizaram as alas esquerda e direita da social-democracia alemã, até que, na data fatal de 4 de agosto de 1914, o espírito pragmático tomou conta da organização fundada sob os

---

31. Referência ao título do volume editado por Isabel Loureiro, José Corrêa Leite e Maria Elisa Cevasco (orgs.), *O espírito de Porto Alegre*.

auspícios do internacionalismo proletário de Marx e Engels, aprovando os famigerados créditos para a participação da Alemanha na Primeira Guerra Mundial.

Quando o comitê de Lula decidiu comprometer-se com as exigências do capital, cujo pavor de suposto prejuízo a seus interesses com a previsível vitória da esquerda levava à instabilidade nos mercados financeiros, foi dado o sinal de que o velho radicalismo petista tinha sido, no mínimo, suspenso. Mas poucos foram os que entenderam o simbolismo do gesto. De início, pareceu apenas uma decisão de campanha, mesmo que um mês depois o Diretório Nacional, reunido no centro de convenções do Anhembi, em São Paulo, tenha aprovado, contra o desejo de parcelas da esquerda partidária, as propostas antecipadas pela carta, transformando-as em orientações oficiais.

No programa da Coligação Lula Presidente, divulgado no final de julho de 2002, há perceptível câmbio de tom em relação ao capital. Em lugar do confronto com os "humores do capital financeiro globalizado",[32] que havia sido aprovado em dezembro de 2001, o documento afirmava que "o Brasil não deve prescindir das empresas, da tecnologia e do capital estrangeiro". Para dar garantias aos empresários, o texto assegurava que o futuro governo iria "preservar o superávit primário o quanto for necessário, de maneira a não permitir que ocorra um aumento da dívida interna em relação ao PIB, o que poderia destruir a confiança na capacidade do governo cumprir os seus compromissos", seguindo *pari passu* o que fora anunciado na carta um mês antes.[33] Compromete-se com a "responsabilidade fiscal", com a "estabilidade das contas

32. Diretório Nacional do PT, *Concepção e diretrizes do programa de governo do PT para o Brasil, Lula 2002*, São Paulo, mar. 2002, p. 15.
33. Coligação Lula Presidente, *Programa de governo 2002*, Brasília, 23 jul. 2002, pp. 8 e 17.

públicas" e com "sólidos fundamentos macroeconômicos". Sustenta que não vai "romper contratos nem revogar regras estabelecidas". Afinal, "governos, empresários e trabalhadores terão de levar adiante uma grande mobilização nacional", conclui.[34]

A alma do Anhembi, expressa no programa "Lula 2002", compromete-se com a estabilidade e atira as propostas de mudança radical ao esquecimento. Enquanto a alma do Sion, poucos meses antes, insistia na necessidade de "operar uma efetiva ruptura global com o modelo existente",[35] a do Anhembi toma como suas as "conquistas" do período neoliberal: "a estabilidade e o controle das contas públicas e da inflação são, como sempre foram, aspiração de todos os brasileiros", afirma.[36]

Considerado por alguns uma "tática" para facilitar a transição, o ideário ali exposto compunha, na realidade, um segundo sistema de crenças, que passaria a residir definitivamente dentro do peito do partido, lado a lado com o que o havia precedido. O compromisso com a "estabilidade monetária e responsabilidade fiscal" volta a comparecer no programa presidencial quatro anos depois, e "a preservação da estabilidade econômica" continuava como diretriz, agora para o governo Dilma Rousseff, oito anos mais tarde.[37] A defesa da ordem viera para ficar, e a direção decidida no Anhembi se tornaria programa permanente. O que estava

---

34. Idem, pp. 17-8.

35. Diretório Nacional do PT, *Concepção e diretrizes do programa de governo do PT para o Brasil, Lula 2002*, São Paulo, mar. 2002, p. 27.

36. Coligação Lula Presidente, *Programa de governo 2002*, Brasília, 23 jul. 2002, p. 18. Ver também, a respeito, Brasílio Sallum Jr. e Eduardo Kugelmas, "Sobre o modo Lula de governar", em B. Sallum Jr., *Brasil e Argentina hoje*.

37. Para 2006, ver Coligação A Força do Povo, *Lula presidente — Programa de governo 2007-2010*, p. 6. Para 2010, ver IV Congresso do Partido dos Trabalhadores, *Resoluções sobre as diretrizes do programa de governo, 2011-2014*, item 19a, em <www.pt.org.br>, consultado em 22 fev. 2010.

em jogo, na verdade, era o abandono da postura anticapitalista que o partido adotara na fundação.

Mudança análoga ocorreu no campo da política de alianças. Enquanto a alma do Sion primava pela ênfase ideológica, não aceitando juntar-se sequer a partidos de centro, a do Anhembi aprovou chapa composta por Lula e um grande empresário filiado ao Partido Liberal (PL), agremiação que levava no próprio nome a adesão ao credo oposto ao socialismo. Surgido por ocasião da Constituinte para defender princípios liberais, o PL foi considerado, por cientistas políticos que estudaram o assunto, como pertencendo ao bloco da direita "com base em seu posicionamento relativo nas votações nominais ocorridas durante a vigência do atual regime constitucional".[38] Embora a justificativa para a aliança com o PL fosse a presença de José Alencar, note-se, lateralmente, que o vínculo evangélico do PL (rebatizado de Partido da República — PR — ao fundir-se com o direitista Prona em outubro de 2006) abria canais com setores religiosos que sempre haviam sido hostis ao radicalismo petista.

O fato de que o empresário Alencar tenha mais tarde se revelado, sob diversos aspectos, homem notável, além de crítico (muitas vezes à esquerda da alma do Anhembi) da política econômica do governo Lula, em particular dos altos juros, não altera a circunstância que a escolha do PL como parceiro em 2002 mostrava que o critério ideológico para as alianças estava sendo enviado para as calendas gregas. Sinal dos tempos: diferente-

---

38. Rogério Schmitt, *Partidos políticos no Brasil (1945-2000)*, p. 84. Avaliando diversos elementos, como atuação no Congresso constituinte e imagem junto aos eleitores, classifiquei o PL como partido de centro em 1989 (ver André Singer, *Esquerda e direita no eleitorado brasileiro*, p. 75). Obra posterior à minha, no entanto, colocou o PL à direita a partir de critérios programáticos e votações parlamentares (ver Scott Mainwaring et al., *Partidos conservadores no Brasil contemporâneo*, p. 32).

mente do que ocorrera em 1998, quando a aliança com um partido de centro-esquerda (PDT) obrigou o Diretório Nacional (DN) petista a intervir na seção carioca, a ligação com a direita em 2002 passou quase ilesa.

É que também a opção por aliança com o agrupamento da direita foi tomada, de início, como recurso ocasional, em engano que obscureceu por um tempo relativamente prolongado a verdadeira natureza do espírito do Anhembi. À medida que o governo Lula expandiu o raio de acordos a outros partidos de direita, como o Partido Trabalhista Brasileiro (PTB) e o Partido Progressista (PP), deixou de haver quaisquer restrições aos arranjos eleitorais. Na eleição municipal de 2008, a decisão do Diretório Nacional de coibir alianças com o PSDB foi, na prática, ignorada em Belo Horizonte, sem maiores problemas. Em 2010, a oposição interna, em nome dos velhos princípios, ao acordo com a seção maranhense do PMDB, dominada pela família Sarney, foi derrotada na direção do partido.

Ao estabelecer pontes com a direita sem levar em consideração as razões ideológicas, a alma do Anhembi demonstrou uma disposição pragmática que estava no extremo oposto do antigo purismo do Sion. Não era uma flexibilização, e sim um verdadeiro mergulho no pragmatismo tradicional brasileiro, cuja recusa fora antes bandeira do partido. Sob a aparência de ajustes voltados para o momento eleitoral de 2002, uma revolução estava em curso, deixando atônita boa parte da esquerda petista sintonizada com o espírito do Sion.[39] Mas em dezembro de 2003, quando foram expulsos os poucos parlamentares que haviam se rebelado contra as diretrizes "renovadas", a maior parte da esquerda permaneceu no PT. Os rebeldes tinham se oposto, em particular, à pro-

---

39. Deve-se registrar, contudo, que, em maio de 2003, Paulo Arantes publicava o artigo "Beijando a cruz", no qual já indicava que a lógica recente tinha vindo para ficar. *Reportagem*, n. 44, maio 2003.

posta de reforma da Previdência Social encaminhada pelo governo Lula ao Congresso Nacional. Ao encampar posturas antes sustentadas pelo PSDB, o projeto atendia a reclamos do capital, que via no excesso de gastos previdenciários ameaças à estabilidade das contas públicas. A decisão de excluir do partido os opositores do projeto previdenciário evidenciava que o espírito do Anhembi não aceitaria oposição interna ao governo Lula.

Mais tarde, em 2005, o pragmatismo venceu outra batalha significativa. A crise do chamado "mensalão" reabrira o tema do financiamento partidário e, embora por uma diferença de poucos votos, a proposta de "refundação", que tinha o propósito de resgatar as tradições perdidas, foi derrotada no PED (Processo de Eleição Direta) daquele ano pela corrente que se opunha a uma volta atrás. Estudos posteriores mostraram que desde meados dos anos 1990 as atividades partidárias já não eram financiadas pela contribuição voluntária dos militantes, como era a praxe inicial. "A grande guinada na estrutura de financiamento do PT ocorre em 1996: de um ano a outro, a participação do fundo partidário no total de receitas petistas passa de 12,3% para mais de 72%", escreveu Pedro Floriano Ribeiro.[40] A partir de 2000, teria subido também a contribuição das empresas: "Em termos reais (corrigidos pela inflação), as doações de empresas ao DN quadruplicaram entre 2000 e 2004", chegando a 27% do total arrecadado, contra apenas 1% em 1999, segundo o mesmo autor.[41] Em contraste, a participação dos filiados no financiamento do partido, que fora de 30% em 1989, caíra para menos de 1% em 2004.[42]

40. Ver Pedro Floriano Ribeiro, "O PT, o Estado e a sociedade (1980 a 2005)", em V. A. de Angelo e M. A. Villa (orgs.), *O Partido dos Trabalhadores (1980-2006)*, p. 195.
41. Idem, ibidem, p. 197.
42. Idem. Pedro Floriano Ribeiro, op. cit., p. 194.

Para fechar o quadro de mutação, as pesquisas que examinaremos a seguir demonstram que a alma do Anhembi teria, ao longo do primeiro mandato de Lula, crescente chão social dentro do PT. À medida que o governo evoluía, o Anhembi deixava de ser apenas um espírito a flutuar, pois o realinhamento cristalizado em 2006 afastava setores anticapitalistas e trazia outros, mais dispostos a aceitar a ordem do capital, para dentro do partido. O que soava, a princípio, como estado de espírito passageiro se convertia em orientação permanente.

A POPULARIZAÇÃO DO PETISMO

Que o PT cresceu desde a vitória de Lula, passando a constituir-se, possivelmente, no mais importante partido brasileiro, não é difícil perceber. Em outubro de 2002, no auge da campanha que levaria Lula à Presidência da República, o PT atingia a condição de líder isolado na preferência dos eleitores, de acordo com as pesquisas de opinião de institutos comerciais de renome. À medida que a candidatura petista se fazia majoritária, o partido se distanciava, quanto ao volume da identificação partidária, do PMDB, do PSDB e do PFL (depois convertido em Democratas), seus competidores diretos. Às vésperas da alternância no poder, 21% dos consultados em *survey* nacional afirmavam ter simpatia pelo PT, enquanto o PMDB era indicado por 8% e o PSDB por apenas 4% (tabela 7 do Apêndice). Quase oito anos mais tarde, os números encontrados difeririam pouco: o PT tinha 24% das menções, enquanto o PMDB contava com 6% e o PSDB com outros 6%.

Se em 2001, quando se deu o primeiro Processo de Eleição Direta (PED) para escolha do presidente da sigla, o partido já reunia 500 mil filiados, em função de quase vinte anos de empenho organizativo, por ocasião do quarto PED,[43] decorridos oito anos, o número havia mais que duplicado, com quase 1,2 milhão de aderentes, e o PT subira, entre 2002 e 2009, de quarto para segundo colocado entre os partidos brasileiros quanto ao número de filiados, superando tucanos e Democratas. Em 2010, os petistas ainda perdiam nesse quesito para os peemedebistas, os quais somavam 1,9 milhão de inscritos, quantidade, porém, que vinha em queda, ao contrário do que acontecia com o PT, o que fazia prever uma ultrapassagem ao longo da segunda década do século.[44]

Triplicou também o número de municípios governados pelo PT. Em 2000, eram 187, pulando em 2008 para 559.[45] A proporção de cidades em que o partido estava presente saltou de 40% em 1993 para 96% em 2009.[46] A bancada petista no Senado Federal — que pulou do quarto para o segundo lugar — aumentou de três membros em 1998 para dez em 2006, passando a catorze em 2010, a uma distância de apenas cinco pontos percentuais do primeiro colocado (PMDB). O partido elegeu três governadores em 1998 e cinco em 2006 e 2010. A menor taxa de incremento se deu na Câmara dos Deputados, em parte devido ao recuo de 2006 (que discutiremos abaixo). Todavia, a comparação com a legislatura da Câmara iniciada em 1999 mostra um progresso de quase 50% (de 59 para 88 cadeiras) em 2011, passando de quinto para o primeiro lugar na proporção de assentos na Casa.

Em suma, o PT ingressou no bloco dos grandes partidos,

43. Para o dado de 2001, ver André Singer, *O PT*, p. 87. Agradeço a Roseli Coelho por ter me chamado a atenção para o fato de haver crescido de maneira expressiva a filiação ao PT após o início do governo Lula.
44. Ver <http://g1.globo.com>, consultado em 18 maio 2010.
45. Grupo de Trabalho Eleitoral (GTE) do PT, 2008.
46. Uirá Machado e Maurício Puls, "Aprovação mais alta do PT projeta bancada recorde", *Folha de S.Paulo*, 2 ago. 2010, p. A12.

onde divide com o PSDB, o PMDB, o DEM, o PSB (pelo número de governadores eleitos em 2010) e o recém-formado PSD a condição de ser uma das principais agremiações brasileiras, estando, em alguns quesitos, acima das demais. Se continuava atrás do PSDB em número de governadores (sete tucanos eleitos em 2010) e do PMDB em filiados e cadeiras senatoriais, o PT ultrapassou as outras legendas no que diz respeito à permanência na Presidência da República, à proporção de cadeiras na Câmara e, sobretudo, à identificação partidária.

Porém, quando os dados são observados mais cuidadosamente, o que chama a atenção não é tanto o crescimento do partido, mas a mudança de base social que ocorre a partir de 2006.[47] A demonstração dessa passagem requer exame detido dos levantamentos disponíveis, e peço desculpas antecipadas ao leitor pela cansativa descrição de dados. Os que desejarem obviar a aridez numérica podem ir diretamente à próxima seção, onde as conclusões são expostas.

A cientista política Luciana Fernandes Veiga, ao comparar os dois Estudos Eleitorais Brasileiros (Eseb), realizados logo após os pleitos de 2002 e 2006, já havia percebido a alteração a que estou me referindo. A renda familiar média do simpatizante do PT diminuíra (de 1349 reais para 985 reais); reduzira-se a proporção dos que tinham acesso à universidade (de 17% para 6%); caíra a participação do Sudeste (de 58% para 42%). "Essa transformação no perfil do eleitor que se identifica com o PT pode estar relacionada com a perda de parte do segmento mais ideológico e mais intelectualizado entre os simpatizantes, pois muitos seguiram os seus líderes e se transferiram também para o PSOL, e

47. Agradeço ao Centro de Estudos de Opinião Pública (Cesop) da Unicamp a cessão de dados do Instituto Datafolha, e a Silvia Elena Alegre pela ajuda no tratamento estatístico do material.

a adesão de um segmento novo do eleitorado, beneficiário dos programas sociais e dos programas de inclusão", sugeriu a autora em 2007.[48]

No entanto, outros artigos, também portadores de fundamentação empírica, deixaram por algum tempo em suspenso o alcance da descoberta de Veiga. David Samuels, utilizando fonte de dados diferente, embora confirmasse a menor escolarização e a diminuição da influência do Sudeste entre os apoiadores do PT, sugeriu que as variações tinham sido de "baixo grau". Em particular, considerou pouco provável que os programas do governo federal, sobretudo o Bolsa Família, houvessem atraído para o partido os eleitores de baixíssima renda. Na sua visão o petismo teria permanecido "não associado à pobreza".[49]

Como vimos no capítulo 1, Wendy Hunter e Timothy Power pensavam em direção semelhante. Ao estabelecer distinções entre o desempenho do lulismo e do PT na eleição de 2006, haviam afirmado, a partir da análise dos resultados em função do IDH, que, enquanto Lula teria obtido seu desempenho mais notável nos chamados "grotões", o baluarte do partido continuava sendo as zonas de maior urbanização.[50] Os autores mostraram que o montante de votos em Lula e no PT para a Câmara dos Deputados, por estado da federação, estava positivamente correlacionado em 1994, 1998 e 2002, mas não em 2006. Isto é, no último pleito os lugares onde Lula teve mais êxito *não* foram aqueles que deram a maior votação às listas de candidatos a parlamentares do partido. Chamaram a atenção, igualmente, para o

---

48. Luciana Fernandes Veiga, "Os partidos brasileiros na perspectiva dos eleitores: mudanças e continuidades na identificação partidária e na avaliação das principais legendas após 2002", *Opinião Pública*, vol. 13, n. 2, nov. 2007, p. 362.
49. David Samuels, "A evolução do petismo (2002-2008)", *Opinião Pública*, vol. 14, n. 2, nov. 2008, p. 315.
50. Ver nota 22 na p. 61.

fato de que a distância entre a votação de Lula e do PT aumentava conforme caía o IDH do estado.[51] Em outras palavras, nos estados mais pobres o expressivo contingente que votou em Lula em 2006 não votou no PT.

Embora parcialmente corretas e relevantes, as observações de Samuels, de uma parte, e de Hunter e Power, de outra, tenderam a encobrir a dimensão e a direção das correntes que afetaram o PT com o surgimento do lulismo. Para percebê-las, é necessário olhar da perspectiva da *própria trajetória partidária,* pois a comparação com o dramático deslocamento de classe que aconteceu com Lula em 2006 sombreia e borra o ocorrido com o partido. Ao longo de sua história, os estudos sobre o PT haviam reiteradamente sublinhado que a simpatia diminuía entre os segmentos de baixa renda e escolaridade. Tal marca já constava dos *surveys* de 1982, ocasião das eleições inaugurais disputadas pelo partido. Com base nos levantamentos feitos na época, Rachel Meneguello escrevia que a proposta do PT atingira "um público socioeconomicamente diferenciado, pertencente a estratos mais favorecidos da população"[52] (com exceção da capital paulista). Ao cabo dos anos 1980, Margaret Keck reiterava que, "embora o partido tenha ampliado a concepção inicial da sua base na classe trabalhadora", ele continuava a "sensibilizar um segmento ativo e organizado da sociedade civil brasileira".[53] Ao analisar pesquisa de 1996, junto com Scott Mainwaring e Timothy Power, Meneguello voltava a apontar que o PT se destacava entre os "eleitores com maior escolaridade".[54] Ainda em

51. Wendy Hunter e Timothy J. Power, "Recompensando Lula — Poder executivo, política social e as eleições brasileiras em 2006", em C. R. Melo e M. A. Sáez (orgs.), *A democracia brasileira,* pp. 338-9.
52. Rachel Meneguello, *PT, a formação de um partido,* p. 173.
53. Margaret Keck, *PT, a lógica da diferença,* p. 275.
54. Scott Mainwaring, Rachel Meneguello e Timothy Power, *Partidos conservadores no Brasil contemporâneo,* p. 66.

2002, "os petistas eram mais educados do que os demais brasileiros", conforme percepção de David Samuels ao escrutinar o Eseb.[55] Yan Carreirão e Maria D'Alva Kinzo, que estudaram de maneira longitudinal a série de 1989 a 2000, resumiam: "Há um padrão constante em todos os registros realizados: os percentuais de preferência pelo PMDB crescem inversamente ao nível de escolaridade, *enquanto ocorre o contrário no caso do PT, ou seja, seus percentuais são proporcionalmente mais altos quanto maior o nível de escolaridade*" (grifos meus).[56]

Ou seja, até o fim do século XX o tipo de alinhamento estabelecido na década de 1970, em que o MDB se fixou como "partido dos pobres", ainda se refletia no sistema partidário, apesar das derrotas da agremiação em 1989 e 1994. Na outra ponta, estavam certos Hunter e Power ao entenderem o "PT como um partido consolidado em torno de interesses organizados, de intelectuais e da classe média urbana progressista".[57]

Em 2002 houve um crescimento da simpatia pelo PT em todas as faixas de renda (tabela 3). Embora persistisse expressiva diferença da faixa superior (32%) em relação à mais baixa (15%), o partido começava a exercer uma atração significativa entre os eleitores que tinham de dois a cinco salários mínimos de renda familiar mensal (23%). Se isso não modifica, de imediato, a matriz anterior, pela qual o apoio cresce com o rendimento do eleitor, dá ao PT uma abrangência desconhecida. O partido passa a ser querido por uma porção não desprezível da enorme quantidade de eleitores situados

---

55. David Samuels, "A evolução do petismo (2002-2008)", *Opinião Pública*, vol. 14, n. 2, nov. 2008, p. 313.
56. Yan de Souza Carreirão e Maria D'Alva Kinzo, "Partidos políticos, preferência partidária e decisão eleitoral (1989/2002)", *Dados*, vol. 47, n. 1, 2004, p. 150.
57. Wendy Hunter e Timothy J. Power, "Recompensando Lula — Poder executivo, política social e as eleições brasileiras em 2006", em C. R. Melo e M. A. Sáez (orgs.), *A democracia brasileira*, p. 334.

nas duas camadas de renda mais baixas (nada menos que 76% do eleitorado, segundo o cálculo do Datafolha usado na época). Isso significa que, em 2002, o PT adquire nova feição, como se pode ver na tabela 4. Nela, a maioria dos simpatizantes pertence aos escalões inferiores no que tange ao rendimento familiar.

TABELA 3:

PREFERÊNCIA PELO PT POR RENDA FAMILIAR MENSAL, 1996-2010

	ATÉ 2 SM	+ DE 2 a 5 SM	+ DE 5 a 10 SM	+ de 10 SM	TOTAL
1996	8%	11%	15%	19%	13%
1998	8%	12%	17%	15%	12%
2002	15%	23%	28%	32%	22%
2006	17%	21%	22%	17%	19%
2007	21%	21%	19%	21%	21%
2010	22%	27%	21%	24%	24%

Fonte: Datafolha. Junho de 1996, a partir de S. Mainwaring, T. Power e R. Meneguello. *Partidos conservadores no Brasil contemporâneo*. São Paulo: Paz e Terra, 2000, p. 70 (recalculado pelo autor); setembro de 1998, setembro de 2002, janeiro de 2006 e março de 2007, via Cesop (Unicamp); 2010 via <www.datafolha.com.br>, consultado em 29 jun. 2010 e recalculado pelo autor.

Sem que a estrutura estabelecida em 2002 chegasse a se consolidar, uma segunda inflexão ocorre em 2005, quando o partido é envolvido na crise denominada pela imprensa de "mensalão". Em dezembro daquele ano, registra-se um *retrocesso* na predileção pelo PT, que a faz voltar a patamares típicos da década anterior (tabela 7 do Apêndice). Elementos coligidos por Samuels e Venturi dão a entender que a queda pode ter sido ainda maior do que a apontada na tabela 7 do Apêndice, levando-se em conta que o viés de aumento da preferência pelo PT prosseguiu até as vésperas da eclosão do escândalo. Segundo Samuels, o Datafolha encontrava 24% de identificação com o PT no fim de 2004 e, de acordo com Venturi, a Criterium detectava 27% em abril de 2005, pouco antes de o noticiário ser invadido pelo tema do "mensalão".[58] As evidências indicam que o episódio interrompe um ciclo de 25 anos de aumento constante do apreço pelo PT na sociedade brasileira, provocando uma *retração de até onze pontos percentuais na preferência pelo partido*. O impacto do "mensalão" está razoavelmente documentado na literatura, porém o que não foi percebido, a não ser mais tarde, é que ele *não atingiu por igual as diferentes camadas sociais*.

Foi ao fazer o balanço dos trinta anos do PT, em 2010, que Venturi acabou por confirmar o que Veiga notara em 2007: a *intensa popularização* do partido.[59] Todavia, restava esclarecer um paradoxo. Se Samuels, Hunter e Power estavam certos ao assinalar que não ocorrera uma aproximação em massa dos pobres ao PT em 2006, como acontecera com Lula, como pode ter o partido se popularizado? A resposta é dupla. De um lado, o partido *já tinha* em parte se popularizado, ao receber um apoio inédito de eleitores de menor renda em 2002, e *sofreu nova fornada de popularização, por subtração, ao perder simpatia entre o eleitorado de classe média*, retendo, no entanto, a sustentação popular conquistada. De fato, não aconteceu, como em relação a Lula em 2006, uma aproximação abrupta de eleitores de baixíssima renda. Todavia, na compa-

58. David Samuels, "Sources of mass partisanship in Brazil", *Latin American Politics and Society*, vol. 48, n. 2, verão 2006, p. 5; Gustavo Venturi, "PT 30 anos: mudanças na distribuição regional", *Teoria e Debate*, n. 87, mar./abr. 2010, p. 15.
59. Gustavo Venturi, "PT 30 anos: mudanças na base social", *Teoria e Debate*, n. 88, maio/jun. 2010, p. 9.

TABELA 4:

RENDA FAMILIAR MENSAL DOS QUE PREFEREM O PT, 1996-2010

	ATÉ 2 SM	+ DE 2 a 5 SM	+ DE 5 a 10 SM	+ de 10 SM	TOTAL
1996	17%	23%	28%	30%	100%*
2002	27%	40%	18%	15%	100%
2006	42%	43%	10%	4%	100%**
2007	48%	37%	10%	5%	100%
2010	47%	38%	8%	4%	100%***

Fontes: Datafolha. Junho de 1996, via S. Mainwaring, T. Power e R. Meneguello. *Partidos conservadores no Brasil contemporâneo.* São Paulo: Paz e Terra, 2000, p. 70; setembro de 2002, janeiro de 2006, março de 2007, via Cesop (Unicamp); março de 2010 via <www.datafolha.com.br>, consultado em 24 abr. 2010.
*A porcentagem não totaliza 100% porque alguns respondentes não forneceram um nível salarial.
** Pequenas variações no total correspondem ao arredondamento das porcentagens.
*** A porcentagem não totaliza 100%, pois 3% dos respondentes não forneceram um nível salarial.

ração com o momento anterior a 2002, há nítida popularização pelas duas razões citadas *em combinação.*

A tabela 3 mostra como em janeiro de 2006 o PT apresenta *uma queda acentuada de suporte na camada de renda mais alta* (acima de dez salários mínimos de renda familiar mensal): de 32% para 17%. Há também uma redução, de 28% para 22%, entre os de renda familiar de cinco a dez salários mínimos. Contudo, *não foi afetado o apoio entre os de renda mais baixa,* com variações dentro da margem de erro, de 23% para 21% dos que recebiam de dois a cinco salários mínimos (SM), e, até, *uma elevação,* de 15% para 17%, dos que recebiam até dois SM. Visto desse prisma, pode-se dizer que o PT perdeu apelo em todas as faixas de renda menos na mais baixa, e, *quanto mais alto o padrão econômico, mais forte a queda.*

Segundo Venturi, depois do "mensalão" "observa-se recuperação no sentido inverso ao perfil encontrado na origem: a preferência pelo PT passa a ser decrescente quanto maior a renda — 25% entre os eleitores com RFM (renda familiar mensal) inferior a dois SM, contra 20% entre os eleitores com renda mensal superior a cinco SM (Criterium)".[60] Resumindo, após o fim da crise, o PT recupera os índices de escolha (tabela 7 do Apêndice), porém o faz *de acordo com padrão invertido*, no qual a atração pelo partido tende a ser maior na metade inferior da distribuição de renda. Somados os movimentos de afluxo popular em 2002 e afastamento da classe média em 2005, eles estabelecem imagem oposta daquela que vigorou nas primeiras duas décadas de existência do PT: a partir de 2006, a curva de sustentação do partido deixa de subir com a renda (tabela 3). Em outras palavras, o deslocamento de classe que caracteriza o lulismo se transfere para o PT e passa a haver predomínio dos de baixa renda na sua base, sendo que antes era o contrário (tabela 4). *Quando comparado o ano de 1996 ao de 2010, é fácil verificar a inversão: os petistas com renda na metade superior da distribuição caem de 58% para 12% do total, enquanto os da metade inferior sobem de 40% para 85%; os de baixíssima renda (até dois SM) passam de 17% para 47%.*[61]

60. Gustavo Venturi, "PT 30 anos: crescimento e mudanças na preferência partidária", *Perseu*, n. 5, 2010, p. 207. Convém notar que os dados da Criterium, utilizados na análise de Venturi, indicavam um índice de identificação com o PT de 23% em março de 2006, enquanto o Datafolha, em maio daquele ano, ainda apontava um patamar de 17%. No entanto, no que se refere à mudança da distribuição da preferência pelo PT por faixa de renda, os dois institutos revelam a mesma tendência.
61. Observe-se que os dados apurados pela Criterium para junho e outubro de 2002, assim como pela Fundação Perseu Abramo em abril de 2005, diferem dos apresentados pelo Datafolha em setembro de 2002. Embora a diferença não altere o sentido geral da interpretação aqui apresentada, ela permitiria afirmar que a mudança de fundo ocorreu em 2002, quando a proporção de eleitores de

Conforme se poderia esperar, o padrão de escolaridade foi igualmente afetado. Na tabela 8 do Apêndice observa-se que até 2002 prevalece a tendência de aumentar a estima pelo partido conforme crescia a escolaridade. Após 2005, o PT piora nas faixas de escolaridade mais altas, indo de 29% para 22% entre os que chegaram à universidade e de 28% para 20% entre os que tinham acesso ao ensino médio. Em compensação, fica estável a parcela dos que simpatizavam com o PT no campo dos que só haviam cursado até o ensino fundamental. Isto é, *com o "mensalão", o partido perde apoio na alta escolaridade, guardando, no entanto, a preferência conquistada entre os menos escolarizados*. Pela primeira vez, a diferença na identificação com o PT por anos de frequência à escola reduz-se à margem de erro.

A partir de março de 2007, com a perda daqueles de maior escolaridade, o partido, que sempre fora mais potente no meio dos que tinham ensino superior, fica mais saliente entre os que têm passagem pelo ensino médio. Uma advertência de Venturi a respeito das novidades no perfil da escolarização da população talvez explique o porquê de os apoiadores no ensino *médio* serem em quantidade tão elevada. É que, com a expansão geral do ensino, o nível médio tem se estendido para os de baixa renda, justificando a penetração petista no estrato educacional intermediário simultânea ao crescimento entre os de menor rendimento familiar.[62]

---

baixíssima renda, entre os que apoiam o PT, teria dobrado, indo de aproximadamente 25% para cerca de 50%, sem retorno aos patamares anteriores nos oito anos seguintes. Com isso, o papel da perda de apoio de eleitores de classe média, ainda que verificado em todos os levantamentos, seria relativamente menor. Ver Gustavo Venturi, "PT 30 anos: crescimento e mudanças na preferência partidária", *Perseu*, n. 5, 2010.

62. Afirma Venturi: "O processo relativamente acentuado de escolarização da população ao longo da última década e meia, com aumento considerável do acesso aos ensinos médio (governo FHC) e superior (governo Lula), fazem do grau de esco-

Ao traduzir porcentagens em números absolutos, Venturi ilustra a transição do PT. Em 1997, o partido tinha cerca de 3,1 milhões de simpatizantes de baixíssima renda e 5,5 milhões de alta renda. Em 2006, os de baixíssima renda saltaram para 17,6 milhões e os de alta renda caíram para 3,3 milhões.[63] Venturi evidencia, de maneira análoga, as perdas do partido nas regiões mais ricas, enquanto preservava as conquistas nas mais pobres. No Sudeste a preferência pelo PT cai de 26% para 19% depois de 2005, enquanto no Nordeste ela se mantém, oscilando, dentro da margem de erro, de 32% para 30%. "Ao se recuperarem da crise, um ano depois, o desbalanço na distribuição dos petistas reapareceria, só que agora com o SE abaixo de sua proporção no eleitorado (apenas 37%) e o NE acima (34%)",[64] diz Venturi (o Sudeste contém cerca de 44% do eleitorado brasileiro, enquanto o Nordeste tem perto de 28%). A queda da participação do estado de São Paulo no conjunto dos que gostavam do PT, de mais de 50% para apenas 20% entre 1989 e 2007, conforme indica Samuels,[65] traça a mesma linha.

Esses, os elementos empíricos centrais. Além deles, alguns dados acessórios corroboram a popularização. Se olharmos para a composição da bancada federal, fica claro que, embora continue a ser majoritariamente composta de parlamentares do Sul e do Sudeste, confirmando a percepção de Hunter e Power, a proporção de parlamentares dos estados mais ricos é cada vez menor

---

laridade um indicador ruim para a observação do fenômeno aqui em foco"; "PT 30 anos: crescimento e mudanças na preferência partidária", *Perseu*, n. 5, 2010, p. 204.
63. Gustavo Venturi, "PT 30 anos: crescimento e mudanças na preferência partidária", *Perseu*, n. 5, 2010, p. 204.
64. Idem, ibidem.
65. David Samuels, "Sources of mass partisanship in Brazil", *Latin American Politics and Society,* vol. 48, n. 2, verão 2006, p. 312.

(tabela 9 do Apêndice).[66] Até 1998, quase 70% da bancada federal do partido provinha do Sul e do Sudeste, caindo essa proporção para cerca de 50% em 2010. Em compensação, o Norte/Nordeste, que representava 24% da bancada em 1998, passou a quase 40% dela em 2010.

Em 2006, *pela primeira vez em sua trajetória,* o partido *perde* assentos na Câmara dos Deputados no Sul, no Sudeste e no Centro-Oeste, *só continuando a crescer no Nordeste* (o número de cadeiras provindas do Norte ficou estável). Quando cotejada com a votação de Lula, que no primeiro turno de 2006 *foi derrotado* no Sul e no Sudeste, ganhando no Norte e no Nordeste, a bancada do partido se diferencia por *ainda* ter a maioria dos seus representantes provindo das regiões mais ricas; no entanto, a participação *relativa* destas apresenta queda, passando o Sudeste de 41% para 36% da bancada federal, enquanto o Nordeste sobe de 19% para 28%. Na eleição seguinte (2010), a distribuição alcançada em 2006 *grosso modo* se manteve: o Sudeste ficou com 34%, o Nordeste com 27% e o Norte com 11% do total dos deputados federais eleitos pelo partido, enquanto o Sul ficaria com 19% e o Centro-Oeste com 8% (ver tabela 9 do Apêndice).

Em 2006, Lula obteve rapidamente uma torrente de votos de baixíssima renda, a qual compensou o abandono da classe média, resultando num desempenho até um pouco superior no primeiro turno em relação ao de 2002. O PT, contudo, sofreu uma subtração para a Câmara dos Deputados de 18% dos votos válidos em 2002 para 15% em 2006.[67] Ou seja, enquanto a candidatura de Lula à

66. Agradeço a Brandon Van Dyck, doutorando da Universidade Harvard, por ter me chamado a atenção para os dados referentes à Câmara dos Deputados.
67. Dados para 2002 e 2006 obtidos em <www.tse.gov.br>, consultado em 5 jul. 2010. Em 2010, o PT recupera parte dos votos perdidos em 2006, chegando a 17% dos votos válidos. Dado obtido em <www.pt.org>, consultado em 30 jan. 2012.

reeleição, dotada da enorme visibilidade pelo exercício da Presidência, avançou para o interior, em direção aos pequenos municípios e aos eleitores mais pobres — produzindo "a virada [...] de uma eleição a outra nos estados que registram menores índices de IDH" —,[68] o PT se ressentia das perdas ocasionadas pelo afastamento da classe média nos estados mais ricos, compensando-as apenas parcialmente com uma penetração moderada nas regiões pobres. Lula aumentou em cerca de 50% a quantidade de votos que recebera, por exemplo, em Pernambuco, enquanto o PT experimentava um acréscimo em torno de apenas 10% no estado, na votação para a Câmara dos Deputados. De acordo com o TSE, Lula passou de 46% dos votos válidos em Pernambuco no primeiro turno de 2002 para 71% no primeiro turno de 2006, ao passo que a votação nos candidatos do PT para a Câmara dos Deputados subiu de 13% para 16%. É isso que leva a percepções como a do jornalista Melchiades Filho, quando afirma: "O PT não cresceu como o previsto na era Lula. No Nordeste, por exemplo, foi o aliado PSB que mais posições conquistou".[69] Na verdade, a ascensão do PT demorou mais para acontecer, mas terminou ocorrendo.

Os melhores números do PT para os governos estaduais em 2006 se deram no Nordeste e no Norte, com vitórias em disputas importantes, como as da Bahia e do Pará, sem equivalentes nas áreas de maior desenvolvimento. Não obstante, em 2010, a derrota no Pará e a aliança com o PSB no Piauí tiraram das mãos do PT dois governos estaduais das regiões pobres, havendo, simultaneamente, vitórias no Rio Grande do Sul e no Distrito Federal. Na dimensão

68. Wendy Hunter e Timothy J. Power, "Recompensando Lula — Poder executivo, política social e as eleições brasileiras em 2006", em C. R. Melo e M. A. Sáez (orgs.), *A democracia brasileira*, p. 335.
69. *Folha de S.Paulo*, 8 jun. 2010, p. A2.

estadual moderou-se, assim, em 2010 o ritmo de popularização do partido.

Consideradas as eleições municipais de 2008, verifica-se que, se os estados do Sul/Sudeste ainda respondem pela maioria das cidades administradas pelo PT (53%), essa proporção vem caindo, uma vez que era de 70% em 2000, enquanto a do Nordeste/Norte subiu de 21% para 33% no mesmo intervalo. O aumento de cidades governadas em apenas quatro estados do Nordeste e do Norte entre 2004 e 2008 — Bahia (de 21 para 67), Piauí (de sete para dezoito), Pará (de dezoito para 27) e Sergipe (de quatro para oito) — constituiu quase metade das novas prefeituras conquistadas pelo PT na eleição municipal de 2008.

Uma análise do desempenho por grau de urbanização igualmente revela modificações no que era predominante até 2000, quando o PT era tido como "partido das capitais". Naquele ano, os petistas elegeram prefeitos nos centros ricos, com vitórias expressivas no Sudeste e no Sul, em particular em São Paulo e Porto Alegre. Já em 2008, o PMDB iguala o PT em número de capitais governadas, sendo que as do PT se concentram nas regiões menos desenvolvidas (Nordeste/Norte). A sua força parece deslocar-se para o que Reis, seguindo Bolívar Lamounier, chamou de "metrópoles periféricas".[70]

Nos centros das zonas desenvolvidas, onde há um eleitorado de classe média numericamente expressivo, o partido foi empurrado para a extrema periferia e até mesmo para fora dos limites municipais, obtendo expressiva votação nos populosos municípios das respectivas regiões metropolitanas.[71] Em São Paulo, por exemplo, segundo Fernando Limongi e Lara Mesquita, o PT perde

70. Ver Fábio Wanderley Reis, "Regiões, classe e ideologia", em F. W. Reis, *Mercado e utopia*, p. 321.
71. Agradeço a Camila Rocha a imagem da transposição dos limites municipais.

para o PSDB votos dos eleitores com maior escolarização, enquanto "acentua-se a penetração do partido entre as camadas menos educadas",[72] situação que parece se estabelecer com clareza em 2004 e ficar mais aguda em 2008.[73]

Há nítida percepção do sentido da transformação do PT na afirmativa do então presidente do partido, Ricardo Berzoini, em março de 2008: "Hoje o PT tem uma força no Nordeste que há quinze anos nem sonhava ter. Em regiões onde o impacto das políticas do governo foi menor, muitas vezes o questionamento ético supera a força das realizações. Depende muito da região e do estrato social".[74] Não por acaso, o próprio Berzoini foi sucedido em 2010, na presidência partidária, por um político do Nordeste (José Eduardo Dutra), região que pela primeira vez designou o principal dirigente petista.[75]

Em resumo, os indicadores empíricos convergem na direção de que, depois de 2002, o partido passa a ter menos força relativa na classe média, nos eleitores de alta escolaridade, no Sul/Sudeste e nas capitais das regiões mais ricas, cuja aceitação o caracterizava desde a fundação. Por outro lado, ampliou em escala significativa o suporte entre os eleitores de baixa renda, de baixa escolaridade, no Norte/Nordeste, nas metrópoles periféricas e no entorno das capitais.[76] O PT vai, portanto, na mesma direção que o lulismo,

72. Fernando Limongi e Lara Mesquita, "Estratégia partidária e preferência dos eleitores", *Novos Estudos*, n. 81, jul. 2008, p. 64.

73. O caso do PT em São Paulo apresenta a peculiaridade de antecipar, em 2004, o movimento que se tornará geral depois de 2005. De acordo com levantamentos preliminares de Diogo Frizzo, a popularização já começa em 2004 e se acentua em 2008.

74. Em <www1.folha.uol.com.br>, 17 mar. 2008, consultado em 8 jul. 2009.

75. Em 2011, José Eduardo Dutra renunciou à presidência do PT, alegando razões de saúde, e foi substituído pelo vice, Rui Falcão, que é de São Paulo.

76. É possível que isso explique o fato de, no Encontro Nacional de 2006, Rachel Meneguello e Oswaldo E. do Amaral terem encontrado um aumento de dele-

tornando-se um partido popular. Na sua versão atual, a composição petista ficou parecida com a da sociedade. Segundo a amostra usada pelo Datafolha em março de 2010, 52% dos eleitores do Brasil, e 47% dos simpatizantes do PT, estavam na faixa de até dois salários mínimos de renda familiar mensal; 33% dos eleitores, e 38% dos apoiadores do PT, na faixa de dois a cinco salários mínimos; 5% e 8%, respectivamente, na camada de cinco a dez salários mínimos; e 4%, para ambos, na faixa superior a dez salários mínimos. Pode-se dizer que, depois de 2006, o partido ficou muito mais próximo do Brasil do que era até meados dos anos 1990, mostrando que estava certa a intuição de Juarez Guimarães quando ele escreveu que "o PT tornou-se nos últimos anos mais nacional, mais brasileiro, mais sertão, mais samba, mais negro, mais nordestino e mais amazônico, mais agrário".[77] O PT tem hoje cerca de dez vezes mais simpatizantes que vivem no piso da pirâmide econômica brasileira do que entre os que estão no topo dela, diferença que simplesmente não existia em meados da década de 1990. Por ter entrado no coração do subproletariado, o PT adquire a feição de "partido dos pobres", lugar que estava vago na política brasileira desde pelo menos 1989, quando o PMDB foi fragorosamente derrotado pelo fracasso econômico do governo Sarney.

---

gados de menor renda. Ver Rachel Meneguello e Oswaldo E. do Amaral, "Ainda uma novidade: uma revisão das transformações do Partido dos Trabalhadores no Brasil", *Occasional Paper Number* BSP-02-08, Brazilian Studies Programme, Oxford, 2008. Os autores anotam uma queda no número de delegados aos encontros do partido com renda superior a vinte salários mínimos, de 28% em 1997 para 13,4% em 2006, enquanto o número de delegados com renda de cinco a dez salários mínimos foi de 19% para 33% no mesmo período.
77. Juarez Guimarães, *A esperança crítica*, pp. 52-3.

DUAS ALMAS E UMA SÍNTESE. PROVISÓRIA?

A mudança do suporte social, com intensa popularização, não poderia deixar de ter impacto na alma do PT, como na de qualquer partido em que acontecesse. No caso do PT, o efeito foi dar carne e osso ao espírito do Anhembi. A razão é simples: tanto os apoiadores recentes quanto a alma expressa em 2002 ansiavam por postura mais amigável ao capital. A transformação sociológica do PT implicou dar perspectiva estratégica à moderação supostamente tática da "Carta ao Povo Brasileiro".

Diversas análises de dados dão conta da mudança ideológica. A comparação do Eseb 2002 com o de 2006 levou Veiga a apontar que, "em 2006, o PT, na média, representou um eleitorado mais de centro do que em 2002".[78] Levantamentos da Criterium e da Fundação Perseu Abramo indicam que, de 2002 a 2006, a proporção de eleitores situados à esquerda entre os apoiadores do PT caiu de 50% para 42%, ao passo que a dos situados à direita subiu de 20% para 30%, e dos posicionados ao centro de 6% para 12%. De acordo com Samuels, que utilizou dados de uma quarta pesquisa (Lapop 2007), "a ideologia esquerda-direita não prediz mais o petismo".[79] Segundo o Instituto Datafolha, em 2010 a proporção de apoiadores do PT situados à esquerda teria se reduzido para 32%, ao passo que à direita ela teria subido para 35% e ao centro para 16% (quadro 2). Isso significa que a base do PT, que era predominantemente de esquerda, passou a abrigar um contingente análogo de eleitores situados à direita, os quais, somados aos de centro, deixam a esquerda em minoria.

---

78. Luciana Fernandes Veiga, "Os partidos brasileiros na perspectiva dos eleitores: mudanças e continuidades na identificação partidária e na avaliação das principais legendas após 2002", *Opinião Pública*, vol. 13, n. 2, nov. 2007, p. 349.
79. David Samuels, "A evolução do petismo (2002-2008)", *Opinião Pública*, vol. 14, n. 2, nov. 2008, p. 310.

QUADRO 2:

POSIÇÃO DOS APOIADORES DO PT NO

ESPECTRO IDEOLÓGICO, 2002-10

	ESQUERDA	CENTRO	DIREITA	NS/NR
2002 (Criterium, out.)	50%	6%	20%	23%
2006 (F. Perseu Abramo, mar.)	42%	12%	30%	16%
2010 (Datafolha, maio)	32%	16%	35%	17%

Fontes: Criterium e Fundação Perseu Abramo, no sítio <www2.fpa.org.br>, consultado em 18 set. 2009. Datafolha via *Folha de S.Paulo*, 30 maio 2010, p. A9. Obs.: As posições na escala de 1 a 7 foram assim agrupadas: esquerda = 1 a 3; centro = 4; direita = 5 a 7.

O principal efeito da configuração adventícia é que o espírito herdado do período pós-golpe, e que dominara o PT até as vésperas da campanha de 2002, resvala para um segundo plano, encerrando o ciclo radical aberto com a derrota do populismo em 1964. Embora seja um equívoco desconhecer que o governo Lula cumpriu parte do programa original do partido ao estimular o mercado interno de massas, é verdade que, desconectados de postura anticapitalista, os ganhos materiais conquistados levam água para o moinho do estilo individualista de ascensão social, embutindo valores de competição e sucesso no lulismo. Enquanto o modelo "redução da pobreza e manutenção da ordem" puder funcionar, alimentará o PT como "partido dos pobres" e, dentro dele, o espírito do Anhembi. O êxito eleitoral lhes augura dominação prolongada.

No entanto, aspecto peculiar do modo petista de vida até 2012, ao menos, é que o espírito do Anhembi, embora dominante, não suprimiu o do Sion: convivem lado a lado, como se um quisesse desconhecer a existência do outro. O PT nunca reviu as posições históricas. Não houve um Bad Godesberg[80] para retirar do programa os itens radicais. Nem ocorreu algo como a exclusão da famosa cláusula 4, momento em que o Partido Trabalhista britânico, conduzido por Tony Blair, abdicou da socialização dos meios de produção. Ao contrário, o III Congresso do PT, em 2007, reafirmou que "as riquezas da humanidade são uma criação coletiva, histórica e social" e que "o socialismo que almejamos só existirá com efetiva democracia econômica. Deverá organizar-se, portanto, a partir da propriedade social dos meios de produção".[81] A resolução política do IV Congresso Nacional Extraordinário (realizado em setembro de 2011) sustenta que o partido deve "aprofundar seu compromisso com outra visão de mundo e com outro modelo de desenvolvimento, reafirmando a defesa da construção do socialismo".[82]

Além de disperso em milhares de militantes formados nos anos anteriores ao espírito do Anhembi, o do Sion está nos cadernos destinados aos ingressantes, editados pela direção partidária em 2009. "O Partido dos Trabalhadores define-se, programaticamente, como um partido que tem por objetivo acabar com a relação de exploração do homem pelo homem", diz um dos textos dirigidos aos recém-filiados.[83] Ao descrever a evolução do partido, alude, em feição elegante, às eventuais incongruências entre teoria

80. No programa de 1959, aprovado pelo SPD alemão na cidade de Bad Godesberg, pela primeira vez o partido deixa de fora qualquer menção a Marx e à proposta de socialização das indústrias de base. Ver, a esse respeito, Donald Sassoon, *One hundred years of socialism*, p. 251.

81. III Congresso Nacional do PT, *Resoluções do III Congresso do Partido dos Trabalhadores, 30 de agosto a 2 de setembro de 2007*, São Paulo, Fundação Perseu Abramo, 2007, p. 16.

82. IV Congresso do Partido dos Trabalhadores. Etapa Reforma Estatutária. *Resolução política*, p. 12, em <www.pt.org.br>, consultado em 31 jan. 2012.

83. Secretaria Nacional de Formação Política/Fundação Perseu Abramo, *Caderno de Formação*, Módulo 1, São Paulo, 2009, p. 25, em <www.pt.org.br>, consultado em 23 ago. 2010.

e prática: "O PT é um partido de massas e, como tal, permeável às contradições de nossa sociedade e de nossa época". Porém, reafirma o desiderato absoluto de superar as "desigualdades sociais".

A primeira alma pode ser encontrada, outrossim, nas atividades da Fundação Perseu Abramo (FPA), instituída pelo Diretório Nacional em 1996, com o objetivo de "promover a reflexão política, disseminar os conhecimentos produzidos, formar quadros políticos, preservar a memória do partido e da *esquerda* brasileira"[84] (grifo meu). Lá, o pensamento que presidiu a criação do PT segue vivo. Na apresentação da coleção de livros que faz o balanço dos mandatos de Lula, Elói Pietá, vice-presidente da FPA, dava ênfase ao fato de ser "inédito ter no governo toda uma geração de lideranças sindicais e populares de *esquerda*" (grifo meu).[85]

Pietá está certo, pois o *éthos* de origem se encontra presente no Executivo federal, onde militantes do PT se destacam por transformar em políticas públicas o compromisso firmado no Sion. A criação do Ministério do Desenvolvimento Social (MDS), por exemplo, que entre muitas incumbências tem a de administrar o Bolsa Família e o Benefício de Prestação Continuada (BPC), colocou no centro do Estado brasileiro a visão de que é preciso combater a pobreza visando uma sociedade menos desigual. Acima de tudo, somadas ao Territórios da Cidadania, sob coordenação do Ministério do Desenvolvimento Agrário, e aos projetos cooperativos apoiados pela Secretaria Nacional de Economia Solidária do Ministério do Trabalho, as iniciativas do MDS procuram fornecer um caráter emancipatório ao trabalho de resgate dos excluídos.

Pode-se dizer que, *grosso modo*, a presença do PT no governo federal organizou-se ao redor de dar materialidade aos preceitos da Constituição de 1988. Em última análise, o partido tem sido o ins-

---

84. Elói Pietá (org.), *A nova política econômica, a sustentabilidade ambiental*, p. 8.
85. Idem, ibidem.

trumento de avanços na direção de um Estado de bem-estar social, com aumento do emprego, transferência de renda para os mais pobres, e progresso na construção de sistemas públicos de saúde e de educação. O sentido de democratização radical, característico das origens, influenciou ainda a realização, durante o governo Lula, de dezenas de Conferências Nacionais, inspiradas nas que se organizavam no campo da medicina e foram decisivas para a existência do Sistema Único de Saúde (sus). Nas conferências, milhares de cidadãos mobilizaram-se em torno dos temas mais diversos — desde o meio ambiente aos direitos dos homossexuais —, dando continuidade ao processo de participação aberto na primavera democrática (1978-88), do qual o próprio PT foi um dos frutos. Se os resultados práticos das conferências são discutíveis, não se pode negar serem elas espaços de exercício da cidadania.

Em resumo, os dois mandatos de Lula à frente do Executivo formaram síntese contraditória das duas almas que hoje habitam o PT. Foi o fato de ter sido viável promover, simultaneamente, políticas que beneficiam o capital e a inclusão dos mais pobres, com melhora relativa na situação dos trabalhadores, que permitiu a convivência dos espíritos do Anhembi e do Sion. A unidade dos contrários se expressa nas diretrizes para o período 2011-14, aprovadas em fevereiro de 2010. Delas se excluem os itens mais característicos de uma e outra fração. Não há menções ao socialismo, mas também não está posto o compromisso de preservar superávits primários altos. Se a "estabilidade econômica" foi incorporada como valor, figura, lado a lado, com a defesa da distribuição da renda como núcleo do governo Dilma Rousseff.

Em consequência, a proposta de programa aprovada pelo IV Congresso pode ser lida como o difícil ponto de equilíbrio entre corações que batem em ritmos desencontrados. Não por acaso, a valorização do nacional — que permite a unidade de diferentes classes — ganhou relevo. Enquanto na compreensão antiga o PT queria não a "adoção de uma política 'desenvolvimentista' que agrega o 'social' como acessório, mas sim uma verdadeira transformação inspirada nos ideais éticos da radicalização da democracia e do aprofundamento da justiça social",[86] a solução unitária destaca que "o Governo Lula criou as condições para um Projeto de Desenvolvimento Nacional Democrático Popular, sustentável e de longo prazo para o país".[87] Todavia, em lugar de propor a elaboração de leis "para modernizar a atual Consolidação das Leis do Trabalho",[88] como chegou a ser incluído no programa final de Lula em 2002, assume um "compromisso com a defesa da jornada de trabalho de quarenta horas semanais, sem redução de salários".[89]

É claro que a luta de classes perdeu o lugar de honra onde fora colocada pelo espírito do Sion. Foi substituída, como se vê, por um projeto nacional-popular, que não é incompatível com os interesses do capital. Segundo o programa aprovado em 2010, o Estado deverá promover o "crescimento da renda dos trabalhadores, não só pelos aumentos salariais, mas por eficientes políticas públicas de educação, saúde, transporte, habitação e saneamento", e, concomitantemente, aprofundar "as políticas creditícias para o setor produtivo por parte do BNDES" e apoiar a "internacionalização das empresas brasileiras".[90] Trata-se de um programa capitalista com forte presença estatal, de distribuição da renda sem confronto, que não por acaso lembra o ideário varguista. Para executar

---

86. Diretório Nacional do PT, *Concepção e diretrizes do programa de governo do PT para o Brasil, Lula 2002*, São Paulo, mar. 2002, p. 27.
87. IV Congresso do Partido dos Trabalhadores, *Resoluções sobre as diretrizes de programa 2011-2014*, item 16, em <www.pt.org.br>, consultado em 22 fev. 2010.
88. Coligação Lula Presidente, *Programa de governo 2002*, Brasília, 23 jul. 2002, p. 30.
89. IV Congresso do Partido dos Trabalhadores, *Resoluções sobre as diretrizes de programa 2011-2014*, item 19p, em <www.pt.org.br>, consultado em 22 fev. 2010.
90. Idem, itens 19e, 21a e 21b.

tal programa, as alianças ocorrerão independentemente dos argumentos ideológicos.

A convivência das duas almas do PT leva a paradoxos. O partido defende, simultaneamente, reformas estruturais profundas e a estabilidade econômica; propriedade social dos meios de produção e respeito aos contratos que garantem os direitos do capital; um postulado genérico anticapitalista e o apoio às grandes empresas capitalistas; "a formação de uma cultura socialista de massas"[91] e acordos com partidos de direita. As diferentes descrições da mudança do PT, que apontam ora no sentido da mudança maximizadora ora no da manutenção do modelo organizativo original, perdem de vista que o característico da fase que se abre em 2002 é a coexistência de dois vetores opostos num mesmo corpo partidário. A linguagem disponível é, curiosamente, a gramática nacional-popular, como assinalamos no capítulo 1, que parecia definitivamente revogada pelo golpe de 1964.[92] Para quem viveu o Sion, com seu ânimo antipopulista, é irônico. Para quem assistiu ao nascimento da segunda alma no Anhembi, com sua valorização da ordem neoliberal, parece até avançado.

---

91. III Congresso Nacional do PT, *Resoluções do III Congresso do Partido dos Trabalhadores, 30 de agosto a 2 de setembro de 2007*, São Paulo, Fundação Perseu Abramo, 2007, p. 24.
92. Marcelo Ridenti, em "Vinte anos após a queda do Muro: a reencarnação do desenvolvimentismo no Brasil", *Revista USP*, n. 84, dez./jan./fev. 2009-10, antecipa algo dessa discussão, remetendo a mudanças que já estariam em curso no PT no fim dos anos 1990.

3. O sonho rooseveltiano do segundo mandato[1]

Conforme mencionamos no capítulo 1, Marx lembra que é comum os atores de certa época buscarem imagens do passado para justificar ações no presente. Se o momento histórico evocado pelos homens e mulheres contemporâneos for revelador da natureza das tarefas que pretendem realizar, mesmo que o saldo final seja diferente do esperado, vale a pena deter-se na consideração do seu significado, pois informa algo da ideologia do momento.

O Brasil chegou à conclusão do segundo governo Lula, em 2010, envolvido pela atmosfera imaginária de estar em situação semelhante àquela em que, mais de meio século antes, a democracia norte-americana criou o arcabouço de leis, as instituições e os programas do New Deal. A instauração do ambiente rooseveltiano no país foi alavancada desde 2007 pela aceleração do crescimento, geração de emprego e o modo de enfrentar a crise financeira inter-

1. Este capítulo incorpora extensas passagens de André Singer, "O lulismo e seu futuro", *piauí*, n. 49, out. 2010, e "Realinhamento, ciclo longo e coalizões de classe", *Revista de Economia da PUC-SP*, ano 2, n. 4, jul./dez. 2010.

nacional de 2008, elementos que se somaram às alternativas de combate à pobreza inventadas no primeiro mandato. Se a hipótese do realinhamento eleitoral que levantei estiver certa, o sonho rooseveltiano tornar-se-á marco regulatório da política brasileira por período extenso.

Convém explicitar que foge aos limites deste trabalho uma comparação ponto a ponto do que foi obtido nos EUA e no Brasil. Nem sequer tenho, por ora, a veleidade de aproximar os rasgos gerais das duas experiências, tão diferentes são as condições históricas.[2] Restrinjo-me a assinalar que o lulismo introduziu o New Deal no imaginário nacional, funcionando como sintoma ideológico. A título de exemplo, vamos lembrar três menções, oriundas de campos suficientemente distantes para indicar a existência de fenômeno geral.

Wendy Hunter e Timothy Power compararam o Bolsa Família (BF), lançado em setembro de 2003, ao Social Security Act, com o qual, em 1935, Roosevelt instituiu o sistema de previdência pública. Hunter e Power vaticinavam, já em 2007, que o BF poderia se tornar, como o Social Security, um "terceiro trilho" na cena nacional, ou seja, aquilo que é intocável, sob o risco de morte política.[3] A julgar pelas propostas dos candidatos à Presidência da República em 2010, Hunter e Power acertaram. A candidata governista comprometeu-se a que, em seu mandato, o BF abrangeria "a totalidade da popula-

---

2. Agradeço a Mario Sergio Conti a advertência para a profundidade das diferenças dos dois casos e a José Eli Veiga o envio do seu livro *Metamorfoses da política agrícola dos Estados Unidos*, no qual fica clara a diversidade de leituras sobre o que, de fato, representou o New Deal nos EUA.
3. Wendy Hunter e Timothy J. Power, "Recompensando Lula — Poder executivo, política social e as eleições brasileiras em 2006", em C. R. Melo e M. A. Sáez (orgs.), *A democracia brasileira*, p. 358. A expressão "terceiro trilho" refere-se ao condutor de eletricidade que corre paralelo à via do trem e que, se tocado, é mortal.

ção pobre",[4] enquanto a oposição, pela voz de José Serra (PSDB), propôs-se a *dobrar* o número de famílias atendidas pelo programa.[5] Ninguém falou em diminuir ou eliminar o benefício.

Uma segunda referência encontra-se no fecho de balanço do governo Lula feito por dois economistas ligados ao Ministério da Fazenda. Segundo Nelson Barbosa e José Antonio Pereira de Souza, "a superação de dogmas recentes encontra paralelos em momentos nos quais os Estados das economias capitalistas centrais optaram pela ruptura de seus modelos de atuação [...]. Assim foi, por exemplo, com a G.I. Bill (1944) e com o Employment Act (1946) [...]".[6] A G.I. Bill, assinada por Roosevelt em junho de 1944, dava direito aos militares veteranos dos EUA que retornavam da Segunda Guerra Mundial a ingressar nas universidades. O Employment Act, promulgado pelo presidente Harry Truman em fevereiro de 1946, ainda no contexto do New Deal, atribuía ao governo federal norte-americano a incumbência de promover oportunidades de emprego. A última medida, em particular, teve caráter duradouro: "Desde a Segunda Guerra Mundial, o governo federal havia reconhecido suas responsabilidades pela manutenção da economia em pleno emprego", lembra Joseph Stiglitz.[7]

Por fim, em julho de 2010, citando Paul Krugman, o jornalista Fernando de Barros e Silva escrevia na *Folha de S.Paulo*: "Os Estados Unidos do pós-guerra eram, sobretudo, uma sociedade de classe média. O grande *boom* dos salários que começou com a Se-

---

4. Coligação para o Brasil seguir mudando, *Os 13 compromissos programáticos de Dilma Rousseff para debate na sociedade brasileira*, Brasília, set./out. 2011, item 5. Consultado em: <www1.folha.uol.com.br>, 11 mar. 2012.
5. "Serra diz que vai duplicar Bolsa Família", *Folha de S.Paulo*, 7 jul. 2010, p. A9.
6. Ver Nelson Barbosa e José Antonio Pereira de Souza, "A inflexão do governo Lula: política econômica, crescimento e distribuição de renda", em E. Sader e M. A. Garcia (orgs.), *Brasil entre o passado e o futuro*, p. 98.
7. Joseph E. Stiglitz, *Os exuberantes anos 90*, p. 41.

gunda Guerra levou dezenas de milhões de americanos — entre os quais meus pais — de bairros miseráveis nas regiões urbanas ou da pobreza rural à casa própria e a uma vida de conforto sem precedentes".[8] Krugman relata a "sensação admirável" de viver numa comunidade em que a maioria das pessoas leva "uma vida material reconhecidamente decente e similar". Continua o jornalista: "Essa '*middle-class society*' que encarnava o sonho americano não foi obra de uma 'evolução gradual', mas, diz Krugman, 'muito pelo contrário foi criada, no curto espaço de alguns anos, pelas políticas do governo Roosevelt'". Observa, por fim, Barros e Silva: "Tudo isso nos fala à imaginação — tão longe, tão perto".

Apesar das diferenças que os separavam, todos os postulantes presidenciais em 2010 estiveram envolvidos no movimento rooseveltiano de eliminar, num "curto espaço de alguns anos", o atraso do país no que diz respeito à pobreza. Dilma Rousseff comprometeu-se a "erradicar a pobreza absoluta"[9] no prazo do seu mandato. José Serra também falou em "partir para a erradicação da pobreza".[10] Marina Silva, do PV, elogiou o fato de 25 milhões de brasileiros terem superado a linha de pobreza no governo Lula e afirmou que não iria mexer na orientação que o permitiu.[11] Plínio de Arruda Sampaio fez do combate à desigualdade o centro da sua campanha.

Todavia, quais as condições reais para transformar em fatos o sonho rooseveltiano da maneira como aparece na descrição de Krugman, ou seja, de acesso a uma vida material "reconhecida-

---

8. Paul Krugman, *A consciência de um liberal* apud Fernando Barros e Silva em "Krugman e nós", *Folha de S.Paulo*, 21 jul. 2010, p. A2.
9. Coligação para o Brasil seguir mudando, *Os 13 compromissos programáticos de Dilma Rousseff para debate na sociedade brasileira*, Brasília, set./out. 2011, item 5. Consultado em <www1.folha.uol.com.br>, 11 mar. 2012.
10. *Folha de S.Paulo*, 7 jul. 2010, p. A9.
11. <http://portalexame.com.br>, consultado em 22 jul. 2010.

mente decente" e "similar" num "curto espaço de alguns anos"? Para além das peças de campanha, quais as forças sociais e políticas efetivamente a favor de diminuir *rapidamente* a pobreza e a desigualdade? Em particular, quais classes e quais partidos estão comprometidos com esse objetivo? Por meio de tais perguntas, este capítulo deseja mapear o solo material e político da agenda lulista ao cabo de dois mandatos presidenciais. Examinarei, em primeiro lugar, os avanços na redução da pobreza e da desigualdade; em segundo, os conflitos macroeconômicos que limitaram ou aceleraram o ritmo da empreitada; e, em terceiro, as relações de classe envolvidas no processo.

A POBREZA MONETÁRIA CAI RÁPIDO; A DESIGUALDADE, DEVAGAR

Há na discussão jornalística referente à pobreza baita confusão. Termos como "pobreza", "pobreza absoluta", "pobreza extrema", "miséria" e "indigência" são usados em linguagem corrente de modo intercambiável, e é comum encontrar um associado à estatística do outro, ocasionando verdadeira balbúrdia. Existem, além do mais, as controvérsias de especialistas sobre como definir e mensurar a pobreza. De acordo com o economista José Eli da Veiga, por exemplo, a pobreza, na linha do prêmio Nobel Amartya Sen, deveria ser entendida como "privação de capacidades básicas" e "jamais [...] medida apenas com estatísticas de insuficiência de renda".[12] Veiga argumenta que a ausência de acesso ao saneamento básico seria um potente indicador de pobreza, mesmo que uma parte das famílias carentes de esgoto possua renda acima do limiar estabelecido. Recorde-se que 56% da população brasileira não

12. José Eli da Veiga, "Osso muito duro de roer", *Folha de S.Paulo*, 1 jan. 2011, p. A3.

usufrui de acesso ao esgotamento sanitário,[13] e segundo o IBGE, em 2008, 43% das moradias deveriam ser consideradas inadequadas, por ausência de coleta de lixo, de abastecimento de água, de esgotamento por rede coletora ou fossa séptica, ou por terem mais de dois moradores por quarto.[14]

O raciocínio defendido por Veiga parece sensato. No entanto, a utilização da chamada "linha de pobreza", fixada sobre base monetária, tornou-se referência comum nos debates a respeito do assunto, talvez por apresentar facilidade de medida. Ficou conhecida a designação, pelo Banco Mundial, das populações que vivem com até dois dólares diários *per capita* como padecentes de pobreza extrema ou, na linguagem comum, miséria. É claro que pode haver um aspecto enganoso na formulação se ela for tomada ao pé da letra. Imaginemos um indivíduo que sobreviva com menos de dois dólares ao dia no mês X. Se no mês Y, seguinte, a sua renda tiver passado a 2,01 dólar diário, ele teria "superado a miséria", o que seria apenas um efeito estatístico, e não uma superação real; ou, se pensarmos na situação de um indivíduo que tivesse apenas 2,10 dólares diários para sobreviver na Grande São Paulo, veremos quão perto ele estaria da indigência, mesmo que acima da marca internacional da miséria.[15]

A régua monetária permite, contudo, aferir tendências gerais no quadro da pobreza. Todos concordarão que, embora não se reduza a dinheiro, a "privação de capacidades" está *também* relacionada à renda. Quanto maior a renda, menor a privação de capacidades, ainda que esta não seja a única variável a ser controlada.

---

13. Idem, "Metade do Brasil continua pobre", *Valor Econômico*, 21 set. 2010. Consultado em <www.zeeli.pro.br>, 4 fev. 2011.

14. Ver Denise Menchen e Fábio Grellet, "43% dos domicílios são inadequados", *Folha de S.Paulo*, 2 set. 2010, p. C5.

15. Ver Silvio Caccia Bava, "Recuperar as perdas", *Le Monde Diplomatique Brasil*, ano 4, n. 43, fev. 2011.

Na realidade, os índices de pobreza monetária constituem *um dos modos* de medir a pobreza, que, ao lado de outros, são úteis para descrever o sentido geral do processo, mais que para detalhar a condição exata de vida dos habitantes reais do país.

Com as devidas reservas, então, vamos examinar os números disponíveis de renda monetária. Segundo o Ipea, entre 2003 e 2008 o percentual de pessoas abaixo da linha de pobreza absoluta no Brasil, a saber, aquelas com rendimento inferior ao "valor de uma cesta de alimentos com o mínimo de calorias necessárias para suprir adequadamente uma pessoa, com base em recomendações da FAO e da OMS", reduziu-se de 36% para 23% da população, depois de permanecer praticamente estagnado nos oito anos de mandato tucano: eram 35% em 1995, reduzindo-se para 34% em 2002.[16] Cabe registrar que a renda fixada para estabelecer a linha de "pobreza absoluta" já é o dobro daquela utilizada para designar a "pobreza extrema" (ou miséria/indigência), cuja abrangência teria se reduzido de 15% para 8% da população brasileira entre 2003 e 2008.[17]

Foi, sobretudo, a subida na renda dos cerca de 20 milhões que atravessaram a divisa da pobreza absoluta que despertou o sonho do New Deal brasileiro. Deve-se lembrar que, entre 2003 e 2008, houve uma valorização de 33% do salário mínimo,[18] significando que o aumento do número de cidadãos que passou a viver com mais de meio salário mínimo — medida que o comunicado do Ipea de julho de 2010 considera como equivalente à

---

16. Em 2009, ano em que a economia não cresceu, a pobreza caiu para 21% da população, segundo o Ipeadata. Dados obtidos em <www.ipeadata.gov.br>, consultado em 3 fev. 2011 e 20 mar. 2012. Cabe assinalar que, entre 1993 e 1995 (Plano Real), a pobreza absoluta caiu de 42,9% para 35%, de acordo com a mesma fonte.

17. <www.ipeadata.gov.br>, consultado em 3 mar. 2011.

18. *Folha de S.Paulo*, 1 mar. 2008, p. B1.

linha de pobreza absoluta —[19] representou, na prática, elevação ainda maior da possibilidade de consumo. "Quando se projeta no tempo a redução nas taxas de pobreza absoluta (3,1 pontos percentuais [ao ano]) e extrema (2,1 pontos percentuais [ao ano]) alcançada no período de maior registro de sua diminuição recente (2003-08), pode-se inferir que em 2016 o Brasil terá superado a miséria e diminuído a 4% a taxa nacional de pobreza absoluta", afirma o Ipea.[20]

Embora Veiga insista que "chega a soar como propaganda enganosa o uso do tosco critério de renda monetária para dizer que a pobreza está despencando",[21] o tamanho dos indicadores de diminuição da pobreza monetária durante o governo Lula não devem ser, pela sua dimensão, desprezados. O economista Marcelo Neri, da FGV-RJ, nota que "a pobreza caiu 45,5%" entre dezembro de 2003 e 2009.[22] Mesmo utilizando classificação diferente da usada pelo Ipea, Neri acaba em números parecidos aos do instituto governamental. Afirma que havia 49 milhões de pobres no Brasil (a classe E), em 2003, com uma renda domiciliar (de todas as fontes da família) de até 705 reais (a preços de 2009 na Grande São Paulo), representando 28% da população

19. Ipea, "Dimensão, evolução e projeção da pobreza por região e por estado do Brasil", *Comunicados do Ipea*, n. 58, 13 jul. 2010, p. 3.

20. Idem, p. 11. Há uma diferença entre os números do comunicado do Ipea e os do Ipeadata. O primeiro aponta 29% de pobreza absoluta para 2008 contra 23% do último. Já a pobreza extrema estaria em 11% para o primeiro e em 8% para o segundo. Supondo que os dados do Ipeadata, consultados alguns meses depois da publicação do comunicado, estejam mais atualizados, decidimos usá-los no texto, embora a análise citada seja do comunicado do Ipea. Essa é a razão para que as taxas de diminuição da pobreza citadas sejam mais moderadas do que as que se poderiam deduzir dos números fornecidos pelo Ipeadata.

21. José Eli da Veiga, "Metade do Brasil continua pobre", *Valor Econômico*, 21 set. 2010. Consultado em <www.zeeli.pro.br>, 4 fev. 2011.

22. Marcelo Neri, *A nova classe média, o lado brilhante dos pobres*, p. 31.

total.[23] Destes, restariam, em 2009, 28,8 milhões, ou 15% da população, em situação de pobreza. Significa que também para ele cerca de 20 milhões de pessoas teriam melhorado a sua renda a ponto de sair da pobreza monetária. Note-se que, apesar de o número de pobres constatado por Neri ser ainda menor que o do Ipea, que os estimou em 21% da população em 2009, a previsão do economista para o futuro era mais moderada. Mantido o ritmo do governo Lula, entre 2010 e 2014 o número de pobres seria reduzido a 8% (uma taxa de queda de 1,75 ponto percentual ao ano) na interpretação da FGV-RJ.

Se as diferenças entre o Ipea e a FGV mostram o quanto há de relativo nas medições de pobreza, cabe notar que as medições de ambos apontam na mesma direção: a década 2011-20 pode ser para o Brasil aquela em que a totalidade dos cidadãos passe a usufruir de condição que os organismos internacionais consideram acima da pobreza (monetária) absoluta. *Mas isso não constitui a superação da pobreza nos termos de Veiga-Sen nem o ingresso automático de toda a população na classe média, como ficou em voga dizer nos últimos anos.* Pode representar que a quase metade da população que não dispunha de renda mínima até meados da década de 1990 passará a dispor de recursos suficientes para assegurar, ao menos, a alimentação. Não será o fim da pobreza, mas talvez seja o fim da pobreza (monetária) absoluta, aquela que impede a pessoa de sequer se alimentar. Poderá significar o ponto de partida para a vida "decente" do New Deal, porém certamente não a chegada.

---

23. Neri está considerando a renda domiciliar já recalculada de acordo com o número de integrantes da família, de modo que expressa uma soma da renda familiar *per capita*. O economista não usa o critério de parcelas do salário mínimo *per capita* para medir a pobreza a fim de evitar a distorção decorrente da flutuação do valor do SM.

A obtenção da renda monetária mínima produz múltiplos efeitos. Desde os relatos colhidos por jornalistas às pesquisas realizadas por professores universitários, o impacto do Bolsa Família, por exemplo, chama a atenção. Citaremos, a título ilustrativo, duas situações, retiradas, respectivamente, de relato jornalístico e de pesquisa acadêmica.

Um dos núcleos familiares acompanhados pela *Folha de S. Paulo* na Grande Recife, em Pernambuco, desde 2005, recebia, em abril de 2010, a quantia de 134 reais do PBF. Composta de três crianças de oito, dez e onze anos, pai e mãe, a família Silva progredia "devagar, mas de forma consistente", na descrição do jornalista. Além do BF, o pai recebia um salário mínimo (510 reais), por invalidez, do INSS. É um típico caso em que o BF ajudou a fazer a passagem da pobreza extrema para a pobreza absoluta. E, a julgar pela melhora dos dois meninos mais velhos no ditado anual tomado pelo jornalista, não se trata de mero efeito estatístico. As crianças iam regularmente à escola, e a letra, assim como o português, dos meninos progredia ano a ano. Para os Silva, o BF auxiliava a melhorar as capacidades, representando aumento de 25% na sua renda.[24]

A cientista política Walquiria Domingues Leão Rêgo conversou ao longo de vários anos com mulheres no interior do Nordeste em cujo nome está o cartão do Bolsa Família. Tal como entre os Silva, família em que a mãe, Micineia, é quem recebe o dinheiro, a titularidade do auxílio é sempre das mulheres. Das várias entrevistas citadas por Rêgo em exposição na USP (dezembro de 2010), vale a pena mencionar trecho da concedida por Waldeni Frasão Abreu, mãe de dois filhos, de doze e oito anos, no interior do Piauí. "Meu cartão, dona, foi a única coisa que me deu crédito na vida. Antes

---

24. Fernando Canzian, "Progresso varia entre os pobres do Nordeste", *Folha de S.Paulo*, 18 abr. 2010, p. A14. A reportagem dá conta também de outra família beneficiária, com resultados bem inferiores.

eu não tinha nada. É pouco, sim, porque queria ter uma vida melhor", disse a entrevistada, mostrando simultaneamente a importância do BF e a consciência de que a quantia é pequena para o tamanho da necessidade.[25]

Muitas histórias poderiam ser citadas, mas não é este o momento para fazê-lo. O objetivo é tornar palpável que a redução da pobreza monetária, *embora não signifique a eliminação da pobreza* nos termos de Veiga-Sen, traz alterações em várias dimensões da existência da parcela mais pobre do Brasil, sem as quais, aliás, o fenômeno do realinhamento eleitoral não seria compreensível. Convém recordar que o aumento do acesso ao dinheiro por parte dos pobres no governo Lula não ocorreu apenas por meio do Bolsa Família. Houve um expressivo crescimento do emprego, do valor do salário mínimo e do acesso ao crédito, e seria um erro ignorar tais elementos.

Não se deve cair no equívoco oposto, contudo, de considerar a redução da pobreza monetária equivalente a uma transformação rápida da metade pobre do Brasil em classe média. A sugestão de surgimento de uma nova classe média pode ser encontrada nos trabalhos que Neri vem publicando desde 2008 e acha guarida no fato de que as movimentações na estrutura de classe (medida pela renda) no governo Lula se deram, simultaneamente, na redução da classe E e no aumento da classe C, com a classe D ficando numericamente estagnada.

Na classificação de Neri, pertenceriam à classe C as pessoas com renda domiciliar (de todas as fontes) entre 1126 e 4854 reais (a preços de 2009 na Grande São Paulo). Assim definida, ela representava 38% da população em 2003, tendo chegado a 50% em 2009.[26]

25. Walquiria Domingues Leão Rêgo, "Bolsa Família: limites e alcances", texto-base para conferência ministrada no Cenedic/USP em 10 dez. 2010.
26. Marcelo Neri, *A nova classe média, o lado brilhante dos pobres*, p. 31.

Levando-se em conta o crescimento da população, deduz-se que cerca de 29 milhões de pessoas teriam engrossado a classe C entre 2003 e 2009, cifra que passou a ser veiculada como a do "ingresso na classe média" durante o governo Lula.[27] Já as outras classes teriam sofrido variações pequenas. A classe D (renda de 725 a 1126 reais) teria caído um pouco (de 27% para 24% entre 2003 e 2009); a classe B (renda entre 4854 e 6329 reais), passado de 4% para 6% no mesmo período; a classe A (renda acima de 6329 reais), de 4% a 5% entre 2003 e 2009.[28] Aplicando os cortes com critérios relacionados ao consumo, e não à renda, outra pesquisa, realizada em 2009 pela Cetelem/Ipsos, chegava a cifras semelhantes. Nas classes A e B estariam 16% da sociedade; 49% se encontrariam na classe C, e 35% nas classes D e E.[29] Como o método de mensuração de Neri procura fazer equivaler as faixas de renda ao potencial de consumo, a semelhança era esperada.

Não se pode saber ao certo, sem pesquisas do tipo painel, mas a dedução é que estamos diante de *um duplo* movimento: a passagem de indivíduos da classe E para a classe D, e de outros da classe D para a classe C. No entanto, dois problemas devem ser anotados. O primeiro é que a classe C, definida segundo os critérios de renda acima, abarca um universo amplo demais. Se observarmos as faixas de renda de cada fatia, a da C é de longe a mais abrangente, multiplicando-se mais de quatro vezes a renda máxima em relação à renda mínima *dentro dela*, o que não ocorre nas demais. Cabe indagar se uma distribuição mais equânime não deveria ampliar a

27. Idem, ibidem, p. 12.
28. As porcentagens foram calculadas a partir dos dados apresentados por Marcelo Neri em *A nova classe média, o lado brilhante dos pobres*, p. 32.
29. Tatiana Resende, "Classe C é a que mais se expande em 2009", *Folha de S.Paulo*, 7 abr. 2010, p. B9.

classe B, de um lado, e a D, de outro, deixando a classe C como um corpo mais homogêneo e menor.

O segundo óbice relaciona-se à denominação adotada. A classe C não é exatamente uma classe média, embora seja camada intermediária, o que soa parecido, mas é distinto. Mesmo olhada apenas do ângulo da renda, a classe média consagrada historicamente no Brasil é a que Amaury de Souza e Bolívar Lamounier chamam de "classe média tradicional", aquela que "realizou suas conquistas no passado e hoje tem seus ganhos estabilizados".[30] É verdade que existe uma "nova classe média emergente", que "está galgando posições", muitas vezes à custa de "endividamento de longo prazo",[31] e que deve fazer parte da classe C, mas não coincide inteiramente com ela, pois a classe C inclui também outro segmento. Os resultados de pesquisa relatada por Souza e Lamounier dão conta de que 16% dos brasileiros se veem como pertencentes à "classe média baixa", porém, ao seu lado, outros 19% se enxergam como parte da "classe trabalhadora". Somados, os dois grupos compõem o estrato intermediário da formação social brasileira, que corresponde à classe C. Tendo em vista o fato de que esse grupo intermediário é constituído por uma fração majoritária que não se vê como classe média, mesmo que seja baixa, e sim como *classe trabalhadora*, parece inadequado chamá-lo de "nova classe média". Se é verdadeiro o fato de que há um número crescente de cidadãos que está transitando a um nível de renda e consumo que os afasta da "classe baixa", dos "pobres", pode-se supor que uma parte deles esteja a formar o que Juarez Guimarães chamou de "novo proletariado".[32] Em apoio à ideia, mencionamos que a grande maioria dos empregos gerados no governo Lula oferecia baixa

30. Amaury de Souza e Bolívar Lamounier, *A classe média brasileira*, p. 25.
31. Idem, ibidem, pp. 25-6.
32. Comunicação oral em debate na UFMG, 14 out. 2010.

remuneração, sendo ocupados mais provavelmente por proletários do que por membros de uma classe média emergente.[33]

Imagine-se, por um momento, a realidade social de um jovem operador de uma das centrais de teleatividades (CTAS) que prosperaram no Brasil desde a década de 2000.[34] Levando-se em conta o salário, as condições de trabalho e as regras de conduta imperantes, que lembram as do início da Revolução Industrial — uma das grandes queixas no setor é a proibição de ir ao banheiro, apesar de terem que ingerir líquido para poder falar —, parece claro o acerto do título *Infoproletários* para o livro que procura dar conta da realidade do setor. É provável que a maior parte dos trabalhadores das CTAS pertençam à classe C e seja correto pensá-la como tendo se separado da pobreza típica das classes E e D, passando a fazer parte do estrato intermediário da sociedade. Mas parece haver mais motivos para associá-los a um novo proletariado do que a uma nova classe média, cabendo sempre reafirmar que no Brasil *o proletariado ocupa um lugar intermediário* porquanto sob ele há a fração subproletária.

Na linhagem marxista, do ponto de vista da função que desempenha na produção, o teleoperador não se encaixa na definição da pequena burguesia que é proprietária dos seus meios de produção nem da pequena burguesia que exerce atividades gerenciais ou criativas, nem é o equivalente a um engenheiro, como "portador da ideologia nas relações de produção" (ver Introdução). Desde esse ângulo, a visão de um Brasil de classe média tem um componente ideológico, pois estamos assistindo, na verdade, à

---

33. "Cerca de 90% dos novos empregos formais nos últimos anos pagam até três salários mínimos", segundo Lena Lavinas, da UFRJ. Ver Fernando Canzian, "Total de pobres deve cair à metade no Brasil até 2014", *Folha de S.Paulo*, 13 jun. 2010, p. B1.
34. De acordo com a revista *Call Center*, havia 135 647 teleoperadores contratados no Brasil em 2005. Ver Ricardo Antunes e Ruy Braga (orgs.), *Infoproletários, degradação real do trabalho virtual*, p. 74.

diminuição da pobreza monetária, de um lado, e à ampliação de uma camada intermediária *com um significativo componente proletário*, de outro. O assunto será retomado no próximo capítulo.

Os dois processos — redução da pobreza e expansão do estrato intermediário de renda — estão relacionados à diminuição da desigualdade no Brasil. O Ipea constata, entretanto, que "o movimento recente de redução da pobreza tem sido mais forte que o da desigualdade".[35] Enquanto a taxa de pobreza absoluta, medida pelo Ipea, teve uma redução de 36% entre 2003 e 2008, o índice de Gini reduziu-se de 0,58 para 0,55,[36] numa queda de apenas 5% no mesmo período. Em 2008, o Brasil ainda estava longe de países como a Itália (Gini de 0,33), a Espanha (0,32) e a França (0,28) em 2005, embora se aproximasse dos EUA (0,46 em 2005), que passava por um conhecido aumento da desigualdade.[37] De acordo com o economista-chefe de uma das principais instituições financeiras nacionais, éramos em 2010, todavia, "o décimo pior país em distribuição da renda" no mundo.[38] Segundo escrevia o economista Amir Khair em 2010, "apenas 1% dos brasileiros mais ricos detém uma renda próxima dos 50% mais pobres".[39] Por isso, quando olhada desde o ângulo da desigualdade, a fotografia da sociedade brasileira é "ainda grotesca", mesmo para Marcelo

35. Ipea, "Pobreza, desigualdade e políticas públicas", *Comunicado da Presidência*, n. 38, 12 jan. 2010, p. 7.
36. <www.ipeadata.gov.br>, consultado em 7 fev. 2011.
37. Ipea, "Dimensão, evolução e projeção da pobreza por região e por estado do Brasil", *Comunicados do Ipea*, n. 58, 13 jul. 2010, p. 8.
38. Entrevista com Ilan Goldfajn, economista-chefe do Banco Itaú-Unibanco. Ver Samantha Lima, "A pior bolha que ameaça o Brasil é a da presunção", *Folha de S.Paulo*, 21 jul. 2010, p. B1.
39. Ver Amir Khair, "Entraves ao desenvolvimento", *O Estado de S. Paulo*, 4 jul. 2010.

Neri, que tem insistido na diminuição recente da iniquidade.[40] Em outras palavras, os dados levam a crer que "o combate à pobreza parece ser menos complexo que o enfrentamento da desigualdade de renda".[41]

Alguns argumentam que, além de ser vagarosa, a queda do índice de Gini, que mede o desnível dos rendimentos do trabalho, esconde uma piora na repartição da riqueza entre o capital e o trabalho, a chamada distribuição funcional da renda. De acordo com essa lógica, poderia ocorrer maior equidade entre os que vivem de salário, mas simultaneamente crescer a parcela apropriada sob a forma de lucros e dividendos pelos capitalistas em detrimento da parcela destinada ao trabalho. Os largos gastos do Tesouro com o pagamento de juros e os altos lucros das empresas durante o governo Lula seriam sinais visíveis do aumento da desigualdade funcional. No entanto, de acordo com o Ipea, entre 2005 e 2007 a participação do trabalho na renda nacional, que estava estagnada desde 1995, começou a aumentar em detrimento do capital. Em 2004 ela teria alcançado o ponto mais baixo, de 30,8% do PIB. Porém, a partir daí subiu, chegando a 32,7% em 2007. Mais ainda: de acordo com as estimativas do economista João Sicsú, em 2009 ela deve ter voltado ao patamar de 1995, de 35,1%, apresentando tendência contínua de recuperação.[42]

A partir de números um pouco diferentes, o economista Marcio Pochmann relata a mesma tendência. Em *Desenvolvimento, trabalho e renda no Brasil*, mostra uma queda de 56,6% na participação do trabalho, em 1959-60, para 40% em 1999-2000,

40. Marcelo Neri, "A era Lula vista no espelho dos indicadores sociais", *Folha de S.Paulo*, 3 jul. 2010, p. B4.
41. Ipea, "Pobreza, desigualdade e políticas públicas", *Comunicado da Presidência*, n. 38, jan. 2010, p. 7.
42. João Sicsú, "Dois projetos em disputa", *Teoria e Debate*, n. 88, maio/jun. 2010, p. 14. Os dados são das Contas Nacionais — IBGE, a elaboração é de Sicsú.

com uma ligeira ascensão, a 41,3%, no biênio 2005-06.[43] "Parece evidente que a partir da segunda metade da década de 2000 há uma recuperação na participação do rendimento do trabalho na renda nacional, após um longo período de descenso inegável", diz Pochmann.[44] É claro que muito chão resta pela frente se quisermos voltar ao nível do fim dos anos 1950, mas o movimento de redução da desigualdade parece claro.

Os números indicam que, vista por diversos quadrantes, está em curso uma gradual diminuição da desigualdade no Brasil. Mas, se a renda dos assalariados — e particularmente dos mais pobres — está crescendo em ritmo suficientemente acelerado para eliminar a pobreza monetária até o fim da década de 2010, como se explica que a desigualdade caia tão devagar? Uma razão possível é que os ricos também estejam ficando mais ricos. A economista Leda Paulani tem assinalado que 80% da dívida pública está em mãos de algo como 20 mil pessoas, as quais, sozinhas, receberiam um valor cerca de dez vezes maior do que os 11 milhões (na época) de famílias atendidas pelo BF.[45] O sociólogo Francisco de Oliveira chama a atenção para os sinais de riqueza ostensiva revelados pela inclusão de dez brasileiros entre os mais ricos do mundo da revista *Forbes*.[46] De fato, basta abrir jornal ou revista para deparar com notícias relativas à instalação do comércio de alto luxo em São Paulo.[47] São sintomas de que a par da melhora

43. Marcio Pochmann, *Desenvolvimento, trabalho e renda no Brasil*, p. 24.
44. Idem, "Inflexão distributiva", *Folha de S.Paulo*, 23 jan. 2011, Ilustríssima, p. 8.
45. Ver "Lula: governo amigo do capital financeiro", em <www.mst.org.br>, consultado em 20 jul. 2010.
46. Francisco de Oliveira, "O avesso do avesso", *piauí*, n. 37, out. 2009, pp. 61-2.
47. Em dezembro de 2010 a gráfica que faz os convites para a realeza britânica anunciou a abertura da primeira unidade fora da Inglaterra. O local escolhido foi São Paulo, "de olho na expansão no mercado de luxo". Ver *Folha de S.Paulo*, 4 dez. 2010, p. B15.

nos padrões de consumo dos pobres há uma elevação também na ponta superior. O senador chileno Carlos Ominami relata algo do tipo em relação ao seu país: "Temos bons resultados em pobreza, mas ruins em igualdade. No Chile, os ricos são cada vez mais ricos".[48]

Como, simultaneamente, há indícios de que possa ter havido achatamento nos ganhos da classe média,[49] a resistência da desigualdade decorreria do que é apropriado pelos muito ricos. A queda lenta da disparidade, em sociedades que partem de patamar muito elevado de desigualdade e nas quais os mais ricos continuam a acumular riqueza, mostra a dificuldade de atingir, no curto prazo, uma situação em que os seus membros tenham uma vida material "reconhecidamente similar", nas palavras de Krugman sobre o New Deal. Mesmo mantido o ritmo atual de melhora das condições de vida dos menos aquinhoados, o Ipea calcula que em 2016 chegaremos a um indicador de desigualdade um pouco inferior àquele de que dispúnhamos em 1960, quando foi feita a primeira mensuração sobre diferenças de renda pelo IBGE: 0,49 no índice de Gini. Ou seja, se bem-sucedido o esforço no sentido de erradicar a miséria entre 2010 e 2014 (compromisso do governo Dilma Rousseff), o que está no horizonte é, por assim dizer, *voltar ao ponto interrompido pelo golpe de 1964*, muito distante, portanto, de um padrão "reconhecidamente similar".

Então, após duas décadas de regime militar concentrador e de outras duas de estagnação, as políticas de redução da pobreza nos levariam de volta ao limiar de onde começamos a regredir quase meio século atrás. Talvez não seja coincidência que o salário

---

48. Citado em José Natanson, *La nueva izquierda*, p. 247. Original em espanhol, tradução minha.

49. Disse o sociólogo Simon Schwartzman em entrevista para o portal IG em janeiro de 2010: "Houve um achatamento do padrão de vida da classe média. Ela sofreu nesse processo, porque depende muito mais dos serviços, cujos preços aumentaram muito, como escolas e saúde privadas".

mínimo também tenha voltado, em 2009, ao patamar de meados dos anos 1960.[50] Os dados indicam que o lulismo pode produzir a erradicação da pobreza monetária absoluta num "curto espaço de alguns anos", mas não uma sociedade em que o padrão de vida seja "reconhecidamente similar" no mesmo período. Os ricos continuarão a ser muito ricos, e muitos brasileiros continuarão a ser pobres, se considerados os critérios sugeridos por Veiga-Sen.

A SUAVE INFLEXÃO DO SEGUNDO MANDATO

O declínio rápido da pobreza monetária e lento da desigualdade foi produto da combinação de orientações antitéticas, analisadas no capítulo 1, as quais constituíram o que se poderia chamar de "economia política do lulismo". Por meio de pauta que, de um lado, manteve linhas de conduta do receituário neoliberal e, de outro, tomou decisões no sentido contrário, isto é, próprias da plataforma progressista, forjou-se a combinação *sui generis* de mudança e ordem que provocou o deslocamento eleitoral do subproletariado.

No entanto, ao longo dos oito anos de governo, houve modificações no peso relativo dos fatores que compuseram a fórmula lulista, caracterizando, talvez, três fases distintas, cuja diferenciação explica o fato de causar impressão tão vária, para tomar os extremos, os primeiros e os últimos seis meses do governo Lula. Penso que, na realidade, o modelo não mudou, mas sim a hierarquia de prioridades, de acordo com a margem de manobra política e econômica disponível. Embora alguns possam enxergar uma

50. Nelson Barbosa, "Uma nova política macroeconômica e uma nova política social", em E. Pietá (org.), *A nova política econômica, a sustentabilidade ambiental*, p. 32.

progressão sem retorno no suceder das etapas, inclino-me a vê-las mais como diferentes respostas às circunstâncias, sendo, portanto, plausível imaginar repetições e trocas de ordem futuras.

Na primeira fase (2003-05), a contenção da despesa pública, a elevação dos juros, a manutenção do câmbio flutuante, o quase congelamento do salário mínimo e a reforma previdenciária com redução de benefícios, enfim, o pacote de "maldades" neoliberais voltado para "estabilizar" a economia e provar ao capital que os compromissos de campanha seriam cumpridos à risca foi aplicado em escala superior à praticada no segundo mandato de FHC. Como procurei evidenciar no capítulo 1, para além de mera opção técnica, o que estava em jogo era uma escolha política, voltada para o atendimento das condições impostas pela classe dominante de sorte que não houvesse radicalização. Como afirma o ex-senador Saturnino Braga, "na transição, quando findavam os últimos meses de Fernando Henrique Cardoso, a inflação e a taxa cambial dispararam. Aquilo foi um aviso do capital".[51] Lula não quis correr o risco de pagar para ver se era um blefe.

Ao mesmo tempo, Lula tomou iniciativas na direção *contrária*. O aumento das transferências de renda — a partir do lançamento do Bolsa Família em setembro de 2003 —, a expansão do financiamento popular — com o convênio assinado entre sindicatos e bancos no final do mesmo ano para criar o crédito consignado — e a valorização do salário mínimo — a partir de maio de 2005 —, considerados *em conjunto*, produziram alívio na situação dos mais pobres e ativação do mercado interno de massa, profundamente deprimido no governo anterior.

A dupla cara do programa adotado permitiu que, enquanto

---

51. Saturnino Braga, "Um novo modelo de desenvolvimento: cinco características", em E. Pietá (org.), *A nova política econômica, a sustentabilidade ambiental*, p. 53.

perante o capital, interno e externo, o governo fizesse o discurso do atendimento integral dos itens pactados por meio da "Carta ao Povo Brasileiro" (junho de 2002), diante das bases populares afirmasse ter posto em prática itens do programa histórico do PT, já que o fortalecimento do mercado interno de massa correspondia à plataforma petista.[52] É verdade que, no decorrer da trajetória anterior, o partido não acreditava que fosse possível ativar o mercado interno sem confrontar os interesses do capital financeiro. Ter descoberto que com uma quantidade relativamente modesta de recursos e opções que não dependiam do orçamento da União (como o caso do crédito consignado) era possível revitalizar regiões muito carentes, como o interior nordestino, foi o que garantiu, juntamente com a melhora da conjuntura econômica internacional, o sucesso da fórmula lulista. A dificuldade de escapar de avaliações simplistas a respeito do governo Lula, tão contraditório nos caminhos escolhidos, levou à acusação de que este seria, simultaneamente, neoliberal e populista. Afinal, como entender política que, ao mesmo tempo, reduz e aumenta a demanda?

Em 2004, o PIB, depois de permanecer estagnado em 2003, cresceu 5,7%, beneficiando as camadas de menor renda, mas produzindo também um alto lucro para as empresas. Em 2005 surge o terceiro — e fundamental — apoio do tripé sobre o qual se sustentou o lado popular do governo. Naquele ano o salário mínimo (SM) foi aumentado em 8,2% acima da inflação (até então os aumentos reais tinham sido quase nulos: 1,2% em 2003 e em

52. Veja-se o item 26 do programa do PT (anterior à "Carta ao Povo Brasileiro"): "A materialização de mudanças na estrutura de distribuição de renda e riqueza só será possível se as medidas redistributivas adotadas forem acompanhadas por transformações na produção e no investimento que as orientem para um amplo mercado de consumo essencial de massas"; Diretório Nacional do PT, *Concepção e diretrizes do programa de governo do PT para o Brasil, Lula 2002*, São Paulo, mar. 2002.

2004).[53] Mesmo em meio à segunda onda contracionista lançada pelo Banco Central (BC) a partir de setembro de 2004, foi posto em marcha, por intermédio do salário mínimo, em maio de 2005, reforço fundamental à ativação do mercado interno de massa. Associado aos outros estímulos — transferência de renda e expansão do crédito —, o SM aumentado provocaria alta do consumo popular, batizada por Neri de "o Real do Lula", cujos efeitos políticos produziram, junto com o "mensalão", o realinhamento cristalizado na reeleição de 2006.

Para fechar o quadro do primeiro ciclo, já analisado no capítulo 1, é necessário acrescentar que o jogo de soma positiva que o caracterizou foi favorecido pelo *boom* das *commodities*. A expansão mundial contribuiu para que no Brasil houvesse ganhos no topo (incremento no valor das exportações e altas margens de lucro em geral) e no pé da pirâmide social (transferência de renda e aumento dos salários, do crédito e posteriormente do emprego). O quadro geral do capitalismo, cujas características voltaremos a enfocar na terceira seção deste capítulo, ajudou Lula a imprimir ritmo de crescimento do PIB maior do que o obtido no último mandato de Fernando Henrique, passando de uma média de 2,1% para 3,2% nos primeiros quatro anos do PT, *apesar* da política contracionista (juros e superávit primário) que favorecia o capital financeiro. Mas não só a conjuntura internacional foi determinante, uma vez que as políticas de ativação do mercado interno de massas representaram um uso criativo das possibilidades abertas pela retomada econômica mundial dos anos 2000.

Outra fase do governo começa com a ascensão de Guido Mantega ao Ministério da Fazenda, em março de 2006, favorecendo a química com menos neoliberalismo e mais desenvolvimentismo que iria, depois, caracterizar todo o segundo mandato. Nessa

53. *Folha de S.Paulo*, 1 mar. 2008, p. B1.

etapa, que se estende até a irrupção da crise financeira internacional no Brasil (último trimestre de 2008), houve maior valorização do salário mínimo, alguma flexibilização dos gastos públicos e redução dos juros,[54] diminuindo, sem eliminar, a dose do componente conservador na fórmula lulista. Do ponto de vista da fração de classe que sustenta o lulismo, o principal efeito dessa reformulação foi que a geração de empregos se acelerou, passando a ser decisiva no combate à pobreza. Em termos absolutos, foram gerados quase 40% a mais de postos de trabalho no segundo mandato em relação ao primeiro.[55] Combinado com a valorização do salário mínimo e o crédito consignado, o aumento das vagas de emprego formal permitiu mudar a qualidade do combate à pobreza em relação àquele centrado na transferência de renda.

A taxa de desemprego caiu para 7,4% em dezembro de 2007 e 6,8% em dezembro de 2008, pouco antes da onda de demissões provocada pela crise internacional. Quando se sabe que a média anual de desempregados em 2003 fora de 12,3%, verifica-se o tamanho do caminho percorrido no que estamos chamando de segunda fase da economia política lulista. Ao recuperar e compensar, em 2010, a velocidade perdida em 2009 (ano em que a debacle financeira atingiu o país), o governo Lula terminou com um desemprego na casa de 5,3% (dezembro de 2010), próximo do pleno emprego. Foram gerados 2,5 milhões de vagas formais em 2010, número quase 70% maior que o de 2006, último ano do primeiro mandato.[56] Não espanta que a aprovação ao governo (ótimo e

54. Ver, a respeito, Nelson Barbosa e José Antonio Pereira de Souza, "A inflexão do governo Lula: política econômica, crescimento e distribuição de renda", em E. Sader e M. A. Garcia (orgs.), *Brasil entre o passado e o futuro*.
55. Ver Priscilla Oliveira, "Brasil cria 1,9 milhão de vagas de trabalho, mas não atinge meta", *Folha de S.Paulo*, 25 jan. 2012, p. A7.
56. Idem, ibidem.

bom) tenha se aproximado dos 80% a partir de julho de 2010, enquanto girava perto dos 50% em 2006.

Com a chegada de Mantega ao centro das decisões econômicas houve elevação substancial do salário mínimo: 13% de aumento real em 2006, só menor que o concedido por Fernando Henrique em 1995 (22,6%) ainda no embalo do Plano Real.[57] É provável que, isoladamente, a valorização do SM tenha sido a decisão mais importante da segunda fase, da mesma maneira que a criação do BF foi da primeira. Entre os estudiosos do assunto, observa-se convergência em torno da percepção de que no valor do SM se encontra a chave para combater a pobreza no Brasil. "O salário mínimo estabelece o piso da remuneração do mercado formal de trabalho, influencia as remunerações do mercado informal e decide o benefício mínimo pago pela Previdência Social", assinala Sicsú.[58] Convém lembrar que 68% dos trabalhadores ganham até dois salários mínimos e fatia expressiva dos aposentados recebe somente um SM.[59] Por isso, Schwartzman afirma que "o salário mínimo foi o grande fator para a redução da pobreza".[60] Não se deve esquecer a sinergia entre o SM e o BF na ativação de regiões economicamente estagnadas (ver Cap. 1), potencializando o que

57. Ressalte-se que a progressão do SM continuou ao longo do segundo mandato de Lula, com uma valorização real de 5,1% em 2007, 4% em 2008, 5,8% em 2009 e 6% em 2010. Ver *Folha de S.Paulo*, 1 mar. 2008, p. B1, para 2007 e 2008, e <www.dieese.org/esp./notatec86SALARIOMINIMO2010.pdf>, consultado em 23 mar. 2010, para 2009 e 2010.

58. Ver João Sicsú, "Re-visões do desenvolvimento", *Inteligência*, n. 49, em <www.insightnet.com.br>, consultado em 20 jul. 2010, p. 92. Em 2008, mais de 17 milhões de beneficiários da Previdência e da Assistência Social recebiam até um salário mínimo. Ver Julianna Sofia, "Mínimo sobe 9,2% e passa hoje a R$ 415", *Folha de S.Paulo*, 1 fev. 2008, p. B1.

59. *Folha de S.Paulo*, 13 jun. 2010, p. B4.

60. Simon Schwartzman, entrevista para o portal IG, jan. 2010.

havia começado na primeira etapa do governo Lula, a saber, o crescimento exponencial do Nordeste.[61]

O lançamento do Programa de Aceleração do Crescimento (PAC), em janeiro de 2007, foi o terceiro dado relevante da segunda fase junto com a valorização do SM e a continuidade de expansão do crédito. "O principal mérito do PAC foi liberar recursos para o aumento do investimento público", afirma Barbosa. Partindo de um patamar muito baixo, a União quase duplicou o montante orçamentário destinado a investir — de 0,4% do PIB entre 2003 e 2005 para 0,7% entre 2006 e 2008.[62] Houve, no mesmo sentido, multiplicação da inversão realizada pelas estatais, cabendo lembrar que a Petrobras, sozinha, tem mais capacidade para tal do que a União em seu conjunto.[63]

Para além daquilo que a União e as estatais podem aplicar diretamente, há o efeito indutor que o Estado exerce sobre o investimento privado, sobretudo na área relativa aos projetos de infraestrutura, quando a máquina pública se põe em movimento. Segundo Delfim Netto, o PAC "recuperou o papel do 'Estado indutor' do nosso empresariado".[64] A desoneração de setores intensivos em mão de obra, como a construção civil, e a elevação do PPI (Projeto Piloto de Investimento) de 0,2% para 0,5% do PIB, que autoriza alocar parte do superávit primário em áreas estratégicas como o saneamento, aumentaram a influência do Estado sobre as empre-

---

61. Agradeço a Leda Paulani por ter me chamado a atenção para esse aspecto.
62. Nelson Barbosa e José Antonio Pereira de Souza, "A inflexão do governo Lula: política econômica, crescimento e distribuição de renda", em E. Sader e M. A. Garcia (orgs.), *Brasil entre o passado e o futuro*, p. 76.
63. Idem, ibidem, pp. 76-7. Enquanto a média de investimento da União ficou em 0,7% do PIB entre 2006 e 2008, a da Petrobras foi 1% do PIB no mesmo período. Ver também, a respeito das estatais, Glauco Faria, *O governo Lula e o novo papel do Estado brasileiro*.
64. Ver *Folha de S.Paulo*, 16 jun. 2010, p. A2.

sas capitalistas. Em decorrência, o investimento global passou de 15,9% do PIB em 2005 para 19% em 2008.[65]

Se o compromisso com superávits primários foi atenuado pelo PAC e pela política de revalorização e ampliação do serviço público, curiosamente, a opção desenvolvimentista, diz Barbosa, "acabou se traduzindo em uma redução de apenas 0,2 p.p. (pontos percentuais) do PIB no resultado primário do governo federal", mesmo com a queda da CPMF, revogada pelo Congresso Nacional em dezembro de 2007. A explicação está em que o aumento da atividade econômica ajudou a financiar os gastos do Estado, sem necessidade de diminuir mais fortemente o superávit primário. Traduzindo: o capital financeiro pôde ser atendido numa conjuntura de crescimento mais alto, mesmo com o incremento do gasto público, uma vez que a receita aumentou.[66]

Em suma, acelerou-se o ritmo de expansão do PIB no segundo mandato — 6,1% em 2007, 5,1% em 2008 e 7,5% em 2010 (em 2009, a economia retrocedeu 0,6% em função da crise bancária internacional) —,[67] acompanhado da ativação do emprego e do mercado interno. O maior poder aquisitivo das famílias de baixa renda — com a expansão do crédito, a valorização do mínimo e o poder de compra resultante da diminuição do preço relativo de artigos populares por meio de desonerações fiscais — direcionou parte da atividade econômica para os pobres. As empresas voltadas para dentro incrementaram o investimento para aproveitar as oportunidades, gerando postos de trabalho, os quais por sua vez realimentaram o consumo, num círculo virtuoso que conseguiu,

65. Nelson Barbosa e José Antonio Pereira de Souza, "A inflexão do governo Lula: política econômica, crescimento e distribuição de renda", em E. Sader e M. A. Garcia (orgs.), *Brasil entre o passado e o futuro*, p. 76.
66. Como veremos adiante, com a crise financeira o superávit primário cairá.
67. Ver Aloizio Mercadante, *Brasil, a construção retomada*, p. 90.

finalmente, tocar na contradição fundamental: a massa miserável que o capitalismo brasileiro mantinha estagnada começava a sèr absorvida no circuito econômico formal.[68]

Embora o ex-presidente do BNDES, Carlos Lessa, entenda que fosse preciso aumentar ainda mais a taxa de investimento, para algo como 22% do PIB,[69] para ter condições de dar um pulo na *qualidade* do crescimento, o fato é que, até o advento da crise financeira, a meta do PAC — sustentar um ritmo de 5% de expansão do PIB — foi atingida (sendo que, em 2008, 0,5% dele foi gerado pelo aumento do investimento da Petrobras e da União).[70] Não fosse a interrupção das atividades decorrente da ruptura bancária global, que alcançou o Brasil no último trimestre daquele ano, é provável que em 2008 o PIB se expandisse 7%. Se considerarmos que o crescimento de 2010 (7,5%) deve ser observado em conjunto com o do ano anterior, uma vez que houve decréscimo de 0,6% em 2009, o último biênio mostra média de crescimento de 3,5%, contribuindo para manter a média do segundo mandato em 4,5% de crescimento, 40% superior ao do primeiro e próximo da meta posta pelo PAC.

Mesmo com a autonomia do Banco Central sendo mantida, o setor financeiro foi obrigado a executar política monetária mais "cautelosa", nas palavras de Barbosa e Souza, isto é, praticar taxas de juros menores. A Selic caiu de 19,75% em agosto de 2005 para 11,25% em setembro de 2007.[71] Com isso, pode-se afirmar que

68. Ver também Amir Khair, "Entraves ao desenvolvimento", *O Estado de S. Paulo*, 4 jul. 2010.

69. Ver Carlos Lessa, "Regozijo com a mediocridade", *Valor Econômico*, 14 jul. 2010.

70. Nelson Barbosa, "Uma nova política macroeconômica e uma nova política social", em E. Pietá (org.), *A nova política econômica, a sustentabilidade ambiental*, p. 33.

71. Nelson Barbosa e José Antonio Pereira de Souza, "A inflexão do governo Lula: política econômica, crescimento e distribuição de renda", em E. Sader e M. A. Garcia (orgs.), *Brasil entre o passado e o futuro*, p. 84.

quatro elementos distinguiram a política econômica do "segundo período": valorização do salário mínimo, desbloqueio do investimento público, redução da taxa de juros e queda do desemprego. É certo que nem o aumento do investimento nem a redução de juros foram explosivos,[72] mas o ponteiro se mexeu na direção do desenvolvimento.

A terceira fase da economia política lulista corresponde ao momento que se abre após a quebra do Lehman Brothers (15 de setembro de 2008), abrangendo 2009 e 2010. *Grosso modo*, a desorganização das finanças mundiais deixou ao setor público de cada país o encargo de impedir que houvesse ciclo de longa depressão econômica. No Brasil, Lula optou por ampliar o consumo popular mediante aumentos do salário mínimo, das transferências de renda, das desonerações fiscais e do alongamento do crediário. Segundo Amir Khair, 75% do consumo que estimulou o crescimento adveio das famílias. Além disso, com os bancos estatais fortalecidos, em particular o BNDES, capitalizado em 100 bilhões de reais em janeiro de 2009, o governo operou na contramão do BC, o qual demorou para reduzir a taxa de juros básica da economia, que desceu a 8,75% em 2009.

Em função do estímulo ao mercado interno e uso intensivo dos bancos públicos, o Estado obteve um comando sobre a economia que lembrava o do milagre de 1967 a 1976.[73] Desde essa posição, pôde induzir a rápida retomada de 2010, após o recuo de 2009. O setor privado foi puxado pelas desonerações fiscais e financiamentos estatais como o do Programa Minha Casa Minha

---

72. Leda Paulani afirma "que o diferencial de juros interno e externo cresceu em termos relativos depois da crise de 2008, apesar da queda em termos absolutos da Selic"; comunicação oral na arguição da tese de livre-docência de André Singer, USP, 30 set. 2011.
73. Agradeço a Amir Khair por me haver feito notar o aumento da capacidade do Estado de dirigir a economia.

Vida (MCMV), que poderia ser tomado como símbolo da terceira fase, da mesma maneira que o Bolsa Família foi da primeira e o aumento do salário mínimo, da segunda. A importância do MCMV está em que o subsídio público e o crédito concedido à habitação popular levou à contratação de trabalhadores na construção civil, o que foi um dos carros-chefe da retomada do emprego depois da onda de demissões no primeiro trimestre de 2009. Graças a essa política, o desemprego foi contido, tendo sido gerados 1,3 milhão de vagas em 2009 e 2,5 milhões em 2010 (recorde). Na média do biênio, 1,9 milhão de postos foram criados, igual a 2007 (antes da crise).

Simultaneamente, o MCMV facilitou a setores de baixa renda o acesso à moradia própria, um dos principais itens na transformação das condições de vida dos pobres. Celso Furtado indica que o acesso à moradia é uma "habilitação" fundamental para superar a pobreza em contexto urbano.[74] Sobre a localização das habitações do MCMV, a respeito das quais paira uma série de dúvidas, cabe discussão à parte, que não podemos realizar no escopo deste trabalho.[75] Não obstante, parece haver algum progresso em relação à absoluta precariedade das moradias anteriores.

O trabalho com carteira assinada é a porta de entrada para renda mais estável — apesar da rotatividade — e, no caso do lulismo, para o crédito em condições facilitadas, chegando depois da crise à compra do automóvel e da casa. Em suma, a rápida recuperação da crise se fez sobre novo ciclo de consumo popular, uma espécie de *Segundo Real do Lula*, desta feita incidindo sobre bens duráveis, sendo elemento decisivo para o sucesso da candidatura Dilma Rousseff em 2010 e dando algum contorno material ao sonho rooseveltiano de vida decente e similar.

---

74. Celso Furtado, *O longo amanhecer*, p. 33.
75. Agradeço a Erminia Maricato e Pedro Arantes por terem me alertado quanto a esse ponto.

No ano da eleição presidencial, o desemprego recuou para abaixo do período pré-crise. A condução das medidas anticíclicas durante a crise, na qual Lula se destacou pela ousadia de conclamar a população a manter a confiança e comprar, arriscando-se a quebrar junto com os endividados, deu-lhe a popularidade que consolidou o lulismo. Do ponto de vista político, outorgou ao Estado alguns graus de liberdade a mais, mostrando que o modelo lulista, em seu auge, não era apenas o reflexo da conjuntura internacional, mas tinha voo próprio. Nessa fase, o lulismo, por meio das ações estatais voltadas para o aumento do consumo e do emprego das camadas populares, parece ter conseguido, como sugeria Celso Furtado, "conciliar o processo de globalização com a criação de emprego, privilegiando o mercado interno na orientação dos investimentos".[76] Daí a avaliação otimista de Maria da Conceição Tavares que citei na Introdução.

À medida que a expansão do mercado interno, a partir de 2007, trazia um aumento expressivo do emprego, os índices de aprovação do governo se elevaram ao patamar de 70%, de onde não voltaram a cair substantivamente.[77] O sucesso do segundo mandato de Lula, que terminou com apoio inédito desde a redemocratização, está relacionado ao fato de que, após um período de prolongada estagnação ou surtos de crescimento breves (Plano Cruzado, Plano Real), por mais de duas décadas, o Brasil tenha experimentado um quadriênio de aceleração do crescimento (repita-se: 4,5% ao ano em média) e redução da pobreza por meio do aumento expressivo do emprego e da renda. Foi nesse contexto

---

76. Celso Furtado, *O longo amanhecer*, p. 39.
77. Ver André Singer, "O fator Lula", *Teoria e Debate*, n. 83, jul./ago. 2009. Houve um recuo na aprovação do governo nos primeiros meses de 2009, quando as demissões recrudesceram. Porém, no segundo trimestre o sentimento começou a mudar, juntamente com a recuperação da atividade econômica, terminando numa verdadeira consagração do governo.

que a impressão de caminharmos para uma "sociedade de classe média" tomou conta do imaginário nacional, espalhando-se à direita e à esquerda.

COALIZÕES DE CLASSE

O êxito da candidatura Dilma Rousseff em 31 de outubro de 2010 (à qual voltaremos no próximo capítulo) representou a sobrevivência do lulismo, para além dos mandatos de Lula. Apoiada nos mais pobres, Dilma defendeu a plataforma que interessa à base social subproletária: ampliação da transferência de renda; expansão do crédito popular; valorização do salário mínimo e geração de emprego, tudo sem radicalismo. Não por acaso, o primeiro item dos "13 compromissos para o desenvolvimento social" divulgados pela campanha foi "eliminar a pobreza absoluta do país".[78] Em outras palavras, seguir com o aumento dos postos de trabalho e da capacidade de consumo dos setores populares, mas sem confronto com o capital, segundo o figurino montado nos dois mandatos anteriores.

A consolidação do lulismo implica reordenamento das relações de classe, cujo desenho geral esboço nesta seção. Trata-se, conscientemente, de exercício algo esquemático, pois visa apresentar, como que *congeladas*, posições que, na vida real, estão em movimento permanente. A mecânica das classes, cuja compreensão espero ajudar com a breve exposição que segue, depende da ação política em circunstâncias históricas determinadas, que procurarei aprofundar no último capítulo. Aqui se trata somente

78. Ver <www.dilma.com.br/sites/archives/1300>, em 27 out. 2010, consultado em 29 jan. 2011.

de indicar um *esquema* para as relações de classe a partir da emergência do lulismo.

O ponto central a ser levado em conta é que o subproletariado tende a desaparecer conforme o programa que ele apoia se converte em realidade. Como o projeto do subproletariado é sumir, ele não possui um modelo próprio de sociedade, desejando (inconscientemente) incorporar-se àquela que é moldada pelos interesses de outras camadas.[79] Isso o coloca em posição de neutralidade e, portanto, favorece a arbitragem[80] com respeito a questões como a diminuição da desigualdade (não confundir com a redução da pobreza) por meio da construção do Estado de bem--estar e a desindustrialização do país. Cumpre insistir que o seu projeto é o da diminuição da pobreza, não necessariamente da desigualdade, que são coisas distintas, embora relacionadas.

O sucesso da arbitragem, entrementes, depende de que os polos que ela equilibra não tenham força suficiente para impor soluções próprias. Por isso, os conflitos parecem fluir em plano relativamente oculto, resolvidos por meio de negociações intraestatais, sem que o público amplo os perceba.[81] Ao não mobilizar a sociedade, as propostas divergentes têm mais chance de serem re-

79. Sigo aqui a inspiração em Georg Lukács que levou Weffort a sugerir o seguinte: "Deste modo, talvez se possa dizer que a pequena burguesia é a classe paradigmática para a explicação do comportamento de massa". Weffort se refere ao raciocínio segundo o qual "a situação de classe pequeno-burguesa se configura de modo a que, como afirma Lukács, 'uma plena consciência de sua situação lhe desvendaria (à pequena burguesia) a ausência de perspectivas de suas tentativas particularistas, em face da necessidade da evolução' (*Histoire et conscience de classe)*". Ver Francisco Weffort, "Raízes sociais do populismo em São Paulo", *Revista Civilização Brasileira*, n. 2, maio 1965.
80. Segundo Gramsci, a solução "arbitral" é característica dos processos que envolvem cesarismo. Ver Emir Sader (org.), *Gramsci, poder, política e partido*, p. 62.
81. A reflexão de Luiz Werneck Vianna, em artigos e entrevistas, tem chamado a atenção para a internalização dos conflitos pelo Estado no governo Lula. Ver,

solvidas por arbitragem, isto é, por um Executivo que paira sobre as classes e funciona como juiz de seus conflitos. Devido à ausência de mobilização, a luta de classes, como já se disse, foi como que empurrada para o fundo do palco, onde é pouco visível. Mas há um permanente processo de embate entre posições divergentes e arbitragem por parte do Executivo. Na prática, a luta de classes prossegue, mas encontra um ponto de fuga, como também já se mencionou, no funcionamento do lulismo. O sucesso do lulismo envolve uma solução pelo alto, criando simultaneamente uma despolarização e uma repolarização da política.

Tome-se o caso da diminuição da desigualdade, que interessa à classe trabalhadora. Embora não se limite a isso, a redução das diferenças precisa de certo ritmo de crescimento econômico, o qual depende, em parte, do volume do gasto público, o qual também decide o grau de investimento social que favorece os que vendem sua força de trabalho. Quanto a esse ponto, portanto, há um embate constante entre os trabalhadores e o capital, em particular o financeiro. Os primeiros pressionam por mais investimento estatal, o segundo por contenção dos gastos públicos e pagamento de juros. Ao analisar em minúcia os processos de decisão do governo sobre o assunto, cujos reflexos na mídia são, por vezes, tênues, aparecem os nós e as tensões envolvidos nas disputas. Um bom exemplo está na seguinte descrição de Nelson Barbosa:

> Devido à crise internacional e seus reflexos no Brasil, a receita do governo caiu, e se o governo cortasse a despesa na mesma proporção em que a receita caiu, ele empurraria a economia para baixo, como se agia normalmente no passado. Diferentemente de outras crises, agora nós temos escolha, podemos reduzir o superávit pri-

---

por exemplo, Luiz Werneck Vianna, "O Estado Novo do PT", no sítio *Gramsci e o Brasil*, <www.acessa.com/gramsci/>, consultado em 24 fev. 2011.

mário para preservar o crescimento e o bem-estar da população. A decisão de reduzir a meta de superávit primário em 2009 passou tranquila na imprensa, para quem participa da política econômica do governo Lula isso é um marco.[82]

Em outras palavras, o aumento dos gastos governamentais em 2009, que teve um sentido anticíclico, foi conquistado num instante de extrema vulnerabilidade do capitalismo, provocado pela gravíssima situação financeira internacional. Ponto para os trabalhadores. Mas, já no momento seguinte, o aumento do gasto tornou-se objeto de cobrança por parte do capital. Veja-se a declaração do economista John Williamson, criador do decálogo conhecido como "Consenso de Washington", a respeito do tema em janeiro de 2011, quando Dilma estava por decidir o tamanho dos cortes no orçamento do primeiro ano de seu governo: "Certamente o nível atual de gastos do governo é preocupante. O governo Lula conseguiu aumentar seus gastos enormemente sem levantar suspeitas dos mercados. Acho que, de forma geral, houve uma certa indulgência [da parte dos mercados] em relação a isso".[83]

Logo depois de assumir a Presidência, Dilma anunciou um imponente ajuste fiscal, de 1,2% do PIB, maior até que o de 2003. Ponto para o capital. Destarte, buscando equilibrar as pressões do capital e do trabalho em torno do gasto público, o lulismo trilha o caminho intermediário. "Desde 2003, a característica unificadora das mudanças empreendidas pelo governo Lula tem sido uma postura pragmática de administrar os extremos na condução da

82. Nelson Barbosa, "Uma nova política macroeconômica e uma nova política social", em E. Pietá (org.), *A nova política econômica, a sustentabilidade ambiental*, p. 29.
83. Érica Fraga, "Pai de modelo liberal diz que mercado foi tolerante com Lula", *Folha de S.Paulo*, 23 jan. 2011, p. B8.

política macroeconômica, isto é, não escolher um extremo em detrimento do outro", afirma Barbosa.[84] Na prática, aceito o sistema de metas de inflação, o jogo ocorre em torno da fixação da meta, pois, para cumpri-la, será necessário maior aperto monetário e fiscal. Vamos dar a palavra, novamente, a Barbosa: "Todo ano você tem a discussão sobre meta de inflação. Em 2007 foi uma guerra quando decidimos estabelecer a meta de inflação em 4,5% para 2009. Muita gente queria 4%, o mercado financeiro e seus porta-vozes na mídia pressionavam por 4%, mas para preservar a própria estabilidade e garantir uma aceleração do crescimento optamos por mantê-la em 4,5%".[85]

Com a meta de inflação um pouco mais folgada o governo conseguiu fazer a taxa de juros cair — de um pico de 13% reais ao ano no governo FHC para 5% reais ao ano no segundo mandato de Lula (2009).[86] Mesmo assim ela permaneceu entre as mais altas do mundo — o que mostra o poder do setor financeiro no Brasil.[87] Para honrar o pagamento dos juros, o governo precisou economizar nada menos que 3,5% do PIB em 2008, próximo de tudo o que gastou com educação no ano anterior.[88]

Qual o objetivo de manter o equilíbrio entre o capital e o tra-

---

84. Nelson Barbosa, "Uma nova política macroeconômica e uma nova política social", em E. Pietá (org.), *A nova política econômica, a sustentabilidade ambiental*, p. 21.

85. Idem, ibidem, p. 24.

86. Idem, p. 25.

87. Em março de 2011, a taxa de juros real brasileira era de 5,9% ao ano, enquanto a segunda maior do mundo, da Austrália, era de 2% ao ano. *Folha de S.Paulo*, 3 mar. 2011, p. B1. Em janeiro de 2012, a taxa brasileira caiu a 4% reais.

88. Dado do superávit primário em Nelson Barbosa, "Uma nova política macroeconômica e uma nova política social", em E. Pietá (org.), *A nova política econômica, a sustentabilidade ambiental*, p. 29. Segundo relatório da OCDE, de setembro de 2007, o Brasil gastava 3,9% do PIB com educação, contra 7,4% dos EUA. Ver <http://noticias.uol.com.br>/educacao/ultnot/ult105u5853.jhtm>.

balho? Trata-se não somente de preservar a ordem, evitando a radicalização política, mas também de garantir ao subproletariado duas condições fundamentais: inflação baixa e aumento do poder de consumo. A continuidade da redução da pobreza depende de se conseguir um crescimento próximo ao patamar de 5%, como previa o PAC, de modo a manter o ritmo de geração de emprego e renda. Neri chega a falar numa média de 5,3% para se obter a virtual eliminação da miséria na década de 2011 a 2020.[89] Sabe-se que os juros altos inibem os investimentos produtivos, pois o capital é remunerado sem precisar "fazer nada", e transferem recursos públicos, os quais poderiam ser usados para aumentar a criação de infraestrutura produtiva, para a mão dos rentistas, que os esterilizam ou usam em consumo de luxo, com pouca capilaridade social. Se o governo cedesse por completo ao caminho rentista, a economia tenderia a uma taxa de crescimento baixa, com crédito arrochado, pouco emprego e pouca expansão da renda do trabalho. Insuficiente, assim, para sustentar a incorporação de milhões de brasileiros que ainda esperam a sua vez, boa parte deles trabalhando na informalidade. Para evitar isso, a pressão dos trabalhadores é funcional.

Por outro lado, as altas taxas de juros atraem o capital estrangeiro especulativo, fazendo o dólar cair e barateando as importações, o que controla a inflação, como interessa ao subproletariado. Torna-se necessário, então, delimitar, a cada nova conjuntura, o ponto de equilíbrio que, sem provocar rupturas, permita ao Estado induzir, por meio do gasto, um crescimento médio suficiente para continuar a incorporação dos mais pobres, *ao mesmo tempo* controlando a inflação e satisfazendo o capital financeiro.

Parece claro que, em alguma medida, a durabilidade do modelo depende de o *boom* das *commodities* ter prosseguimento. Carlos Lessa aceita que a exportação de *commodities* dê conta de

89. Ver *Folha de S.Paulo*, 17 maio 2010.

produzir um crescimento médio (que ele chama de medíocre), desde que o consumo chinês continue forte, sem que o Brasil precise fabricar produtos de alto valor agregado. Mas isso implicaria a lenta desindustrialização do país.[90] Por essa razão, o projeto divide o próprio capital, deixando, nesse particular, os industriais ao lado dos trabalhadores, no que se poderia chamar de "coalizão produtivista", cujo melhor símbolo foi o ex-vice-presidente José Alencar. Essa frente teria como programa controlar a entrada e saída de capital estrangeiro e diminuir os juros, cuja elevação, como já vimos, encarece os investimentos produtivos e desvaloriza o real, barateando as importações e ameaçando as cadeias produtivas internas. Além disso, interessa à coalizão elevar substancialmente a taxa de investimento público em infraestrutura, tornando mais baratas as atividades produtivas. Tal aumento poderia ocorrer usando recursos públicos poupados por diminuição significativa dos juros.

Para a classe operária, a morte da indústria nacional representa *a sua própria desaparição enquanto classe* e a regressão a um modelo colonial que não comporta segmento industrial extenso e sofisticado. Como, ao contrário do subproletariado, a classe trabalhadora não quer desaparecer e *tem* um projeto histórico — o aumento da igualdade —, juros e câmbio são, para ela, temas fundamentais. O avanço industrial representa a possibilidade de ter um maior número de bons empregos, com uma classe trabalhadora sofisticada e próspera, assemelhada à que as economias centrais abrigaram nos anos do Welfare State.

Já para o subproletariado a extinção da indústria não representa perda, desde que os seus membros possam ser absorvidos em estrutura econômica diversa. Mas para ele o barateamento das importações é item crucial, por ser carente dos recursos de organi-

90. Carlos Lessa, "Regozijo com a mediocridade", *Valor Econômico*, 14 jul. 2010.

zação de modo a fazer frente às perdas que a elevação dos preços causa. Desde que a expansão do crédito popular continue, o subproletariado pode conviver com taxas de juros relativamente altas. Mas, se a taxa de juros se eleva muito, o subproletariado é prejudicado, pois o ritmo de crescimento cai, assim como o investimento social e a geração de empregos. *Por isso, novamente, a política lulista é a de encontrar a cada conjuntura os pontos de equilíbrio entre os fatores.* Para controlar a inflação sem as importações, o governo precisaria ou aumentar os juros de maneira explosiva ou recriar as câmaras setoriais. Nenhuma das alternativas parece plausível no figurino lulista.

Pelas razões expostas, o comércio exterior desempenha um rol relevante na fixação das zonas de conforto lulistas. O peso das exportações no modelo "inventado" pelo governo Lula foi reconhecido por seus defensores. O valor das vendas brasileiras a outros países cresceu mais de 100% entre 2002 e 2006, sem que para isso o Brasil fizesse "esforço nenhum". "A taxa de crescimento físico das exportações é praticamente a mesma, foram os preços mundiais que subiram", de acordo com Delfim Netto.[91] Aloizio Mercadante afirma, na mesma direção, que triplicou o valor exportado entre 2002 e 2008: de 60 bilhões de dólares para quase 200 bilhões de dólares. Porém, destaca que o destino das mercadorias mudou. Em 2002, os EUA recebiam 24,3% das exportações brasileiras, patamar reduzido a 14,6% em 2008.[92] De maneira silenciosa, sem estardalhaço, o governo Lula esvaziou a proposta da Área de Livre Comércio das Américas (Alca), que atrelaria o país aos Estados

91. Antonio Delfim Netto, entrevista à *Revista de Economia da PUC-SP*, ano 1, n. 2 (jul./dez. 2009), e ano 2, n. 3 (jan./jul. 2010), p. 80.
92. Aloizio Mercadante, "Mudanças para um novo modelo de desenvolvimento", em E. Pietá (org.), *A nova política econômica, a sustentabilidade ambiental*, pp. 39-40.

Unidos, e envidou esforços em favor do bloco sul-americano, enquanto, com a outra mão, revigorava os vínculos com potências emergentes como a China.

Mas o sucesso da estratégia externa teve um preço, como se pode deduzir do raciocínio de Lessa exposto acima. O Brasil se tornou vítima de "uma leve, mas real doença holandesa", segundo o ex-ministro Luiz Carlos Bresser-Pereira, por meio da qual os mecanismos de mercado induzem nações com extensos recursos naturais a ter câmbio cronicamente superapreciado.[93] O resultado é que fica mais barato importar artefatos industrializados do que fabricá-los internamente. Para debelar a doença holandesa, afirma Bresser-Pereira, é indispensável administrar o câmbio e não deixá-lo oscilar ao sabor do mercado. Em cálculo de meados de 2010, ele indicava que o real deveria flutuar ao redor de 2,40 por dólar, o que implicaria uma desvalorização, na época, em torno de 25%.[94] Segundo Delfim Netto, "não existe razão para acreditar que o nosso modelo agromineral-exportador seja bem-sucedido no longo prazo".[95] Ou seja, faz-se indispensável tomar medidas industrializantes.

A coalizão de interesses rentistas, liderada pelo capital financeiro nacional e internacional, tem tido sucesso em manter o real valorizado, o qual permite à classe média tradicional, cujos investimentos são beneficiados por juros elevados, o acesso a

93. "A doença holandesa é um problema antigo, essencial para a compreensão do desenvolvimento e do subdesenvolvimento. Mas ela só foi identificada nos anos 1960, nos Países Baixos, onde a descoberta e exportação de gás natural apreciou a taxa de câmbio e ameaçou destruir toda a indústria manufatureira do país". Luiz Carlos Bresser-Pereira, em *Globalização e competição*, p. 142.
94. Luiz Carlos Bresser-Pereira, "Déficits, câmbio e crescimento", *O Estado de S. Paulo*, 7 mar. 2010, p. B9. A porcentagem da desvalorização está calculada a partir do valor do dólar em meados de agosto de 2010.
95. Antonio Delfim Netto, "A pergunta", *Folha de S.Paulo*, 29 jun. 2011, p. A2.

produtos importados e a viagens internacionais baratas, bem como a compras vantajosas no exterior.[96] Tais benefícios explicam, ao menos parcialmente, por que a classe média tradicional constitui o suporte de massa da coalizão rentista, que resiste às mudanças preconizadas pela coalizão produtivista, no sentido de baixar juros — implicando uma diminuição da autonomia do Banco Central — e estabelecer um controle sobre o fluxo de capitais que entra e sai do país.[97]

A postura da classe média tradicional endossa o que o sociólogo Jessé Souza tem chamado de "sociedade altamente conservadora, que aceita conviver com parcela significativa da população vivendo como 'subgente'".[98] A resistência à queda, mesmo moderada, da desigualdade imprime um selo reacionário ao "antilulismo". Em dezembro de 2004, o compositor Chico Buarque, com fina sensibilidade para a realidade brasileira, dizia: "Assim como já houve um esquerdismo de salão, há hoje um pensamento cada vez mais reacionário. O medo da violência se transformou não só em repúdio ao chamado marginal, mas aos pobres em geral, ao motoboy, ao sujeito que tem carro velho, ao sujeito que anda malvestido".[99] A rejeição da pequena burguesia às políticas de inclusão, que ela julga financiar com os seus impostos, se

96. Interessante reportagem publicada pela *Folha de S.Paulo* em 30 jan. 2011 dá conta da invasão brasileira no mercado norte-americano de imóveis de luxo. Ver Janaina Lage, "Câmbio e preço estimulam compra de imóvel nos EUA", p. B3.
97. Um terceiro vetor da coalizão rentista pode ser, paradoxalmente, o agronegócio, que se tornou poderoso com a valorização das *commodities*. Aos exportadores agrícolas interessa a desvalorização, mas a postura geral do setor mostra-se conservadora. Trata-se de item a ser investigado, como alertou o ex-ministro Rubens Ricupero em comunicação oral, Cedec, São Paulo, 9 dez. 2011.
98. Ver entrevista de Jessé Souza para a *Folha de S.Paulo*, 24 maio 2010, p. A9.
99. Entrevista de Chico Buarque de Holanda a Fernando Barros e Silva, *Folha de S.Paulo*, 26 dez. 2004, conforme citada por Juarez Guimarães em *A esperança crítica*, pp. 56-7.

intensifica conforme a ascensão dos pobres relativiza a superioridade social da classe média.

A coalizão produtivista, formada por empresários, que observam com preocupação a queda das atividades fabris desde o começo dos anos 1990, e pelos empregados industriais que defendem "aplicar política cambial voltada para a defesa da economia nacional",[100] viu na criação de um Imposto sobre Operações Financeiras (IOF) do capital estrangeiro, que gradativamente subiu para 6% entre 2009 e 2010, um sinal de esperança de que o governo caminharia na direção do controle de capitais. Mas, se a hipótese da arbitragem estiver correta, o controle de capitais *não será adotado*, pois o projeto lulista não é o de *resolver* as contradições em favor de uma das coalizões, e sim de mantê-las em relativo equilíbrio, cujo patamar é determinado pela necessidade de favorecer o subproletariado com crescimento médio e inflação baixa.

Deve-se observar que, se o problema do câmbio provoca fissura entre o capital financeiro e o capital industrial, do lado da coalizão produtivista há igualmente contradições internas. Como vimos acima, na terceira fase do governo Lula brasileiros de baixa renda puderam ir além de comprar bens de subsistência e aparelhos eletrônicos, típicos das etapas 1 e 2, adquirindo carros e casas financiados em longo prazo. Os capitalistas das cadeias automobilísticas e de construção civil aumentaram a produção e auferiram lucros maiores; os trabalhadores alcançaram salários superiores. Todos estão felizes, só que o aumento do emprego gera incremento das reivindicações trabalhistas, leia-se: greves, as quais separam empresários de trabalhadores.

Sob o governo Lula, foram criados 10,5 milhões de vagas

---

100. Direção Executiva Nacional da CUT, *Plataforma da CUT para as eleições 2010*, São Paulo, 2010, p. 50.

com carteira assinada,[101] com acréscimo de 10% na massa de renda do trabalho apenas entre 2009 e 2010.[102] A quase totalidade dos dissídios em 2010 resultou em elevação salarial acima da inflação, o que já vinha ocorrendo antes da crise. Um novo proletariado entrou no mercado, em condições precárias, porém apto a se integrar ao universo sindical, que incorporou as necessidades dos recém-chegados ao diagnóstico da situação pós-lulismo. "Apesar dos 10 milhões de novos empregos gerados, o mercado de trabalho brasileiro se caracteriza por elevadas taxas de rotatividade, desemprego e de informalidade, precariedade dos postos de trabalho, crescimento indiscriminado da terceirização e fragilidade do sistema de relações de trabalho", dizia a plataforma da CUT para as eleições presidenciais de 2010.[103]

Aqui chegamos a item essencial: o subproletariado e o proletariado têm interesse comum no pleno emprego, pois ele cria condições de luta favoráveis à classe trabalhadora. Não se deve descartar a possibilidade de que bandeiras históricas dos operários, como a redução da jornada de trabalho para quarenta horas e a reforma tributária progressiva, simbolizada no imposto sobre grandes fortunas, retornem à cena, fortalecidas pela unificação dos estratos recentes e antigos do proletariado. Em resumo: *se a plataforma do subproletariado não implica necessariamente a redução da desigualdade, abre a porta para um avanço igualitário, caso a fração antiga da classe trabalhadora for capaz de politizar a nova.*

O reforço na posição dos trabalhadores, por outro lado, faria mais presentes os conflitos no interior da coalizão produtivista em

---

101. De acordo com as estimativas de João Sicsú, "Re-visões do desenvolvimento", *Inteligência*, n. 49, em <www.insghtnet.com.br>, consultado em 20 jul. 2010, p. 93.

102. *Folha de S.Paulo*, 29 nov. 2010, p. A2.

103. Direção Executiva Nacional da CUT, *Plataforma da CUT para as eleições 2010*, São Paulo, 2010, p. 13.

torno do escopo do Estado de bem-estar a ser criado no Brasil, conforme previsto pela Constituição de 1988.[104] Reduzir a pobreza por meio da transferência de renda para segmentos pauperizados é uma coisa; diminuir rapidamente a desigualdade por meio da universalização dos direitos à habitação digna, saneamento, seguridade social, saúde, educação, segurança etc. é outra. Os programas de transferência de renda às famílias, cujo valor subiu de 7% para 9% do PIB no governo Lula, adquiriram legitimidade com o sucesso do segundo mandato lulista e a eleição de Dilma. Com isso, o Bolsa Família poderá se tornar um direito reconhecido na Constituição, no bojo de uma Consolidação das Leis Sociais (CLS) que Dilma teria a chance de enviar ao Congresso na legislatura 2011-14, deixando de ser uma concessão revogável, uma "dádiva" governamental. Apesar de constar das diretrizes aprovadas pelo PT em 2010, até meados de 2012 o governo Rousseff não havia colocado a CLS na pauta. O governo informou que atuará em três frentes para eliminar a miséria: "inclusão produtiva, ampliação dos serviços sociais e a continuação da ampliação da rede de benefícios".[105]

Desde o início, de acordo com Tânia Bacelar, ao ser retirado na Caixa Econômica Federal mediante uso de cartão personalizado, o BF não pode ser usado para fins clientelistas, pois não está no poder de políticos locais a distribuição dos recursos mediante o compromisso do voto.[106] No entanto, a expansão de direitos universais — que reduzisse a desigualdade a níveis roosveltianos —

104. Deve-se lembrar que, do mesmo modo que o agronegócio é um possível componente da coalizão que unifica o capital financeiro e a classe média tradicional, os movimentos sociais, com o MST à frente, são partícipes potenciais da coalizão produtivista.
105. Simone Iglesias e Breno Costa, "Governo criará 'PAC' para combate da miséria", *Folha de S.Paulo*, 7 jan. 2011, p. A11.
106. Tânia Bacelar, "Mudanças e desafios no Brasil e no mundo", em E. Pietá (org.), *A nova política econômica, a sustentabilidade ambiental*, p. 17.

implicaria formas de financiamento que dependem de reforma tributária, a qual não encontra consenso na coalizão produtivista, dividida entre uma posição a favor do corte de impostos e outra de fazê-los mais progressivos. Um bom exemplo da discórdia está na campanha liderada pela Fiesp que resultou na queda da CPMF em dezembro de 2007, impedindo maiores progressos na implantação do SUS na segunda e na terceira fase do governo Lula.

A pressão da burguesia e da classe média tradicional em favor da redução fiscal representa a opção por planos de saúde e escolas privadas e contrapõe-se às visões negativas a respeito do lucro no atendimento de necessidades fundamentais como medicina e educação, que se originam na postura anticapitalista do movimento operário dos anos 1980. Deve-se considerar que essa divisão se propaga ao campo, com o agronegócio tendendo a ser privatista, e os movimentos sociais, com o MST em destaque, apoiando o bloco igualitário.

Em resumo, a redução da pobreza que o lulismo promove abre espaço para a diminuição da desigualdade. Mas se ela se dará em velocidade rooseveltiana vai depender de condições que analisaremos no próximo capítulo.

4. Será o lulismo um reformismo fraco?

Que duração se pode esperar do lulismo? Que transformações acarretará na sociedade se tiver permanência? Como os partidos e as ideologias se reordenarão a partir dessas mudanças? O tipo de perguntas de que trata este último capítulo envolve considerável risco, pois as ciências sociais costumam errar na previsão do amanhã. Ainda assim, enfrentar o desafio de perscrutar o futuro parece a melhor maneira de concluir a análise da situação presente.

O TESTE ELEITORAL DO LULISMO

A vitória de Dilma Rousseff na eleição de outubro de 2010 mostrou a vigência do realinhamento e garantiu por pelo menos mais quatro anos a extensão do lulismo. Candidata sem passado nas urnas, indicada por Lula por ser a sua principal auxiliar no Executivo, obteve 47% dos votos válidos no primeiro turno e 56% no segundo, emulando a votação de Lula em 2002 (47% e 61%, respectivamente no primeiro e no segundo turno) e em 2006 (49% no primeiro turno e 61% no segundo). A hipótese de que tenha se gerado maioria estável, determinante de ciclo longo na política brasileira, passou pelo primeiro teste de realidade. Não só por repetir as mesmas proporções pela terceira vez em seguida, como em função do comportamento diferenciado dos mais pobres e do Nordeste, que reproduziu o esquema social e regionalmente polarizado de 2006, o pleito de 2010 denotou a vitalidade do lulismo.

Se compararmos as intenções de voto em Lula (2006) e em Dilma (2010) de acordo com a renda, verificaremos que ambos contaram com expressivo apoio entre aqueles cujas famílias auferiam até dois salários mínimos mensais: Lula, 55% e Dilma, 53% (ver a tabela 1 no capítulo 1 sobre o primeiro turno de 2006 e, abaixo, a tabela 5, referente ao primeiro turno de 2010). Entre os de menor ingresso, Lula e Dilma tinham maioria sobre a soma dos demais concorrentes: dezenove pontos percentuais de vantagem, no primeiro caso, e quinze pontos percentuais, no segundo. Ou seja, o conjunto das intenções de voto de Geraldo Alckmin, Heloísa Helena e Cristovam Buarque, em 2006, e as de José Serra e Marina Silva, em 2010, ficavam bem atrás das que tinham isoladamente Lula e Dilma na camada mais pobre do eleitorado.

Mas o equivalente não ocorria nas demais faixas de renda. Em 2006, os que tinham ingresso familiar de dois a cinco SM, que correspondem, aproximadamente, à parcela inferior da classe C, tendiam a dar nove pontos percentuais de vantagem aos adversários de Lula. Do mesmo modo, em 2010, Dilma, com 43%, ficava sete pontos percentuais abaixo de Serra e Marina somados. Nos dois estratos superiores de renda, a distância a favor da oposição tornava-se, então, gritante: acima de trinta pontos percentuais em 2006 e perto de vinte pontos percentuais em 2010. Se dependesse apenas dos eleitores de renda familiar mensal acima de dez salá-

TABELA 5:

INTENÇÃO DE VOTO POR RENDA FAMILIAR MENSAL NO
PRIMEIRO TURNO DE 2010

	ATÉ 2 SM	+ DE 2 a 5 SM	+ DE 5 a 10 SM	+ de 10 SM	TOTAL
Dilma	53%	43%	37%	31%	47%
Serra	26%	31%	34%	38%	29%
Marina	12%	19%	22%	23%	16%
Outros	*	*	*	*	1%
BR/Nulo/ Nenhum	2%	2%	2%	3%	2%
Não sabe	6%	3%	2%	2%	4%
TOTAL	100%	100%	100%	100%	100%**

Fonte: Datafolha, em <www.datafolha.com.br>. Pesquisa com amostra nacional
de 20 960 eleitores em 521 municípios realizada entre 1º e 2 de outubro de 2010.
*Informação não fornecida pelo Datafolha.
**Pequenas variações no total correspondem ao arredondamento das porcen-
tagens.

rios mínimos, os primeiros colocados nos turnos iniciais de 2006
e 2010 teriam sido Geraldo Alckmin e José Serra.

Deve-se reiterar que isso *não* ocorreu em 2002, quando a
vantagem de Lula sobre a soma dos outros concorrentes aumentava *conforme subia a renda*, como se pode ver na tabela 10 do Apêndice. Recorde-se que o pleito de 2002 aconteceu no modelo anterior ao deslocamento de classe de 2006 (como vimos no capítulo
1, entre 1989 e 2002 havia tendência de a votação em Lula ser *menor* entre os eleitores de baixíssima renda). Por isso, em 2002, os
adversários de Lula reunidos o superavam nas faixas de renda
mais baixas, *mas não nas mais altas*.

TABELA 6:

INTENÇÃO DE VOTO POR RENDA FAMILIAR NO

SEGUNDO TURNO DE 2010

	ATÉ 2 SM	+ DE 2 a 5 SM	+ DE 5 a 10 SM	+ de 10 SM	TOTAL
Dilma	56%	49%	45%	39%	51%
Serra	36%	43%	48%	54%	41%
BR/Nulo/ Nenhum	3%	5%	5%	6%	4%
Não sabe	5%	3%	2%	1%	4%
TOTAL	100%	100%	100%	100%	100%

Fonte: Datafolha, em <www.datafolha.com.br>. Pesquisa com amostra nacional de 6554 eleitores realizada entre 29 e 30 de outubro de 2010.

O mesmo vale para o segundo turno (tabela 6). Observadas as intenções de sufrágio por renda, verifica-se que *no segmento de até dois SM Dilma conseguiu vinte pontos percentuais acima de Serra*. No outro extremo, *os eleitores com renda superior a dez SM fizeram o contrário, dando a vitória à oposição por uma diferença de quinze pontos percentuais*. De um extremo a outro, a evolução é linear: quanto menor o ingresso do entrevistado, maior a chance de votar na candidata do PT; ao contrário, quanto mais abonado, maior a probabilidade de escolher o candidato do PSDB.

O efeito foi que Dilma perdeu nos dois estratos acima de cinco SM. Entre os eleitores de melhor situação (mais de dez SM), Dilma cresceu oito pontos percentuais, indo de 31% a 39%, enquanto Serra amealhou dezesseis pontos percentuais a mais, passando de 38% para 54% e abrindo vantagem expressiva sobre a concorrente. Isso significa que a parcela majoritária dos simpatizantes mais ricos de Marina deve ter se voltado para Serra no segundo turno, enquanto outra decidiu não apoiar nenhum dos finalistas, pois a candidata ambientalista reunia 23% das intenções de voto no primeiro turno (tabela 5).

No segmento de cinco a dez SM, Dilma cresceu oito pontos percentuais entre o primeiro e o segundo turno, ao passo que Serra acrescentou catorze pontos percentuais ao seu cabedal. Estabeleceu-se, então, um empate dentro da margem de erro. O mesmo aconteceu entre os eleitores de dois a cinco SM (como já foi dito, genericamente semelhantes à parte inferior da classe C), grupo em que *Serra cresceu doze pontos percentuais*, aproximando-se da intenção de voto em Dilma. A diferença de seis pontos a favor de Dilma ficou perto da margem de erro (dois pontos percentuais para cima e dois para baixo). Foi, portanto, unicamente no estrato de renda inferior que a candidata lulista teve expressivo êxito também no segundo turno.

Uma vez que cerca de metade do eleitorado está no último segmento de renda, isso decidiu o pleito a favor de Dilma, embora por margem mais estreita (doze pontos percentuais de vantagem) que a de Lula em 2002 e 2006 (22 pontos percentuais de vantagem nos dois casos). A explicação para a diferença está, provavelmente, no comportamento dos eleitores de menor renda, grupo em que Lula teve uma *superioridade de 39 pontos percentuais* com relação a Alckmin no segundo turno de 2006, sendo a de Dilma com relação a Serra quase a metade disso no segundo turno de 2010. Nesse ponto o corte social cruza-se com o regional, pois é possível que parte dos eleitores mais pobres do Sul/Sudeste tenha alterado a escolha entre 2006 e 2010, já que os resultados alcançados por Dilma no Nordeste foram ultrapositivos, como os de Lula em 2006.

A tabela 11 do Apêndice registra a concentração de votos em Dilma no Nordeste. No Sul, no Sudeste e no Centro-Oeste, a soma dos candidatos adversários suplantou a governista no primeiro turno, enquanto no Norte houve empate. No Nordeste, contudo, o governo foi capaz de superar os oposicionistas por 6 milhões de votos. No segundo turno, Dilma ganhou na Amazônia e José Serra nos pampas, provavelmente porque o eleitor de Marina derivou para o PSDB no Sul e para o PT no Norte (tabela 12 do Apêndice). O Sudeste se dividiu, com o lulismo vencendo por estreitos quatro pontos percentuais. *O que realmente decidiu a eleição foi o fato de Dilma ter tido mais de quarenta pontos percentuais de diferença sobre Serra no Nordeste!* Note-se que, dos 12 milhões de votos que separaram Dilma de Serra no segundo turno, 11 milhões vieram do Nordeste, tendo o PSDB vencido no Sul e no Centro-Oeste (diferença compensada pelos votos lulistas no Norte, que deram a Dilma ali supremacia de catorze pontos percentuais). Os tucanos ganharam ainda em São Paulo, o maior colégio eleitoral da federação, porém os votos lulistas em Minas Gerais e no Rio de Janeiro equilibraram o quadro no Sudeste. Em resumo, pode-se dizer que houve quase um empate no resto do país, com a candidata do PT vencendo graças ao domínio absoluto do Nordeste.

A discriminação regional confirma que o lulismo fincou raízes nas regiões pobres do Brasil (Norte e Nordeste). Assim, se é verdade que o resultado em favor de Dilma não teria sido possível sem contar com alguma representatividade em todos os locais, e em particular junto aos pobres de todas as regiões, a força do lulismo no Nordeste mostrou-se esmagadora, denotando, mais uma vez, estarmos em face de nossa "questão setentrional", conforme apontei na Introdução. Solidificou-se em 2010 uma polarização que é simultaneamente social e regional. Note-se que, no Sudeste, é em Minas Gerais, cuja parcela setentrional se aproxima socialmente do Nordeste, que Dilma consegue o seu melhor resultado no primeiro turno: 47% dos votos, contra 31% de Serra e 21% de Marina. A transferência de votos de Lula para Dilma entre os mais pobres e no Norte/Nordeste implica que o projeto político de reduzir a pobreza sem contestar a ordem, particularmente nos bolsões de atraso regional em que a pobreza se fixou ao longo da história brasileira, conquistou corações e mentes, tornando plausível a longa duração para o lulismo que venho supondo desde o início desta exposição.

A DEPENDÊNCIA DAS *COMMODITIES*

Argumenta-se aqui e ali que, na realidade, para além das urnas, o lulismo seria puro reflexo de situação internacional favorável, e que se extinguiria com a sua desaparição. As vitórias eleitorais seriam decorrentes do sucesso da economia e este não passaria de efeito conjuntural da expansão capitalista. É verdade que, conforme assinalamos no capítulo 3, circunstâncias externas especiais cercaram o nascimento do lulismo. Cabe agora indagar o quanto essas circunstâncias podem durar e o quanto determinam o futuro do lulismo.

Depois de um período de turbulência, pontuado pela crise asiática em 1997, a russa em 1998, a brasileira em 1999 e a argentina em 2001, a economia mundial voltou ao ritmo de crescimento dos "exuberantes anos 1990" entre 2003 e 2007. A expansão econômica mundial pulou de 2,8% em 2002 para 5,1% em 2006.[1] Além do "vento a favor" representado pelo crescimento mundial, houve o *boom* do preço das *commodities*, que não acontecia havia vinte anos. De acordo com Gilberto Libânio, utilizando dados da Unctad de 2007, as *commodities* tiveram valorização média de 89% no período 2002-06.[2]

---

1. Dados elaborados por Amir Khair. Na série, apenas o crescimento de 2005 mostrou um pequeno recuo, ficando em 4,5%, um pouco abaixo dos 4,9% do ano anterior.
2. Gilberto Libânio, "O crescimento da China e o seu impacto sobre a economia mineira". Consultado em <www.cedeplar.ufmg.br>, 18 jan. 2011.

Os motivos que levaram à elevação dos preços das *commodities* são assunto de debate entre especialistas. Daniela Magalhães Prates sugere que o aumento de preços pode estar ligado a uma sobreposição de fatores como a própria recuperação econômica global, a desvalorização do dólar, a bolha especulativa fomentada pelas baixas taxas de juros nos países centrais e o crescimento econômico da China.[3] Seja como for, parece claro que o ciclo de expansão de 2003 a 2007 foi marcado por deslocamento de indústrias para a China e secundariamente para a Índia, que se somaram às existentes na Coreia do Sul e em Taiwan, formando um robusto polo fabril no Leste da Ásia, o qual gera extensa demanda por *commodities*.[4] Para o Brasil, produtor de leque variado delas (soja, açúcar, álcool, minério de ferro, petróleo, carne, laranja etc.), o ciclo expansivo acompanhado da valorização dos produtos exportados foi "uma grande sorte",[5] conforme Bresser-Pereira, pois ajudou a puxar a economia para cima, *apesar* das políticas contracionistas adotadas no primeiro mandato de Lula, sobretudo até 2005.

O raciocínio faz sentido. Conforme recorda Aloizio Mercadante sobre o primeiro triênio (2003-05) de Lula, "a taxa de juros foi um dos pivôs do debate sobre política monetária que produziu tensões dentro do governo. *Predominou a visão mais ortodoxa,* fa-

3. Daniela Magalhães Prates, "A alta recente dos preços das *commodities*", *Revista de Economia Política*, vol. 3, n. 27, jul./set. 2007.

4. Alguns anos, e uma crise mundial, depois de terem começado a subir, os preços das *commodities* ainda estavam em alta no início de 2012, quando este livro era redigido. A explicação principal continuava a ser a crescente demanda dos países emergentes. Ver Roberto Rodrigues, "Inflação de alimentos: culpa de quem?", *Folha de S.Paulo*, 12 fev. 2011. O índice CRB, "indicador das oscilações das principais *commodities*", subiu 19%, em reais, de julho de 2010 a janeiro de 2011. Ver também Amir Khair, "Nós a desatar", *O Estado de S. Paulo*, 13 fev. 2011.

5. Ver entrevista com Luiz Carlos Bresser-Pereira na *Revista de Economia da PUC-SP*, ano 1, n. 2 (jul./dez. 2009), e ano 2, n. 3 (jan./jul. 2010), p. 66.

vorável a uma desinflação mais rápida e intensa, em contraponto às posições que defendiam a acomodação da política monetária, de maneira a reduzir os custos fiscais e econômicos envolvidos na elevação excessiva da taxa de juros".[6] Como as taxas de juros brasileiras — que nunca deixaram de estar entre as mais altas do mundo — só encontrariam nível menor no segundo mandato, a força da expansão mundial associada à valorização das *commodities* é parte da explicação para o Brasil ter aumentado em mais de 67% o seu ritmo de crescimento *ainda no primeiro mandato de Lula* em relação ao segundo mandato de FHC (de 2,1% para 3,5%).

Em outras palavras, o país cresceu *mesmo com* as relevantes transferências do Estado para os setores rentistas por meio dos altos superávits primários realizados para pagar o serviço da dívida. Embora a proporção do PIB comprometida com o superávit primário tenha crescido no primeiro mandato de Lula em comparação ao segundo de FHC (de uma média de 3,7% para uma média de 4,2%), o ritmo econômico se acelerou.[7] A conjuntura internacional é *parte* da explicação de que tenha sido possível acelerar a economia — sem o que a opção pelo mercado interno não teria se viabilizado — e fazer concessões ao capital financeiro *ao mesmo tempo*, evitando, portanto, o confronto político e mantendo o compromisso de realizar gestão de "paz e amor".

Em segundo lugar, com o *boom* das *commodities* a balança comercial brasileira tornou-se crescentemente superavitária de 2002 para 2006, multiplicando por mais de três o saldo positivo entre exportação e importação, o qual saltou de 13,2 bilhões de

6. Aloizio Mercadante, *Brasil, a construção retomada*, p. 94. (Grifos meus.)
7. Mariana Ribeiro Jansen Ferreira, "Financeirização: impacto nas prioridades de gasto do Estado — 1990 a 2007", em R. M. Marques e M. R. J. Ferreira (orgs.), *O Brasil sob a nova ordem*, p. 70.

dólares para 46,4 bilhões de dólares no período.[8] O crescimento do valor das exportações auxiliou o governo a resolver o quadro de constrangimento externo que caracterizou a gestão de Cardoso entre 1999 e 2002. Além disso, "a partir de fins de 2004", houve igualmente forte expansão da liquidez internacional.[9] Os dois movimentos conjugados permitiram ao Banco Central do Brasil acumular reservas em dólar — política destinada a proteger problemas futuros da balança de pagamentos. As reservas mais que quintuplicaram entre 2002 e 2006, e a relação dívida externa/PIB, que chegara a 42% em 2002, foi reduzida para 16% em 2006.[10] O governo Lula pôde, então, fazer o gesto simbólico de quitar completa e antecipadamente o débito com o FMI, em dezembro de 2005. Ironicamente, foi a subida do preço das *commodities* e a entrada de capital estrangeiro que permitiu "tirar daqui o FMI", por anos uma das principais bandeiras da esquerda no Brasil.

No entanto, a conjuntura internacional é apenas metade da missa. As opções pela transferência de renda e expansão de crédito aos mais pobres, feitas desde o início do governo, ainda na vigência da "política de apertar os cintos bem forte, com a despesa pública caindo em todas as suas categorias",[11] permitiram que a oportunidade aberta pela expansão mundial fosse aproveitada de maneira singular. Não foi a melhora das condições macroeconômicas que fez alguma "sobra" chegar aos pobres, como parece acreditar parte dos observadores. Segundo o

8. Antonio Corrêa de Lacerda, "Financiamento e vulnerabilidade externa da economia brasileira", em R. M. Marques e M. R. J. Ferreira (orgs.), *O Brasil sob a nova ordem*, p. 111.
9. Aloizio Mercadante, *Brasil, a construção retomada*, p. 84.
10. Idem, ibidem, p. 89.
11. Nelson Barbosa, "Uma nova política macroeconômica e uma nova política social", em E. Pietá (org.), *A nova política econômica, a sustentabilidade ambiental*, p. 30.

levantamento organizado por Nelson Barbosa (ver no quadro 1 do Apêndice um extrato dele), houve nítida opção logo em 2003: enquanto *se reduziam os gastos com pessoal e investimentos, a transferência de renda às famílias aumentava*. Mesmo antes de o crescimento ser retomado, houve *um aumento da parcela do PIB destinada aos mais pobres*, de tal forma que, quando a economia se aqueceu, iria encontrar um mercado interno ativado, constituído pelos beneficiários do Bolsa Família e do crédito consignado, aos quais viria a se agregar a valorização do salário mínimo a partir de 2005.

Foi a *fortuna* da conjuntura internacional associada à *virtù* de apostar na redução da pobreza com ativação do mercado interno que produziu o suporte material do lulismo. Assim, a expansão mundial acabou por potencializar o mercado interno de regiões historicamente deprimidas, sobretudo o Nordeste, o que não aconteceria caso certas medidas não tivessem sido tomadas no momento propício. No segundo mandato, com os juros em queda, o governo passou a ter maior largueza de receita, permitindo recomposição dos gastos em investimentos e com pessoal comprimidos na primeira fase. À medida que o PIB crescia, aumentava também a quantidade de recursos transferidos para os mais pobres, como foi o caso da valorização do salário mínimo e do próprio Bolsa Família no segundo mandato. Entretanto, o impulso inicial fora dado anteriormente.

Quando veio a crise mundial de 2008 — revertendo as boas condições internacionais do período prévio —, foi possível apresentar aos capitalistas a perspectiva de vender carros e casas para uma classe C ampliada no Brasil, pois ela *já existia*. Como vimos no capítulo 3, o governo na ocasião usou dos recursos públicos, em particular os bancos estatais, para garantir linhas de financiamento às empresas, recuperando uma capacidade de indução da atividade econômica perdida desde o fim do "milagre" econômico.[12] Em outros termos, a duplicação do preço das *commodities* ajudou a multiplicar os efeitos da política de aumento da demanda interna, mas é um erro reduzir o lulismo a um reflexo da conjuntura internacional.

Embora a situação da economia mundial tenha funcionado como um fator do sucesso do lulismo, a ativação do mercado interno por meio do aumento do consumo dos mais pobres e a reconstituição de instrumentos estatais para induzir a atividade econômica foram elementos autônomos, que dependeram de decisões políticas internas. Portanto, o que se deveria esperar em caso de nova retração da economia internacional é que o governo procurasse sustentar o ritmo de crescimento tendo por eixo o mercado interno, como se deu em 2009. Saber se terá êxito ultrapassa os limites deste livro. O argumento que desejamos fixar é que a durabilidade do lulismo não depende *exclusivamente* das condições externas. Além disso, ninguém sabe prever a duração do atual ciclo de crescimento da China e de elevação dos preços das *commodities*, não se podendo descartar que ela persista o suficiente para que o lulismo atinja ao menos parcela de seus objetivos. Em outras palavras, o sucesso do lulismo pode vir a depender do resultado da disputa entre as coalizões produtivista e rentista descrita no capítulo 3, e não da conjuntura internacional.

O LULISMO COMO "REFORMISMO FRACO"

Uma decorrência de combater a pobreza e os desequilíbrios regionais, além de ativar o mercado interno onde ele estava mais deprimido, é reduzir a tremenda desigualdade brasileira. A opção de Lula pelos mais pobres revelaria não ser correta a avaliação que

12. A tese, enunciada de outra forma, é do ex-ministro Delfim Netto.

vê um "caráter completamente neoliberal do seu governo",[13] pois uma das características do neoliberalismo é favorecer o aumento da desigualdade. Procurei mostrar no capítulo precedente que as políticas de inclusão não teriam sancionado as "fraturas sociais",[14] mas sim favorecido a diminuição da desigualdade. Entretanto, para melhor compreender o lulismo, é necessário qualificar melhor o igualitarismo em marcha.

As objeções ao que seria o traço igualitário do lulismo seguem três direções. A primeira contesta os próprios instrumentos de mensuração. A segunda atribui a meras políticas compensatórias, de natureza neoliberal, o avanço porventura obtido. A terceira reconhece algum progresso, mas reputa-o lento, a ponto de não significar mudança estrutural. Vejamos cada uma delas.

O índice de Gini no governo Lula caiu de 0,58 (2002) para 0,53 em 2010, enquanto no governo FHC, cujo caráter neoliberal é aceito por segmento considerável dos analistas, ficou praticamente estagnado, indo de 0,59 em 1995 para 0,58 em 2002, de acordo com a série construída pelo Centro de Políticas Sociais da FGV-RJ (ver quadro 2 do Apêndice).[15] De acordo com Marcelo Neri, considerado o intervalo de 2001 a 2009, "não há na história brasileira, estatisticamente documentada desde 1960, nada similar à redução da desigualdade de renda observada". Segundo os cálculos da FGV-RJ, nesse período "a renda dos 10% mais pobres cresceu 456% mais do que a dos 10% mais ricos".[16] Os números, portanto, são nítidos na demonstração de que, medida pelo Gini, houve redução da desigualdade no governo Lula. Contudo, seria o Gini sufi-

13. Leda Paulani, *Brasil delivery*, p. 71.
14. Idem, ibidem.
15. Marcelo Neri, *A nova classe média, o lado brilhante dos pobres*, p. 40. Não existe o dado para 1994.
16. Marcelo Neri, "Bolsa Família", *Folha de S.Paulo*, 30 dez. 2010, caderno O balanço da década, p. 6.

ciente para mensurar a desigualdade? O Gini não refletiria somente a distribuição da renda do trabalho, deixando de lado a repartição da riqueza entre capital e trabalho, a chamada distribuição funcional, que teria continuado a se deslocar na direção do capital durante o governo Lula, *aumentando a desigualdade?* Tais são as questões postas pelos críticos.

Ocorre que os dados processados pelo Ipea[17] e referidos por João Sicsú e Marcio Pochmann indicam uma diminuição também da desigualdade funcional da renda (ver quadro 3 do Apêndice). Isto é, a participação do trabalho na renda nacional *aumentou* durante o governo Lula. Em consequência, pode-se dizer que os sinais captados pelo que seria uma medida alternativa ou complementar ao Gini apontam igualmente redução da desigualdade.[18]

Estabelecida, segundo Sicsú e Pochman, a convergência dos índices, convém notar, contudo, que tais medições padecem de problemas semelhantes aos da mensuração da pobreza. O sociólogo Göran Therborn assinala que "é difícil obter bons dados sobre a distribuição da renda, particularmente na base e, sobretudo, no topo da escala".[19] É sabido que os muito ricos tendem a omitir parte da renda nas pesquisas. Therborn registra, ainda, que em poucos países do mundo os impostos são usados como fonte de dados, tendo os estudiosos, no mais das vezes, que se fiar em en-

---

17. Ver Ipea, "Distribuição funcional da renda pré e pós crise internacional do Brasil", *Comunicados do Ipea*, n. 47, maio 2010. Ver também as referências aos trabalhos de Sicsú e Pochmann no capítulo 3.

18. Na arguição da tese que deu origem a este livro, Leda Paulani afirmou que, nas "últimas séries das Contas Nacionais completas publicadas pelo IBGE, a distribuição funcional da renda se altera no sentido contrário", isto é, a favor do capital, "quando incluímos dentro do grupo das remunerações do trabalho os rendimentos autônomos"; comunicação oral, FFLCH/USP, 30 set. 2011. Em benefício da dúvida e de futuras investigações, deixo aqui o registro da observação.

19. Göran Therborn (ed.), *Inequalities of the world*, p. 29.

quetes domiciliares, as quais sofrem os tradicionais empecilhos de recusa, dificuldade de acesso representativo aos diversos estratos e falhas no preenchimento dos questionários. No entanto, tomando o cuidado de saber que se lida com estatísticas imprecisas, Therborn acha possível conhecer, com graus variados de definição, a situação de desigualdade em diversos países e, para tanto, usa extensivamente o coeficiente de Gini. A boa notícia é que o sociólogo sueco considera os dados brasileiros particularmente confiáveis.

Para complementar o Gini, Therborn apresenta a parcela da renda nacional apropriada pelos 10% mais ricos comparada àquela obtida pelos 10% mais pobres em oito países. Em torno do ano 2000, a Cepal registrava, no Brasil, que os 10% mais ricos ficavam com 47% da renda, enquanto os 10% mais pobres, com 0,5%, uma diferença na época maior que a da África do Sul, por exemplo, e só menor que a da Namíbia. Na Suécia, o país menos desigual do grupo, a relação era de 22% para 4% (ver quadro 4 do Apêndice). Em resumo, a situação brasileira era, nesse aspecto, das mais graves no final do século XX.

Ocorre que, de acordo com o CPS/FGV, entre 2001 e 2009 a renda *per capita* dos 10% mais pobres aumentou 6,8% ao ano, enquanto a dos 10% mais ricos cresceu apenas 1,5% ao ano.[20] Em virtude disso, para 2009 o Ipeadata informava que os 10% mais ricos haviam ficado com 43% da riqueza nacional segundo a renda domiciliar *per capita*, enquanto a proporção dos 10% mais pobres subira para 1%.[21] Se olharmos agora o quadro 5 do Apêndice, com os dados atualizados depois do governo Lula, e o compararmos com o quadro 4 do Apêndice, veremos que a posição brasileira mudou, colocando-nos em melhor condição da que tinha perto do ano 2000 a África do Sul, embora ainda seja pior que a do Mé-

---

20. Marcelo Neri, *A nova classe média: o lado brilhante dos pobres*, p. 10.
21. Ver <www.ipeadata.gov.br>, consultado em 15 fev. 2011.

xico na mesma época. Em outras palavras, os dados revelam que, em matéria de desigualdade, houve progresso no Brasil durante o governo Lula, mas o quadro continua muito ruim.

A segunda corrente de argumentos que contestam o caráter igualitário do governo Lula afirma que, mesmo aceitando-se algum progresso, os avanços teriam sido obtidos graças a políticas compensatórias de viés neoliberal, apreciação que mereceria uma discussão de fundo da qual não podemos, por ora, nos ocupar. Entretanto, cumpre indicar que as transferências foram a fração *menor* do movimento de redução da desigualdade promovido pelo lulismo. Se é verdade que o Bolsa Família teve papel destacado no combate à pobreza extrema, segundo Neri a queda do índice de Gini se deve, sobretudo, aos "rendimentos do trabalho", responsáveis por 66% da redução da desigualdade. O aumento dos benefícios previdenciários explica 16% da redução e os programas sociais, 17%.[22] Isso quer dizer que *o fator fundamental na redução da desigualdade durante o governo Lula foi o expressivo aumento do emprego e da renda,* na qual a valorização do salário mínimo teve rol crucial, e não as políticas compensatórias, fossem elas de corte neoliberal ou não.

O terceiro argumento que busca relativizar a queda da desigualdade no governo Lula pode ser diretamente vinculado aos números dos quadros 4, 5 e 6 do Apêndice. Em resumo, nessa vertente reconhece-se que houve queda da desigualdade no Brasil, mas afirma-se que ela é residual, deixando o grosso da iniquidade inalterada. Essa objeção encontra respaldo no próprio coeficiente de Gini. Se olharmos para o Gini brasileiro de 2010 (quadro 6 do Apêndice), é fácil verificar que continua alto, indicando potente desigualdade de renda, a qual é corroborada pela relação assimétrica entre os 10% mais ricos e os 10% mais pobres, usada como

---

22. Marcelo Neri, *A nova classe média, o lado brilhante dos pobres,* p. 44.

fonte complementar (quadros 4 e 5 do Apêndice). Ainda que tenha diminuído a desproporção, o decil superior acumula *quarenta vezes* mais riqueza que o de baixo. Como se vê, o Gini brasileiro é bem mais alto que o de países como a Alemanha e a Espanha, ficando próximo de nações da América Latina e da África, embora se avizinhando do caso norte-americano, uma vez que lá as assimetrias têm crescido desde a década de 1980.

Desde esse ponto de vista, é correto afirmar que, mesmo tendo havido redução da desigualdade no governo Lula, ela foi insuficiente para tirar o país do quadrante em que estão as nações mais desiguais do mundo. O argumento, no entanto, se aplica menos ao que aconteceu no governo Lula e mais ao que veio *antes de Lula*. O Brasil permaneceu parado num escalão elevadíssimo de desigualdade, por momentos o mais alto do mundo, durante cerca de duas décadas, desde o fim dos anos 1970 até o começo dos anos 2000. A herança da brutal desigualdade legada pelo século xx foi desembocar no governo Lula, com os 10% mais ricos se apropriando de quase 50% da riqueza e deixando aos 40% mais pobres apenas 8%![23] A desigualdade "atravessou impassível o regime militar, governos democraticamente eleitos e incontáveis laboratórios de política econômica, além de diversas crises políticas, econômicas e internacionais", lembram Ricardo Paes de Barros e colaboradores.[24]

No governo Lula a desigualdade renitente começa a cair e, tomado como parâmetro histórico o ritmo de redução dos países centrais, *a velocidade da queda não foi baixa*. Comparando séries estatísticas disponíveis para o Reino Unido e os Estados Unidos, o

23. Ver Elisa P. Reis, "Inequality in Brazil: facts and perceptions", em G. Therborn (ed.), *Inequalities of the world*, p. 198.
24. Ricardo Paes de Barros et al., "Desigualdade e pobreza no Brasil: retrato de uma estabilidade inaceitável", *Revista Brasileira de Ciências Sociais*, vol. 15, n. 42, fev. 2000.

economista Sergei Dillon Soares mostra que nos melhores momentos, de 1938 a 1954, no Reino Unido, e de 1929 a 1944, nos EUA, as quedas da desigualdade ficaram abaixo das obtidas no Brasil durante o governo Lula: 0,7 ponto por ano no Brasil, contra 0,5 no Reino Unido e 0,6 nos Estados Unidos.[25] Pode-se afirmar, por conseguinte, que não foi pífio o acontecido no Brasil durante o governo Lula. O problema é que *os pontos de partida foram diferentes*: o coeficiente de Gini já estava perto de 0,40 no Reino Unido, em 1938, e abaixo de 0,50 nos EUA, em 1929, contra 0,58 no Brasil em 2002. As condições brasileiras no início do século XXI eram parecidas com as da Inglaterra de cem anos antes, num bom exemplo empírico de atraso histórico.

Devido ao retardo secular do Brasil, havia a expectativa de que um presidente eleito por partido de orientação socialista tomasse medidas para provocar rápida contração do fosso social, mesmo que ao preço de haver confronto político. Tratar-se-ia da adoção do que poderíamos chamar de "reformismo forte":[26] "intensa redistribuição de renda num país obscenamente desigual", nas palavras de Francisco de Oliveira.[27]

Reconheça-se que a plataforma "reformista forte" era a perspectiva original do PT, conforme detalhado no capítulo 2. Desde esse ponto de vista, é secundário estabelecer aqui as distinções entre vertentes petistas oriundas da inspiração revolucionária leninista ou trotskista e aquelas originárias das tradições católicas ou socialistas democráticas. Salvo engano, todas convergiram, por razões táticas ou estratégicas, para um programa "reformista for-

25. Sergei S. Dillon Soares, "O ritmo na queda da desigualdade no Brasil é aceitável?", *Revista de Economia Política*, vol. 30, n. 3, jul.-set. 2010, pp. 369-70.
26. Agradeço a Roberto Schwarz pela expressão.
27. Francisco de Oliveira, "O avesso do avesso", em F. de Oliveira, R. Braga e C. Rizek (orgs.), *Hegemonia às avessas*, p. 369.

te" nos anos 1990. Nas propostas do partido até 2001 podem-se encontrar diversas indicações do que seria feito caso a alma do Sion tivesse prevalecido no governo Lula. Desde a garantia do trabalho agrícola por meio da distribuição de terras até a tributação do patrimônio das grandes empresas e fortunas para criar um Fundo Nacional de Solidariedade que financiasse projetos apresentados por organizações comunitárias, há um conjunto de itens, que passam pela diminuição da jornada de trabalho para quarenta horas sem corte de salários, criação de Programa de Garantia de Renda Mínima, revisão das privatizações, convocação dos fóruns das cadeias produtivas etc., que desenham a perspectiva de mudanças *fortes*.[28]

Era clara a referência histórica desse programa. No texto de 1994, a tributação emergencial sobre o patrimônio era comparada ao que "foi feito na maioria dos países da Europa no segundo após-guerra".[29] O fato de uma proposta como essa ressurgir meio século depois na plataforma de um partido da periferia capitalista mostra o tipo de mudança que se tinha em mente. "Os anos de guerra proporcionaram uma ética de coletivismo que ressoou durante outros três decênios", diz Geoff Eley.[30] Aquele foi o momento em que, a despeito das diferenças locais, a redução da desigualdade evoluiu por meio da implantação do Estado de bem-estar social na Europa e no Reino Unido.[31] Na formulação original

---

28. Há enorme quantidade de documentos do PT com esse espírito. Aqui foram pinçadas propostas das diretrizes para a campanha presidencial de 1994. Partido dos Trabalhadores, *Base do programa de governo. Lula presidente, uma revolução democrática no Brasil*, 1994, pp. 123-4 e ss.
29. Idem, p. 123.
30. Geoff Eley, *Un mundo que ganar*, p. 319. Tradução minha.
31. Seguindo a análise de Esping-Andersen, Donald Sassoon descreve três modelos de Estado de bem-estar: o "burguês-liberal", que prevaleceu nos EUA, onde predominaram as transferências de renda voltadas apenas para os de baixa renda; o "corporativista", típico da Alemanha, em que o Estado entra em ação quando as famílias não conseguem sustentar seus membros; e o "social-democrata", que

do PT, o partido estava destinado a produzir análogas transformações estruturais no Brasil.

A política de ampliação de direitos universais com vistas à veloz diminuição da desigualdade deveria ser impulsionada, na mesma visão, por meio de intensa mobilização popular. A organização de base — marca distintiva da primeira alma do PT — teria que substituir a comoção igualitária causada pela guerra na Europa como impulsionadora da ruptura brasileira. A convicção sobre o caminho a trilhar soava tão firme que, apesar do surgimento da segunda alma, a qual abandonara a ideia de organização, mobilização e confronto, houve quem se preparasse para, desde o governo, construir o que seriam os esteios do "poder popular". Frei Betto, por exemplo, relata que, em 2003, o Fome Zero havia implantado "comitês gestores" em quase 2400 municípios.[32] Esses comitês, compostos de representantes da sociedade civil organizada local, poderiam ter sido a fonte de mobilização *por baixo* para alterar a correlação de forças e abrir o caminho a um processo acelerado de redução da desigualdade. Com o lançamento do Bolsa Família, em setembro de 2003, em que o cartão de benefício passava por convênio entre o governo federal e as prefeituras, os comitês gestores começaram, entretanto, a perder função. A proposta de auto-organização para a luta política de classes, que estava no âmago dos grupos que formaram o PT na década democrática (1978-88), não foi assumida pelo governo Lula.

As condições para o programa de combate à pobreza viriam da neutralização do capital por meio de concessões, não do con-

---

promove a igualdade nos seus padrões mais altos. Exemplos do último modelo foram o sistema nacional de saúde britânico (NHS) e o programa habitacional sueco (Folkhemmet), implantados após a Segunda Guerra Mundial. Ver Donald Sassoon, *One hundred years of socialism*, p. 141 (tradução minha).

32. Frei Betto, *Calendário do poder*, p. 363.

fronto. A manutenção da tríade juros altos, superávits primários e câmbio flutuante faria o papel de acalmar o capital. De outro lado, a simpatia passiva dos trabalhadores, para quem a ativação do mercado interno e a recuperação do mercado de trabalho representavam benefícios reais, garantiu a paz necessária para não haver radicalização. Após o "mensalão" e a emergência do lulismo, sobretudo no segundo mandato, com sustentação social própria formada pelos votos do subproletariado, Lula pôde implantar a fórmula "ordem e mudança" com maior liberdade e resultados melhores, como vimos no capítulo anterior.

O projeto de combate à pobreza acabou por se firmar sobre quatro pilares: transferência de renda para os mais pobres, ampliação do crédito, valorização do salário mínimo, tudo isso resultando em aumento do emprego formal. Se discernirmos com isenção, perceberemos que são, de forma atenuada, as mesmas propostas do "reformismo forte", porém em versão homeopática, diluídas em alta dose de excipiente, para não causar confronto.

O Bolsa Família nada mais é que o primeiro passo do Programa de Garantia de Renda Mínima. O texto de 1994 do PT, aliás, previa que o programa da renda mínima "poderá ser introduzido gradualmente, de forma compatível com as finanças públicas, das regiões mais pobres para as mais ricas, iniciando-se pelos cidadãos que detêm pátrio poder sobre os menores em idade escolar".[33] As semelhanças com o Bolsa Família são óbvias. Se for verdade que as propostas de transferência de renda têm viés neoliberal, o que me parece duvidoso, deve-se convir que esse viés está incorporado ao programa do PT desde pelo menos os anos 1990.

Na área financeira, também há semelhanças. A expansão do crédito imobiliário e do crédito rural; o aprimoramento dos ban-

---

33. Partido dos Trabalhadores, *Base do programa de governo. Lula presidente, uma revolução democrática no Brasil*, 1994, pp. 124 e ss.

cos públicos para que se constituíssem em "instrumentos efetivos de financiamento à produção e ao financiamento"; o fortalecimento das instituições de crédito para apoiar as micro, pequenas e médias empresas; e mesmo a instituição de fundo que financiasse projetos sociais foram, de algum modo, propostas constantes do projeto original (1994) e contempladas na importante expansão do crédito que ocorreu sob Lula, de 381 milhões de reais em 2003 para 1,4 trilhão de reais no começo de 2010, segundo dados do governo.[34]

O que *não* aconteceu foi a tributação de fortunas ou reforma tributária que tornasse o imposto mais direto e progressivo ou o condicionamento dos empréstimos às empresas à manutenção e aumento do nível de emprego, como estava previsto no documento de 1994. Por outro lado, ninguém imaginava um mecanismo de tanto sucesso quanto o do crédito consignado, que em alguns anos chegou a representar 60% de todo o financiamento pessoal no Brasil, passando de 11 bilhões de reais em 2004 para 119 bilhões de reais no primeiro semestre de 2010.[35] Se quisermos uma imagem, poderíamos dizer que o imposto sobre fortunas do reformismo forte foi substituído pelo crédito consignado do reformismo fraco.

Quanto à valorização do salário mínimo, trata-se de bandeira histórica do reformismo forte no Brasil, aparecendo na redação de 1994 como proposta de "elevação gradual e permanente", para alcançar a meta de "dobrar o seu valor atual no menor prazo possível" e, no período subsequente, atingir o nível apontado pelo Dieese.[36] O governo Lula, a partir de 2005, promoveu a gradual

34. Paulo Araujo, "Lula afirma que fez o 'óbvio' para a retomada da economia", *Folha de S.Paulo*, 3 mar. 2010, p. B5.
35. Eduardo Cucolo, "Bancos públicos e privados batalham por consignado", *Folha de S.Paulo*, 7 jun. 2010, p. B1.
36. Partido dos Trabalhadores, *Base do programa de governo. Lula presidente, uma revolução democrática no Brasil*, 1994, p. 123.

elevação do salário mínimo, chegando a um valor real 50% maior em 2010 comparado a 2002. Mais que isso, em fevereiro de 2011 o Congresso aprovou projeto do Executivo fixando uma política pública de valorização do mínimo: o aumento real do SM entre 2012 e 2015 se dará com referência à variação do PIB dos dois anos anteriores. Em outras palavras, foram garantidos aumentos reais, desde que a economia cresça, até pelo menos metade da década. Mas, a seguir no ritmo anterior, o valor do SM deverá alcançar o dobro do que era em 2002 apenas no fim dos anos 2010. E mesmo assim estará longe do indicado pelo Dieese: 2227,53 reais em dezembro de 2010 (quando o SM em vigor era de 510 reais, cerca de 23% do que deveria ser segundo o Dieese).[37]

O destino do salário mínimo no lulismo pode ser tomado como outro paradigma do reformismo fraco. Note-se que o reformismo forte de Salvador Allende no Chile fez no primeiro ano de governo o que o reformismo fraco demorou dez anos para fazer no Brasil: aumentar o SM em quase 70%.[38] A decalagem entre o reformismo forte e o reformismo fraco, a saber, o grau de concentração no tempo de mudanças essenciais, fica visível nesse exemplo. Para atingir o valor do Dieese, meta do Sion, o reformismo fraco adotado no Brasil levará ao menos duas décadas.

De maneira semelhante, "o direito ao trabalho para todos",[39] item fundamental, foi contemplado, porém deixando de lado os aspectos radicais. As diretrizes de 1994 propunham uma "ampla mobilização nacional" em torno da questão. Para chegar à meta,

37. Ver <http://www.dieese.org.br/rel/rac/salminMenu09-05>, consultado em 10 mar. 2010.
38. Ver Paul Singer, *A crise do "milagre"*, p. 142. Allende elevou o salário mínimo em 67% no primeiro ano de governo (1971); em 2012, o aumento real do SM no Brasil chegou perto de 60%, considerando-se a série desde 2003.
39. Partido dos Trabalhadores, *Base do programa de governo. Lula presidente, uma revolução democrática no Brasil*, 1994, p. 122.

sugeria-se a criação de postos pela ampliação de serviços sociais como saúde e educação, investimento público na área de infraestrutura econômica e social, redução da jornada de trabalho, condicionamento do financiamento à manutenção e aumento do nível de emprego e apoio a cooperativas e microempresas.

O PAC aumentou o emprego na construção civil por meio de obras de infraestrutura "econômica e social" (sobretudo depois de criado o Programa Minha Casa Minha Vida), como previa o documento de 1994. A redução do desemprego a 5,3%, em dezembro de 2010, foi, em certa medida, o resultado dessas políticas, pois, como mostramos, a construção civil constituiu elemento essencial na geração de empregos após a crise de 2008. O primeiro ano do governo Dilma deu continuidade a essa orientação, com a geração de 1,9 milhão de vagas, terminando com um desemprego de 4,7% em dezembro de 2011.[40] A pesquisa Seade/Dieese, contudo, apontava quase o dobro de desemprego (9,1%) na mesma data, em parte por incluir como desempregados os que estão em trabalhos precários e os que, sem emprego, não procuraram colocação no último mês.[41] É possível que uma redução da jornada de trabalho, acompanhada da proibição de as empresas diminuírem a folha de pagamentos, resultasse em absorção rápida da parcela ainda não formalizada da população economicamente ativa, contribuindo ao mesmo tempo para a desprecarização de setores do próprio trabalho formal, como ocorre na construção civil. Mas isso está fora do figurino do reformismo fraco.

Em resumo, ao tomar das propostas originais do PT aquilo que não implicava enfrentar o capital como seria o caso da tributação das fortunas, revisão das privatizações, redução da jornada de trabalho, desapropriação de latifúndios ou negociação de pre-

40. Ver <oglobo.globo.com> de 26 jan. 2012, consultado em 8 jan. 2012.
41. Ver <www.dieese.org.br>, consultado em 9 mar. 2012.

ços por meio dos fóruns das cadeias produtivas, o lulismo manteve o rumo geral das reformas previstas, não obstante aplicando-as de forma muito lenta. É a sua lentidão que permite interpretá-lo como tendo um sentido conservador. Por outro lado, quando no noticiário a autonomia do Banco Central, o ajuste fiscal e a reforma da Previdência ficam mais fortes do que o Bolsa Família, o crédito consignado, o aumento do salário mínimo e a geração de empregos, perde-se o outro sentido do lulismo: aquele que ao aumentar o salário mínimo potencializa o efeito do Bolsa Família e da elevação dos benefícios previdenciários no interior do Nordeste; que com o Programa de Aceleração do Crescimento recoloca em cena o Estado indutor, gerando obras de infraestrutura e emprego na construção civil; que por meio do Estado orienta as atividades das empresas para o mercado interno, depois de cortado o crédito internacional e interrompido temporariamente o fluxo das *commodities* pela crise financeira internacional em 2008. Enfim, penso que é preciso chegar a um entendimento em que os sentidos contraditórios do lulismo fiquem mais nítidos.

Na ocasião da crise, viu-se que o reformismo lulista atua, a seu modo, em favor do trabalho. Voltando ao exemplo elucidativo do Minha Casa Minha Vida. Critica-se o modelo privatista de habitação adotado, o que é correto, mas esquece-se que as empresas da construção foram estimuladas a contratar num ano de crise, e o fizeram, reduzindo significativamente o desemprego. Trata-se, a meu ver, de ressaltar as duas coisas.

Será o reformismo fraco suficiente para dar conta dos impasses legados pela formação do país? Do ponto de vista da redução da pobreza monetária absoluta, houve um incremento de 2% do PIB no valor das transferências de renda às famílias, com resultados palpáveis. Dados do Ipea mostram diminuição consistente do número de brasileiros abaixo da linha de pobreza (monetária), *grosso modo* aqueles que precisam viver com menos de meio salário mínimo mensal, como se viu no capítulo anterior, de 36% para 23% entre 2003 e 2008, projetando uma virtual erradicação da pobreza (monetária) até o final da década de 2010. Trata-se, porém, de mais que unicamente acesso a recursos financeiros. Pesquisas, como as de Walquiria Domingues Leão Rêgo, conduzidas com as mulheres que recebem o Bolsa Família indicam a autonomia propiciada pela transferência de renda a setores desde sempre abandonados à própria sorte. Desencadeia-se um movimento subterrâneo na sociedade, não visível a olho nu, caracterizado nas palavras de Rose Marie Muraro: "Hoje em dia, em todas as comunidades populares as mulheres tendem a fazer microcrédito, feiras de troca e diminuírem a pobreza extrema. [...] É um movimento geral, mas silencioso — 97% dos movimentos de transformação da pobreza estão na mão da mulher: o Bolsa Família, Minha Casa Minha Vida".[42]

Por meio de mecanismos diversos, dos quais o Bolsa Família é integrante, junto com a segurança alimentar, a expansão do crédito, a valorização do salário mínimo e o aumento do investimento público, sobretudo na construção civil, e a geração de empregos, em particular no Nordeste, foram libertadas energias sociais. A multiplicação de iniciativas "moleculares" para a superação da pobreza aponta para mudanças estruturais. Por outro lado, se olharmos a pobreza do ângulo de Amartya Sen e José Eli da Veiga, como "privação de capacidades básicas", identificaremos outra vez a lentidão do lulismo. Considerado, por exemplo, o acesso à rede de esgoto como índice de pobreza, o reformismo fraco adiará por mais uma geração (cerca de 25 anos) o momento em que todos os brasileiros possam usufruir desse serviço básico e, portanto, deixar para trás a pobreza, já que o número de domicílios conectados

---

42. Eleonora de Lucena, "Quero 'empoderar' as mulheres de baixa renda", *Folha de S.Paulo*, 8 mar. 2010, p. C9.

à rede passou de 34% para 46% entre 2000 e 2008, projetando longo caminho à frente até a universalização de tal direito.[43]

O mesmo vale para a diminuição da desigualdade. O reformismo fraco foi capaz de combater a iniquidade no Brasil num ritmo comparável ao da implantação do Estado de bem-estar na Inglaterra e nos EUA. Porém, o ponto de partida brasileiro era tão mais baixo que o dos referidos países, que seria necessário sustentar as políticas reformistas por mais de duas décadas até alcançarmos um padrão de vida "similar" entre nós, como na imagem rooseveltiana de Paul Krugman. De acordo com Sergei Dillon Soares:

> Se continuarmos reduzindo nosso coeficiente de Gini a 0,7 ponto ao ano pelos próximos 24 anos, não será possível ter grandes favelas coexistindo com condomínios de luxo, indivíduos à beira da fome no sertão do Cariri vivendo no mesmo país cujos céus são cruzados por executivos viajando na segunda maior frota de aviões particulares do mundo, nem um exército de empregados particulares passando as roupas, encerando os pisos e lavando os banheiros da classe média.[44]

O que estamos vendo, portanto, *é um ciclo reformista* de redução da pobreza e da desigualdade, porém um ciclo lento, *levando-se em consideração que a pobreza e a desigualdade eram e continuam sendo imensas no Brasil*. Isso explica o aspecto ideológico do imaginário do New Deal que se instalou no país, pois não está no horizonte real do reformismo fraco produzir, num "curto espaço de alguns anos", um padrão de vida geral "decente" e "similar".

---

43. Verena Fornetti, "Metade das casas não tem rede de esgoto", *Folha de S.Paulo*, 21 ago. 2010, Cotidiano 2, p. 7.
44. Sergei S. Dillon Soares, "O ritmo na queda da desigualdade no Brasil é aceitável?", *Revista de Economia Política*, vol. 30, n. 3, jul./set. 2010, pp. 369-70.

Para isso, seria necessário um reformismo forte, ou ter tido, como nos EUA, outro ponto de partida.

Conclui-se que o reformismo forte fracassou no Brasil, mas foi um fracasso relativo, pois, de um lado, influenciou a Constituição de 1988 e, de outro, legou propostas, quadros e organizações para o reformismo fraco, que não é o avesso do reformismo forte, e sim a sua diluição. A onda democrática dos anos 1980 — época em que o reformismo forte se constituiu enquanto perspectiva da classe trabalhadora organizada no país — esbarrou no obstáculo do qual este livro fala desde o início: a vasta fração subproletária, a metade mais pobre da população brasileira, que desejava (e deseja) integrar-se à ordem capitalista e nela prosperar, e não transformá-la de baixo para cima, até porque isso não está ao seu alcance.

No entanto, ao arquivar a postura que articulara o PT, a CUT e movimentos sociais como o MST, o lulismo tem um segundo desdobramento, além de fazer progredir a integração do subproletariado ao proletariado. Ele tira centralidade da batalha em torno da desregulamentação neoliberal do trabalho. Não faz avançar a desregulamentação, mas também não a faz regredir. Produz um efeito de congelamento da situação encontrada — tal como manteve os altos ganhos do setor financeiro e não revisou as privatizações tucanas —, empurrando os conflitos capital/trabalho para o fundo da cena, como tenho procurado mostrar.

A tendência à precarização do trabalho talvez seja o ponto nuclear do complexo fenômeno denominado neoliberalismo, o qual, como afirmou Oliveira, "é um ciclo anti-Polanyi".[45] Oliveira está se referindo ao "moinho satânico" que tritura os trabalhadores ao entregá-los (sem possibilidade de resistir) ao mercado.[46] Por

---

45. Francisco de Oliveira, "O avesso do avesso", em F. de Oliveira, R. Braga e C. Rizek (orgs.), *Hegemonia às avessas*, p. 375.
46. Karl Polanyi, *A grande transformação*, p. 51.

isso, a indagação de fundo de nossa época é a de saber se a sociedade protegerá o trabalho da tirania do mercado. O Estado de bem-estar social, ao fortalecer o trabalhador, limita a liberdade do capital para acionar o moinho em que o trabalho é sugado e, depois, a mão de obra jogada na lata do lixo. O reformismo forte funciona como pedra pesada nas pás do moinho diabólico. O fraco, como pedras leves.

Cumpre recordar que, a partir dos anos 1980, o reformismo forte começa a perder terreno no seu berço, a Europa, num longo *tournant* histórico que, todavia, não concluiu. A supremacia neoliberal, plasmada na independência dos bancos centrais, foi de tal ordem, que se começou a pensar no fim da política democrática, uma vez que as questões cruciais não passavam mais por ela.[47] Enquanto isso, o moinho satânico era acionado outra vez, em particular nos países pobres do Leste Asiático. "A duplicação da classe trabalhadora mundial para 3 bilhões no espaço de alguns anos, em condições frequentemente tão duras quanto no começo do século XIX, é a maior mudança estrutural do período", escreveu Perry Anderson.[48]

No Brasil, todavia, como vimos no capítulo 2, em passo retardatário e na direção oposta o projeto reformista forte se firmou como opção da classe trabalhadora na década de 1980, indo parar na Constituição cidadã de 1988. Nos anos 1990, os governos Collor e Fernando Henrique tiveram êxito parcial em "restaurar" o que o capital perdera no período anterior. O desemprego em massa foi o abre-alas da terceirização, da flexibilização dos contra-

47. Ver Francisco de Oliveira, "Privatização do público, destituição da fala e anulação da política: o totalitarismo neoliberal", em F. de Oliveira e M. C. Paoli (orgs.), *Os sentidos da democracia*.
48. Perry Anderson, "Jottings on the conjuncture", *New Left Review*, n. 48, nov./dez. 2007 (tradução minha). A contribuição da China e da Índia para a duplicação da mão de obra é notável.

tos de trabalho, da instituição dos bancos de horas, da pejotização de áreas inteiras do setor de serviços.[49] Meu argumento é que, ao chegar ao poder nos anos 2000, o "reformismo fraco" conteve a expansão do mercado, característica do período neoliberal, sobretudo por meio da formalização do emprego. A carteira assinada no Brasil equivale a ter a proteção das leis trabalhistas, que limitam a liberdade do capital no que se refere à jornada, à demissão, às condições de trabalho, à remuneração etc., sendo o desemprego em massa o maior aliado da desregulamentação.

Os 10,5 milhões de postos de trabalho formais criados no governo Lula representaram uma diminuição na velocidade do moinho satânico, mas são um freio relativamente fraco, pois os empregos criados, embora protegidos por lei, têm condição precária, sobretudo em virtude da sua alta rotatividade. Ao estimular setores do capitalismo orientados pela lógica da superexploração, como é o caso do *telemarketing* ou da construção civil, o lulismo convive com a precariedade. Cancelando as propostas fortes que confrontavam o capital, como, por exemplo, as "medidas de controle da rotatividade de mão de obra e do abuso de horas extras"[50] que constavam no programa de 1994, o lulismo aceita *certa* "flexibilização", na prática, das condições de trabalho. Ao mesmo tempo, ao promover políticas de pleno emprego, aumenta as condições de luta dos próprios empregados, como se pode verificar nas greves em grandes obras de construção civil que ocorreram a partir do segundo mandato de Lula e seguiram no primeiro ano do governo Dilma ou na eclosão de greves no setor de *tele-*

---

49. A substituição em massa de contratados pela CLT para a fórmula da prestação de serviços por pessoas jurídicas (daí a expressão "pejotização") inicia-se nos anos 1990 e segue em vigor.

50. Partido dos Trabalhadores, *Base do programa de governo. Lula presidente, uma revolução democrática no Brasil*, 1994, p. 123.

marketing a partir de 2005.[51] Em suma, o reformismo fraco fomenta ciclo de acumulação no interior de um capitalismo já relativamente desregulamentado, sem reverter a precarização, mas aumentando o número de trabalhadores coberto pelos direitos trabalhistas ainda existentes e permitindo que estes se auto-organizem para ampliá-los.

Se o reformismo fraco é lento quando observado desde o ângulo da totalidade, talvez pareça rápido quando visto do ângulo do subproletariado, sobretudo do nordestino. Veja-se o que aconteceu com o Nordeste, região que concentra boa parte da pobreza absoluta no Brasil. Lá o PIB *per capita* cresceu 86% entre 2002 e 2008. No carro-chefe de toda a zona, o estado de Pernambuco, o investimento federal subiu 150% entre 2006 e 2010. O PIB pernambucano aumentou 16% em 2010, o dobro da média nacional, num processo de industrialização acelerada que lembra a época do milagre econômico, "permitindo a volta dos retirantes que um dia caíram no mundo atrás de uma vida melhor".[52] Compreende-se que quase toda a diferença em favor de Dilma na eleição de 2010 tenha saído do Nordeste. Para quem está se libertando do inferno do desemprego, a precariedade com carteira assinada é um patamar superior, ainda que prenhe de novas contradições, como as revoltas nas grandes hidrelétricas em construção — Jirau, Santo Antônio e Belo Monte — explicitam.[53]

Em suma, o reformismo fraco, por ser fraco, implica ritmo tão lento que, por vezes, parece apenas eternizar a desigualdade.

51. Segundo Ruy Braga, em comunicação oral em debate no Cenedic/USP, 30 mar. 2012, a contar de 2005 registram-se repetidas greves no âmbito do *telemarketing*.
52. Agnaldo Brito, "Pernambuco vive sua revolução industrial", *Folha de S.Paulo*, 6 mar. 2011, p. B1.
53. Segundo a Federação Nacional dos Trabalhadores nas Indústrias da Construção Pesada, 138 mil operários do setor paralisaram as atividades nos primeiros três meses de 2012.

Em 2011, o Brasil ainda estava quase no final da lista de 187 países em matéria de desigualdade. Piores apenas a Colômbia, a Bolívia, Honduras, África do Sul, Angola, Haiti e o pequeno Comores. Mas o fato de ser reformismo provoca mudanças expressivas onde o atraso deixava a pobreza intocada. Por isso, não deve ser confundido nem com o reformismo forte, que ele arquivou por quem sabe quanto tempo, nem com o neoliberalismo, que ele brecou, abrindo processo de transformação no outro sentido.

NOTA FINAL: SAEM BURGUESES E PROLETÁRIOS; ENTRAM RICOS E POBRES

Embora à classe trabalhadora interesse a redução da sobre-população trabalhadora superempobrecida permanente, cuja existência deprime as condições de luta, o lulismo tem um pertencimento de classe específico, cuja prioridade, conforme vimos, é a diminuição da pobreza, e não da desigualdade. Por isso, o reformismo fraco é o projeto adotado pelo bloco no poder. Expansão do mercado interno com integração do subproletariado ao proletariado via emprego (mesmo que precário), consumo e crédito, sem reformas anticapitalistas, e com lenta queda da desigualdade como subproduto, é o que se deve esperar.

Os governos Lula e Dilma, sustentados pelo subproletariado, buscam equilibrar as classes fundamentais — proletariado e capitalistas —, pois o seu sucesso depende de que nenhuma delas tenha força para impor os próprios desígnios: o reformismo forte, que ambiciona o aumento rápido da igualdade, impondo travas ao moinho satânico, ou o neoliberalismo, que tende a aumentar a desigualdade, impondo perdas aos trabalhadores. A estatização dos conflitos, como sugere Werneck Vianna, desmobilizando as classes, corresponde ao propósito de evitar a radicalização. Como fração de classe que não pode se auto-organizar, o subproletariado deposita no Estado, não na sociedade organizada, a esperança de sair da pobreza sem passar por turbulências que poriam em risco o processo de integração.

O sucesso de soluções intermediárias, arbitrais, depende, em alguma medida, da figura providencial do líder que dá a cada um o seu quinhão. O reforço da autoridade do presidente, que aparece como "benfeitor patriarcal de todas as classes",[54] é parte constitutiva do esquema, e o êxito da arbitragem tira a centralidade da luta de classes. Há, portanto, algum componente bonapartista ou cesarista nesse tipo de configuração. Considerando-se as peculiaridades da experiência dos Bonaparte (I e III) na França e dos diversos outros episódios de cesarismo citados por Gramsci (a Itália depois do Magnífico — Lourenço de Médici —, Bismarck, na Alemanha, MacDonald, na Inglaterra),[55] o lulismo não deixa de ser um caso de "grande personalidade" a presidir governo de coalizão.

Gramsci sugere que os diferentes tipos de cesarismo sempre expressam algum gênero de solução "arbitral", em que o arbítrio é conferido a uma "grande personalidade".[56] Mas solução arbitral não quer dizer estagnação do quadro. Representa progresso ou retrocesso, a depender do lado para o qual penda a arbitragem. Pode significar avanços, como acontece quando se passa de uma fase histórica a outra, ou recuos qualitativos, ou até dar prosseguimento ao curso "normal" dos acontecimentos. Inspirado no Prefácio à "Contribuição à crítica da economia política", de Marx,[57] Gramsci lembra que na França de 1848, embora a divisão das

---

54. Karl Marx, "O 18 Brumário de Luís Bonaparte", em K. Marx, *A revolução antes da revolução*, p. 334.
55. Emir Sader (org.), *Gramsci, poder, política e partido*, pp. 62-3.
56. Idem, ibidem, p. 62.
57. Ver Karl Marx e Friedrich Engels, *Obras escolhidas* (vol. 1).

classes dominantes tenha aberto espaço para a "grande personalidade" (Napoleão III) arbitrar o conflito, como "a forma social existente ainda não havia esgotado as suas possibilidades de desenvolvimento", o cesarismo representou a "evolução" do "mesmo tipo de Estado".[58]

O sentido da solução arbitral depende das condições materiais, pois, como também assinala Marx, nada se pode dar a uma classe "sem tirar de outra",[59] ou seja, não existe criação mágica de riqueza. Mas durante o ciclo expansivo do capitalismo, a arbitragem torna-se mais fácil, já que as perdas podem ser compensadas pelos ganhos a distribuir. No lulismo, pagam-se altos juros aos donos do dinheiro *e ao mesmo tempo* aumenta-se a transferência de renda para os mais pobres. Remunera-se o capital especulativo internacional *e* se subsidiam as empresas industriais prejudicadas pelo câmbio sobrevalorizado. Aumenta-se o salário mínimo *e* se contém o aumento de preços com produtos importados. Financia-se, simultaneamente, o agronegócio *e* a agricultura familiar.

Enquanto os meios de pagamento cresçam, cada fração de classe pode cultivar o seu lulismo de estimação. Responsável, apesar de algo populista, para os bancos. Nacionalista, *ma non troppo*, para os industriais. Promotor do emprego, embora precário, para o proletariado. Apoiador do crédito para a agricultura familiar, ainda que relutante quanto a enfrentar o latifúndio, para os trabalhadores rurais. Por isso, o presidente pode pronunciar, para cada uma delas, um discurso aceitável, usando conteúdos diferentes em lugares distintos e, sobretudo, tomando cuidado para que os conflitos não impliquem radicalização e mobilização. Porém, o entusiasmo, capaz de sustentá-lo nos momentos difíceis, como foi o

---

58. Emir Sader (org.), *Gramsci, política e partido*, p. 65.
59. Karl Marx, "O 18 Brumário de Luís Bonaparte", em K. Marx, *A revolução antes da revolução*, p. 334.

"mensalão", o lulismo só vai encontrar em meio ao subproletariado, o que está relacionado ao fato de que, como toda solução arbitral, tem como prioridade atender à própria base, a que garante a sua continuidade. Daí que, de todas as políticas adotadas, a integração do subproletariado seja a decisiva.

Para encontrar fervor lulista, é preciso andar pelo interior do Nordeste e lá conversar com as pessoas comuns, como fez a revista *Época* em setembro de 2010. Dois relatos da repórter são ilustrativos:

[A] Uma pequena amostra da mitificação da imagem de Lula pode ser encontrada na sala recém-mobiliada de Luzimaria Silva Nascimento, de 32 anos, moradora de Caetés, o município-sede da região rural onde o presidente nasceu e viveu até os sete anos de idade. Ela é decorada com dois sofás novos, uma luminária ainda no plástico, um conjunto de mesa de centro, mesa de canto, um armário e um rack que serve de suporte para a TV e o som. Tudo comprado em muitas parcelas ao longo dos últimos anos. A sala foi pintada de três cores: amarelo, lilás e azul. Atrás da TV, em um dos quadros pendurados na parede lilás, vê-se uma fotomontagem com Luzimaria, seu marido, José João do Nascimento, e uma imagem de Lula ao centro. "Para mim, ele é um pai", diz Luzimaria, ao se referir ao presidente. Em 2002, ela prometeu, caso Lula ganhasse a eleição, que subiria de joelhos uma pedra de seiscentos metros. Prometeu e cumpriu. No topo, acendeu um maço de velas. Seu marido, José João, diz que Lula foi emoldurado junto na foto com o casal porque o presidente também teria cumprido sua parte da promessa de melhorar a vida da família. Na casa onde moram com mais cinco pessoas, ainda há cômodos em que as paredes estão descascando e os lençóis são usados como portas. A sala pôde ser equipada porque o preço da comida caiu, a aposentadoria de Nascimento subiu e

Luzimaria passou a ganhar o benefício do programa Bolsa Família
— R$ 80 — para a filha de três anos.[60]

[*B*] Não é apenas a retórica que aproxima os eleitores de Lula. Também há uma identificação com base no gestual e na linguagem corporal do presidente. "Ele tem um cochichado bom", diz Maria Luna, de 92 anos, moradora de Caruaru. Ela vibra quando vê, pela TV, Lula falando no ouvido das pessoas durante os eventos.

"Ele cochicha e dá risada. É assunto particular, segredo dele com o povo." Os olhos brilham quando ela fala do presidente, que ela classifica como "o maior estadista do mundo" e, em momentos mais entusiasmados, "pai celestial". Maria tem uma foto grande de Lula colada na porta de seu quarto. Sobre o oratório, fica a foto do ex-governador Arraes e de sua filha, a deputada federal Ana Arraes (PSB). "Rezo por Lula e Arraes todo dia", diz.[61]

Se a cara do lulismo é a unidade subproletária ao redor do presidente, a coroa é a sua completa rejeição por parte da pequena burguesia, o estrato que por faixa de renda pertence à chamada classe média tradicional, aquela que já conquistou "um patamar confortável de renda" desde a geração anterior.[62] Sensível à argumentação empresarial de que a carga tributária no Brasil é excessiva, a pequena burguesia tende a constituir o esteio de massa dos movimentos por redução de impostos. Em 2009, o Brasil estava com uma carga tributária de 34% do PIB, dois pontos percentuais acima do que era arrecadado no início do governo Lula em 2003.[63] Nesse patamar, o Brasil tinha uma tributação superior à de países

60. Ana Aranha, "O presidente e o mito", *Época*, n. 646, 4 out. 2010, p. 58.
61. Idem, ibidem, pp. 60-1.
62. Amaury de Souza e Bolívar Lamounier, *A classe média brasileira*, p. 21.
63. Ver *Folha de S.Paulo*, 23 maio 2010, p. B13.

ricos como o Canadá (33%) e a Austrália (31%), embora menor que a da Dinamarca (50%) e a da França (45%).[64] A elevação da carga tributária corresponde ao aumento de transferência de renda para as famílias pobres, conforme revelou Nelson Barbosa (ver o item "Receita bruta" no quadro 1 do Apêndice).

Acreditando que o sucesso de Lula foi conquistado com o dinheiro que lhe é tirado pelos impostos, a pequena burguesia reage ao discurso lulista, que lhe soa falso e aproveitador. Afinal, ele bancaria o "bom pai" com recursos alheios. Além disso, o estilo de vida pequeno-burguês é ameaçado pela ascensão do subproletariado. A presença de consumidores populares em locais antes exclusivos, como aeroportos, diminui o *status* relativo de quem antes tinha neles exclusividade. No espaço público, a classe média tradicional brasileira começa a ser tratada como "igual", e não gosta da experiência.

O passado escravocrata do Brasil deu à classe dominante, e à classe média tradicional que nela se espelha, uma profunda ambivalência em relação ao trabalhador. De um lado, há o reconhecimento capitalista da necessidade do trabalho para a existência da acumulação; de outro, a percepção dos trabalhadores como "instrumentos de trabalho", e não como seres humanos. No Brasil, o espírito do capitalismo veio acompanhado de estranha "ética escravagista".[65]

A diminuição de oferta de mão de obra doméstica, em parte porque aumentou o número de postos de trabalho não domésticos e também porque o Bolsa Família cria um piso de remuneração, tem obrigado as famílias da classe média tradicional a perder hábitos oriundos da dualidade típica desse capitalismo escravagis-

64. Idem.
65. A expressão foi usada por Fábio Comparato em comunicação pessoal (São Paulo, 20 jan. 2011).

ta. Jessé Souza introduziu no debate brasileiro a noção de que o trabalho doméstico, executado por membros, em geral femininos, do que ele denomina "ralé", poupa à classe média tempo "que pode ser reinvestido em trabalho produtivo e reconhecido fora de casa".[66] Como se está falando de 7,2 milhões de trabalhadores, geralmente mulheres, que realizam as funções de diaristas, copeiras, empregadas etc.,[67] não se trata de fenômeno marginal. Se considerarmos que, no cômputo de Neri, as classes A e B, somadas, correspondiam a 11% da população brasileira em 2009 (algo perto de 20 milhões de pessoas, por volta de 5 milhões de residências), há mais de um trabalhador doméstico para cada casa da classe média tradicional.

O rendimento dos trabalhadores domésticos subiu 35%, durante o governo Lula, nas seis maiores regiões metropolitanas.[68] Tornou-se mais difícil encontrar empregadas dispostas a tolerar a situação de ausência de horário de trabalho, falta de descanso semanal, inexistência de registro em carteira (só 28% tinham a situação regularizada em 2009). Enfim, a exclusão da condição proletária "normal".[69] A redução da desigualdade observada por meio das estatísticas encontra aqui a sua contrapartida prática, com reflexos políticos. A classe média tradicional reage ao reformismo fraco, suscitando a polarização entre ricos e pobres que substitui a antiga polarização direita/esquerda, que era compatível com a luta de classes no centro do drama político entre 1980 e 2002, mas que agora fica deslocada.

É notável que, nesse contexto, os "grandes" burgueses estejam tranquilos. Para os donos do capital, a situação é confortável. Os

66. Jessé Souza, *A ralé brasileira*, p. 24.
67. Ver *Folha de S.Paulo*, 6 fev. 2011, p. C3.
68. Idem.
69. Idem, p. C1.

balanços das empresas registram lucratividade elevada. Ou seja, para os super-ricos o lulismo não é um incômodo. A experiência internacional indica, segundo Therborn, que a "renda e a riqueza tendem a estar concentradas na ponta do topo. Por exemplo, cerca de metade da renda do decil mais próspero dos norte-americanos foi capturada pelo 1% mais rico".[70] No Brasil, esse 1% mais rico recebe sozinho o equivalente ao apropriado pelos 50% mais pobres![71]

Para eles, as mudanças ocorridas no período Lula não representaram perdas materiais, ao contrário. Pode-se aproveitar o dólar barato para adquirir produtos importados e viagens ao exterior. A proliferação de lojas "exclusivas", templos modernos da estratificação, evita a perda de *status*. Essa, talvez, a explicação de por que ao longo do governo Lula, e em particular durante o "mensalão", a base oposicionista era mais radical que a cúpula. Além disso, *para a burguesia, o reformismo fraco representa um caminho possível, embora não o de sua predileção, para o desenvolvimento do capitalismo no país, sem que a sua posição esteja ameaçada.*

Curiosamente, para o "velho" proletariado, os avanços do governo Lula no combate à pobreza também representam um poderoso atrativo, pois vão ao cerne do problema histórico da classe trabalhadora no Brasil. Ao analisar a obra de Caio Prado Jr., o historiador Lincoln Secco aponta para a singularidade de termos sido desde sempre capitalistas, mas de um tipo de capitalismo que deixou "a massa que formara a população do território" desintegrada da atividade econômica principal, "mantendo--se à margem do setor de exportação e vivendo de atividades acessórias intermitentes",[72] mesmo que elas sejam funcionais para o singular capitalismo brasílico, como mostrou Oliveira na

---

70. Göran Therborn (ed.), *Inequalities of the world*, p. 28.
71. Amir Khair, "Entraves ao desenvolvimento", *O Estado de S. Paulo*, 4 jul. 2010.
72. Lincoln Secco, *Caio Prado Jr. O sentido da revolução*, p. 233.

crítica à razão dualista. A existência dessa massa "formada, fundamentalmente, por africanos trazidos para cá como escravos"[73] foi determinante para a existência de uma espécie de superexército industrial de reserva permanente. Marx indica o caráter estratégico do exército industrial de reserva para o capital: "Se uma superpopulação operária é o produto necessário da acumulação e do desenvolvimento da riqueza sobre uma base capitalista, esta superpopulação se converte, por sua vez, em alavanca da acumulação capitalista e inclusive em *condição de existência do modo capitalista de produção*".[74]

É o tamanho do exército industrial que garante ao capital a possibilidade de rebaixar os salários e aumentar a jornada de trabalho. O tamanho da sobrepopulação trabalhadora superempobrecida permanente no Brasil deixa a fração do proletariado que está integrada aos setores dinâmicos da economia à mercê do capital. De tal sorte que o desafio do proletariado brasileiro sempre foi o de estabelecer uma aliança com o subproletariado, formando um movimento de maioria nacional sob a sua liderança. O lulismo não realizou esse sonho, uma vez que optou pelo reformismo fraco, mas, como está levando o subproletariado para dentro do proletariado, diminuindo o escopo do exército industrial de reserva, produzirá uma modificação estrutural, se tiver duração suficiente para isso, que ao fim e ao cabo legará uma massa trabalhadora compactada e não mais dividida em duas alas separadas. Sinal de que essa mudança está em curso é o fato de 89% das negociações salariais conduzidas em 2010 terem produzido reajustes acima da inflação, trazendo

73. Caio Prado Jr., "É preciso deixar o povo falar", conforme citado em L. Secco, *Caio Prado Jr. O sentido da revolução*, p. 231.
74. Karl Marx, *El capital*, Livro 1, cap. 23, p. 786. Original em espanhol, tradução minha.

ganhos reais para os trabalhadores, que, na indústria, foram de 4,3% em média.[75]

Mas será mesmo compacta a massa trabalhadora do futuro? Uma das previsões relevantes sobre o futuro é a de saber qual inserção produtiva e qual conduta política terá o "novo proletariado". Na literatura até agora produzida a respeito, podem-se divisar duas apostas, e nenhuma delas prevê a retomada dos padrões típicos do antigo proletariado. Uma corrente pensa na integração aos padrões da classe média tradicional. A partir do crescimento da classe C, Marcelo Neri chega a sugerir que a metáfora adequada para descrever o Brasil deixou de ser a Belíndia, de Edmar Bacha, e passa a ser a Belpérdia. Para ele, surgiu um país intermediário, do tamanho do Peru, entre a pequena Bélgica da classe média tradicional (cerca de 20 milhões de habitantes) e a declinante Índia das classes D e E (hoje em torno de 70 milhões de habitantes).[76] Conforme se discutiu no capítulo precedente e de acordo com as pesquisas conduzidas por Neri à frente do CPS/FGV, a classe C, formada por indivíduos com renda domiciliar (de todas as fontes) entre 1126 e 4854 reais (a preços de 2009 na Grande São Paulo), pulou de 38% da população, em 2003, para 50% em 2009.[77] É o enorme contingente da classe C, com quase 100 milhões de habitantes, que constituiria o "terceiro país" da realidade brasileira.

Como se comporta a camada emergente? Como segmento que vem, por ascensão, das classes D e E, ou seja, dos pobres, chega ansiosa por consumir. Celulares, viagens, computadores, casas e carros: há uma febre de compras a crédito. O estudo feito por Sou-

75. Ver editorial "Emprego em alta", *Folha de S.Paulo*, 23 mar. 2011, p. A2.
76. Ver Marcelo Neri, "Desigualdade, estabilidade e bem-estar social", em Ricardo Paes de Barros et al., *Desigualdade de renda no Brasil: uma análise da queda recente*, vol. 1.
77. Marcelo Neri, *A nova classe média: o lado brilhante dos pobres*, p. 31.

za e Lamounier dá ênfase ao último ponto: "Endividando-se além do que lhes permitem os recursos de que dispõem, as famílias situadas nesse patamar defrontam-se com um risco de inadimplência que passa ao largo das famílias de classe média estabelecida".[78]

Souza e Lamounier detectaram acentuada preocupação dos entrevistados com a sustentabilidade da condição alcançada, temor de perda do emprego ou liquidação do negócio próprio. O investimento em pequenos empreendimentos parece ser prática disseminada no grupo, embora Souza e Lamounier tenham captado uma série de obstáculos ao empreendedorismo no país, como a ausência de crédito e de conhecimento técnico, carga tributária elevada e a mentalidade estatista brasileira, formando um ambiente negativo para o desabrochar da iniciativa privada.

A segunda visão é a de Jessé Souza. Ele busca problematizar a denominação "nova classe média" para designar o segmento que vem ascendendo nos últimos anos. A partir de estudos de caso, Jessé Souza chega à conclusão de que a melhor nomenclatura para o grupo é "nova classe trabalhadora". O que as histórias de vida coletadas no seu levantamento demonstram é que esses brasileiros trabalham incansavelmente. O trabalho duro, por até catorze horas diárias, que caracteriza os entrevistados, o leva a pensar em "novos trabalhadores" — que apelida de "batalhadores".

Curiosamente, apesar das profundas divergências entre as duas maneiras de enxergar o fenômeno, há algo em comum entre elas. Embora na primeira a centralidade esteja no consumo, e na segunda, recaia sobre o trabalho, em nenhum dos casos se vislumbra integração ao processo de luta coletiva, típica do período industrial. Jessé argumenta que o atual capitalismo financeiro necessita de um trabalhador diferente daquele criado pelo fordista, "que se punha dentro de uma fábrica e se vigiava o tempo todo". A busca

---

78. Amaury de Souza e Bolívar Lamounier, *A classe média brasileira*, p. 158.

pelo aumento da renda do capital teria levado ao corte de custos com vigilância, criando-se a ilusão de que cada um seria empresário de si mesmo.[79] Os "batalhadores" seriam vítimas dessa fantasia, "superexplorando-se" por conta própria, em jornadas tão ou mais extenuantes do que se estivessem sob o olhar de um gerente.

Embora Jessé pense que a classe trabalhadora antiga, fordista, não vá desaparecer, entende que a "nova" classe trabalhadora ficará fragmentada "em inúmeras unidades produtivas sob a forma de oficinas, indústrias de fundo de quintal, trabalho autônomo, pequena propriedade familiar e redes de produção coletiva".[80] Significa que tanto Souza e Lamounier quanto Jessé Souza vislumbram os emergentes mais vinculados ao empreendedorismo do que ao sindicalismo.[81]

O que está em jogo aqui é o desenho do capitalismo brasileiro sob o lulismo. O tema da desindustrialização, abordado no capítulo 3, por exemplo, definirá em parte o caráter do proletariado brasileiro deste século, sem esquecer que o futuro do trabalho, naquilo que Robert Castel chama de "capitalismo pós-industrial",[82] constitui assunto atual de pesquisa ao redor do planeta. Para os que desejam entender o rol que caberá à luta de classes, trata-se de agenda imprescindível, pois ela deverá esclarecer quais são as classes em luta e quais os seus interesses.

79. Jessé Souza, *Os batalhadores brasileiros*, pp. 323-4.
80. Idem, ibidem, p. 325.
81. Quando a redação deste livro já estava por ser concluída, surgiram dois novos livros sobre o assunto, sem que pudessem ser incorporados à argumentação. Um do próprio Marcelo Neri, *A nova classe média: o lado brilhante da base da pirâmide* (São Paulo: Saraiva, 2012). O segundo de Marcio Pochmann, *Nova classe média? O trabalho na base da pirâmide social brasileira* (São Paulo: Boitempo, 2012).
82. Ver Robert Castel, *El ascenso de las incertidumbres. Trabajo, protecciones, estatuto del individuo.*

Em todo caso, estaríamos diante do nascimento de uma fração de classe, quem sabe um novo proletariado, como quer que ele seja caracterizado nas condições do capitalismo globalizado, o que revela a potência do reformismo em curso, ainda que, paradoxalmente, fraco. Ou seja, embora "fraco", esse reformismo aponta para transformações estruturais, desde que se prolongue o suficiente no tempo. Devido ao deslocamento da luta de classes, que o caráter passivo do reformismo fraco impõe, esse proletariado lulista emerge num ambiente ideológico em que direita e esquerda foram reduzidas a vozes de fundo. "Direita" e "esquerda" são a expressão democrática da luta de classes, não do confronto entre ricos e pobres, daí a mudança dos termos do debate público.

À direita, o deslocamento dos eleitores do interior do Nordeste em direção ao lulismo e ao PT esvaziou o Democratas, antigo PFL, herdeiro do conservadorismo que apoiou o golpe de 1964 e sustentou a ditadura. Ao tirar-lhe sustentação, o lulismo tornou irrelevante um dos esteios do projeto neoliberal para o Brasil. A proposta de expansão do mercado, com a desregulamentação de áreas crescentes da vida social, ficou restrita, num primeiro momento, ao PSDB, cujo suporte nas classes médias urbanas não foi erodido pelo lulismo, ao contrário, viu-se reforçado por ele. Ao PSDB, que a partir do governo Fernando Henrique se fez o depositário das esperanças da burguesia, com o capital financeiro à frente, de engatar o país na corrente do capitalismo globalizado, caberia empunhar sozinho a bandeira da liberalização.

No entanto, o realinhamento obriga o PSDB a aproximar-se eleitoralmente do lulismo para continuar a ser opção majoritária. Além do mais, conforme mostraram Fernando Limongi e Rafael Cortez,[83] o sistema brasileiro tende a se bipartidarizar e, nesse

---

83. Fernando Limongi e Rafael Cortez, "As eleições de 2010 e o quadro partidário", *Novos Estudos*, n. 88, dez. 2010.

contexto, os partidos convergem para o centro, como a ciência política comprovou há tempos.[84] No caso em pauta, cabe ao PSDB praticar um "transformismo popular". Uma rápida visão da disputa presidencial de 2010 ilustra o ponto.

No início da sua campanha, José Serra propôs política social mais audaciosa que a de Lula: duplicação do Bolsa Família, que passaria a atender 25 milhões de famílias em lugar de 12,5 milhões, e aumento real de 10% no salário mínimo em 2011, em vez de adiá-lo para 2012 como estava previsto pela política estabelecida nos anos anteriores. Ao fazer esse giro, Serra precisou submergir a plataforma liberal que o partido construíra no período FHC, deixando sem representação a pequena burguesia inconformada com a ascensão do subproletariado, assim como a burguesia neoliberal.

Houve, contudo, um dado surpreendente. A candidatura de Marina Silva, apresentada pelo pequeno Partido Verde, com pouquíssimo espaço na TV, empolgou fatia da seara tucana, em particular os jovens de classe média, e até franjas do eleitorado popular, menos lulista, que existe fora do Norte/Nordeste. Marina ocupou, de repente, o terreno ao centro que Serra pretendia agregar às suas hostes. Em decorrência, Serra foi empurrado de volta para a direita e assumiu temas que estavam ausentes no início da campanha, como o do corte de impostos e o da corrupção, que funcionam como senhas da crítica ao fortalecimento do Estado no lulismo. O caráter errático da campanha do PSDB impediu que Serra oficializasse programa no primeiro turno, terminando o escrutínio inicial com menos votos do que Alckmin em 2006: 33% dos votos válidos para Serra em 2010 contra 42% para Alckmin em 2006.

No segundo turno, livre da sombra de Marina, Serra tentou recuperar o tom (e os votos) com algum êxito. O seu programa de

84. Ver, a respeito, Giovanni Sartori, *Partidos e sistemas partidários.*

governo, finalmente lançado nos últimos dias de campanha, critica o governo Lula por manter os juros "desnecessariamente elevados e o câmbio excepcionalmente apreciado, para alegria dos especuladores e sofrimento da indústria e da agricultura nacionais". Isto é, retoma a tentativa de contornar o lulismo pela esquerda. Ao mesmo tempo, o programa afirma que José Serra "foi um dos mentores do tripé de responsabilidade fiscal, sistema de metas e câmbio flutuante", o qual deveria ser mantido em nome de garantir a estabilidade da economia brasileira. Como se sabe que os juros elevados e o câmbio apreciado são o resultado desse tripé, a solução proposta para a contradição é a mesma do lulismo: "regular a dosagem entre as políticas monetária, cambial e fiscal".[85] Em outras palavras, encontrar os equilíbrios possíveis entre os interesses opostos na forma da arbitragem praticada pelo reformismo fraco. Portanto, outra vez, a plataforma da direita, de desregulamentação e aceleração do moinho satânico, perdeu o porta-voz que lhe restava na arena partidária, a saber, o PSDB, que voltou a se aproximar do lulismo.

O resultado do segundo turno mostrou que, na vigência do realinhamento de 2002-06, esse é um caminho mais rentável para o PSDB. Serra teve no segundo pleito em 2010 um desempenho maior que o de Alckmin em 2006, passando de 39% (Alckmin) para 44% (Serra) dos votos válidos. De modo a permanecer um partido eleitoralmente competitivo, o PSDB terá que disputar os setores em ascensão, assim como as correntes do subproletariado menos fascinadas pelo lulismo. Embora continue a ser, mesmo que por exclusão, o partido da burguesia e da pequena burguesia, o PSDB não poderá vocalizar plenamente o seu núcleo enquanto

---

85. *Programa de governo José Serra. Uma agenda para o desenvolvimento sustentável do Brasil,* em <http://serra45.podbr.com/downloads/Programa-de-Governo--Jose-Serra.pdf>, consultado em 13 mar. 2011.

durar o realinhamento lulista. Terá que se apresentar como o continuador ético do reformismo fraco. Não é ocioso registrar que, do ponto de vista ideológico, o PSDB explica a sua adesão ao neoliberalismo como típica opção social-democrata, aquela alinhada com a terceira via de Tony Blair e Bill Clinton. O que, de fato, corresponde à conversão ocorrida com alguns velhos partidos progressistas na década de 1990, como o Labour inglês. Encontra nessa associação um álibi para aproximar-se do reformismo fraco.

É interessante, a respeito, a percepção de Jessé Souza, para quem a análise que vê o surgimento de uma "nova classe média" está a serviço de construção ideológica que visa integrar os setores ascendentes, graças ao lulismo, à esfera de influência do partido que encarna a "velha classe média", o PSDB.[86] "Se possível, tenta-se também passar a ideia de que essa 'nova classe média' é produto apenas da política monetária e de privatizações do governo FHC."[87] Claro que, para unificar a sua base, o PSDB precisará convencer a "antiga classe média" de que o movimento de ascensão da "nova classe média" é bom, diminuindo, *por razões eleitorais, a polarização social existente*. Em suma, terá que ocorrer um duplo movimento: o novo proletariado precisará orientar-se para soluções de mercado e o partido da velha classe média precisará abrir-se para o "popular".

Até o PMDB, cujo pragmatismo lhe permitiu apoiar tanto o neoliberalismo de FHC quanto o reformismo fraco de Lula, acordou para as transformações em curso e protocolou, em 2010, um programa partidário em tom popular para a recente fase do país. O texto, corredigido pelo inspirador da pesquisa conduzida por Jessé Souza, o filósofo Roberto Mangabeira Unger, dedica uma

---

86. Ver Jessé Souza, *Os batalhadores brasileiros*, pp. 45-6.
87. Idem, ibidem, p. 46.

parte importante do seu espaço a defender medidas que possam auxiliar os "batalhadores brasileiros", apoiando o esforço individual destes em se inserir e vencer no mercado.

O documento propõe a desoneração sobre a folha de salários, de modo a baratear o custo de mão de obra para o capital e assim aumentar o número de postos de trabalho; a construção de uma segunda CLT, para regular o setor informal da economia, sem alimentar a expectativa de que ele venha a se integrar ao universo de direitos do antigo proletariado; a extensão do ProUni "aos níveis fundamentais e médios de ensino", a fim de dar aos alunos de extração social mais baixa chance de ter acesso às escolas de excelência, hoje privadas; para a escola pública, entende que "a única solução é implantar sistemas baseados na meritocracia".[88]

Essas proposituras, que visam aplainar a caminhada dos "batalhadores" dentro do mercado, integram-se ao *éthos* capitalista do programa do PMDB. Formulado também pelo ex-presidente do Banco Central Henrique Meirelles (que posteriormente deixou o PMDB pelo PSD, em outubro de 2011) e pelo ex-ministro Delfim Netto, o texto assume, em várias passagens, o papel de porta-voz do capital, que em tese caberia ao PSDB, mas do qual este precisa se distanciar pelas razões eleitorais que mencionei. O PMDB compromete-se explicitamente a "dar pleno apoio à autonomia real para o Banco Central", embora "sem formalização em lei, tal como ocorre hoje".[89] Defende ainda regra para contenção dos gastos públicos, criando "um limite para crescimento do gasto público de no máximo dois pontos percentuais abaixo do crescimento do PIB".[90] Por

88. PMDB, *Um programa para o Brasil. Tem muito Brasil pela frente*, em <http://PMDB.org.br/downloads/bibliotecas/proposta_pmdb.pdf>, consultado em 13 mar. 2011.
89. Idem, p. 4.
90. Idem, p. 35.

fim, a partir da constatação de "que o sistema previdenciário brasileiro é muito caro", afirma que "a discussão sobre a reforma da Previdência é urgente".[91]

Ao fazer-se portador das preocupações do capital, o PMDB bloqueou, dentro da coligação que acabou vitoriosa em 2010, o avanço das correntes que procuravam intensificar o reformismo lulista. O PT, ainda habitado por uma ala minoritária, mas expressiva, que pensa nos termos do reformismo forte, conforme creio ter demonstrado no capítulo 2, aprovou nas diretrizes para o governo Dilma o "compromisso com a defesa da jornada de trabalho de quarenta horas semanais, sem redução de salários" e uma "reforma tributária que [...] dê continuidade aos avanços obtidos na progressividade, valorizando a tributação direta, especialmente sobre as grandes fortunas". Tocava, dessa maneira, em dois pontos-chave a favor do trabalho: a limitação do tempo em que este fica à disposição do capital e a tributação dos capitalistas com vistas a financiar o Estado de bem-estar social. A incompatibilidade entre os programas apresentados pelo PMDB e pelo PT parece ter tornado impossível a síntese, levando a coligação que apoiou Dilma a também evitar a divulgação de programa oficial da candidata no primeiro turno, rompendo tradição que remontava à primeira campanha de Lula em 1989. Como o lulismo precisa equilibrar os interesses do capital e do trabalho a cada volta da conjuntura, sem poder transformar a experiência prática em modelo doutrinário, é funcional ter *dentro do governo* o confronto entre capital e trabalho, prestando-se o PMDB ao papel de defender os interesses do capital. O PMDB lidera um bloco de partidos de direita que buscam, no interior do lulismo, anular a influência de correntes à esquerda ainda existentes no PT.

A cinco dias do segundo turno (quase como Serra), a candi-

---

91. Idem, pp. 35-6.

datura Dilma apresentou "13 compromissos programáticos", fruto de consenso entre as legendas que a apoiavam.[92] Desse consenso ficaram previsivelmente fora propostas mais caras tanto à classe trabalhadora, como redução da jornada de trabalho e tributação das fortunas, quanto ao capital, como o apoio à autonomia do Banco Central e a reforma trabalhista. O consenso se deu em torno de manter o crescimento econômico com estabilidade e erradicar a pobreza absoluta (que na prática deverá ser a pobreza extrema). Destaque-se a observação de que "os programas sociais são o reconhecimento de direitos da cidadania e não medidas 'assistenciais' como querem nossos adversários".[93] Com o programa de consenso, para efeito do debate público, assim como deixou de existir uma direita relevante, igualmente deixou de haver uma esquerda relevante. Com isso, a voz anticapitalista, nas eleições, ficou reduzida à candidatura de Plínio de Arruda Sampaio, do PSOL, que terminou com 1% dos votos válidos.

Embora o PT, na Resolução Política do Congresso Nacional Extraordinário (etapa da reforma estatutária), em setembro de 2011, tenha retomado a linguagem e as propostas de esquerda, afirmando que "a questão dos juros e do câmbio precisa ser enfrentada com medidas mais ousadas" e voltasse a propor a redução da jornada para quarenta horas e o aumento "da taxação sobre as fortunas, sobre as heranças e sobre os lucros", essas posições tiveram escassa repercussão pública.[94] Na prática, o partido é mais

92. <G1.globo.com/especial/eleições-2010/noticia/2010/Dilma-lanca-documento-com-13-diretrizes-de-governo.html>, consultado em 10 abr. 2012.
93. Ver compromisso 5 dos *13 compromissos programáticos de Dilma Rousseff para debate na sociedade brasileira* em <mais.uol.com.br/view/n8doj4q93lke/os-13-compromissos-programaticos-de-dilma-roussef-0402983260C4A193C6?types=A>, consultado em 10 abr. 2012.
94. <www.pt.org.br/dowloads/categoria/resolucoes_do_4_congresso>, consultado em 10 abr. 2012.

identificado pela defesa da expansão do mercado interno e da ampliação do mercado de trabalho; da transferência de renda, com a apresentação ao Congresso Nacional do projeto de lei da Consolidação das Leis Sociais, que pode avançar no sentido da renda mínima (ainda que até a conclusão deste livro ele não tenha sido enviado ao Parlamento pelo governo Dilma); do aumento real do salário mínimo, que dá cobertura previdenciária a quase 19 milhões de brasileiros e determina a remuneração de quase 50 milhões de trabalhadores;[95] da expansão do crédito popular, fazendo fluir o financiamento para setores antes desprovidos dele; da destinação do dinheiro do pré-sal para um fundo soberano com finalidade social. Enfim, a plataforma do subproletariado que os governos Lula e Dilma têm levado adiante.

A conversão da segunda alma do PT ao lulismo e seu correspondente ideológico, o desenvolvimento de um capitalismo popular, deixou vazio o lugar do anticapitalismo, hoje disputado por pequenas siglas como o PSOL e o PSTU, já que a esquerda do PT tem impacto dentro do partido, mas pouco fora dele. Essa situação carrega um paradoxo: o de que a esquerda no Brasil ganhou e perdeu, ao mesmo tempo, com a ascensão do lulismo. No momento em que um projeto reformista, mesmo fraco, avança na redução da sobrepopulação trabalhadora superempobrecida permanente, aumentando o contingente proletário, a luta ideológica parece recuar para um estágio anterior ao conflito capital/trabalho.

Certa hegemonia capitalista que o lulismo consolida no país se combina com o panorama geral vivido pela esquerda neste início do século XXI. A mudança eleitoral mundial, que começa no Reino Unido em 1979 e depois se espalhará pelas democracias avançadas, em ritmos e combinações diferentes, determinou o recuo contínuo da esquerda até deixá-la reduzida a pequenos gru-

95. Dados do governo federal, segundo a *Folha de S.Paulo*, 17 fev. 2011, p. A4.

pos, com baixa capacidade decisória. Nesse período, que já dura cerca de trinta anos, surfando sobre a maré montante de maiorias eleitorais, o capital impôs as condições da luta de classes e conquistou uma liberdade que resultou na desregulamentação dos fluxos financeiros e na transferência de enormes porções da atividade econômica para lugares do planeta onde a mão de obra pode ser superexplorada. O consenso neoliberal foi simbolizado pela autonomia dos bancos centrais, que funcionam como um governo paralelo sob orientação do mercado e fora do controle democrático da sociedade.

No Brasil, como na Índia, na China e na África do Sul, forma-se um novo proletariado, enquanto na Europa e nos EUA ele se desintegra. Embora o capitalismo possa ser pós-industrial no centro, na periferia ainda gira ao redor da indústria. Os conflitos "fordistas" que começam a aparecer em países emergentes como a China são reflexo disso. Aplicando-se em outro contexto, a observação de Tocqueville segundo a qual as revoluções tendem a ocorrer quando as coisas "estão melhores", e não quando "vão muito mal",[96] deve-se imaginar que o novo proletariado brasileiro, beneficiado pela ascensão lulista, passe a fazer reivindicações.

Mas quais serão as formas e o conteúdo dessas demandas? Com a esquerda em retrocesso e as religiões evangélicas em avanço, há muito para pesquisar a respeito. Algumas indicações dão conta de que os grupos ascendentes chegam a patamar social superior imbuídos de religiosidade distinta da que envolvia o "antigo proletariado". Enquanto este era majoritariamente católico, com uma interessante presença das Comunidades Eclesiais de Base, o atual é influenciado por diversas denominações evangéli-

---

96. Ver Raymond Aron, Main currents in sociological thought (vol. 1), p. 270. Agradeço ao professor Gabriel Cohn ter lembrado a observação de Tocqueville em debate no IEA/USP, mar. 2010.

cas pentecostais e neopentecostais. Para descrevê-los, Rudá Ricci recorre à noção de Richard Sennett sobre a ideologia da intimidade para falar de grupos que tendem a restringir "sua participação em eventos da própria organização confessional".[97] Igualmente Jessé Souza afirma que Mangabeira Unger foi dos primeiros a perceber "a importância das novas formas de religiosidade popular na conformação" da classe emergente.[98]

As características ambíguas do proletariado recém-surgido abrem terreno de disputa partidária interessante, pois em cima da despolarização entre direita e esquerda aparece outra polarização. Ancorado na classe média, o PSDB procurará mostrar-se como o partido que tem os melhores quadros para estimular o mercado a atender aos desejos de consumo do proletariado emergente. Enraizada entre os pobres, a segunda alma do PT levará o partido a se apresentar como aquele que põe o Estado ao lado do "batalhador brasileiro". Se, em face do que foi o combate entre esquerda e direita nos anos 1980 e 1990, o embate soa como uma polaridade débil é porque são tempos de reformismo fraco. Mas, ainda que tênue, ele poderá colocar, se tiver a durabilidade prevista neste livro, as contradições brasileiras em degrau superior àquele que conteve a história do país até o início do século XXI.

97. Rudá Ricci, *Lulismo*, p. 80.
98. Jessé Souza, *Os batalhadores brasileiros*, p. 328.

Apêndice

TABELA 1:

TAXA DE ABSTENÇÃO NAS ELEIÇÕES 2002-10

ELEIÇÃO	ABSTENÇÃO
1989/1º Turno	12%
1989/2º Turno	14%
1994/1º Turno	18%
1998/1º Turno	22%
2002/1º Turno	18%
2002/2º Turno	21%
2006/1º Turno	17%
2006/2º Turno	19%
2010/1º Turno	18%
2010/2º Turno	22%

Fontes: Para 1989 e 1994, TSE, via André Singer, *Esquerda e direita no eleitorado brasileiro*. São Paulo: Edusp, 2000, pp. 63, 66 e 99. Para 1998, TSE, via David Fleischer et al. "Eleições 98 no Brasil e na Alemanha". *Papers*, n. 35, São Paulo, Fundação Konrad-Adenauer, 1998. Para 2002 e 2006, TSE. Para 2010, *Folha de S.Paulo*, 6 out. 2010, p. *Especial* 7 (primeiro turno de 2010), e *Folha de S.Paulo*, 1 nov. 2010, p. *Especial* 15 (segundo turno de 2010).

TABELA 2:

INTENÇÃO DE VOTO POR RENDA FAMILIAR MENSAL NO
SEGUNDO TURNO DE 1989

	ATÉ 2 SM	+ DE 2 a 5 SM	+ DE 5 a 10 SM	+ DE 10 SM
Collor	51%	43%	40%	40%
Lula	41%	49%	51%	52%
Nenhum/BR/Nulo/ Não sabe/Não opinou	8%	8%	9%	8%
TOTAL	100%	100%	100%	100%

Fonte: Ibope. Pesquisa com amostra nacional de 3650 eleitores realizada entre 13 e 16 de dezembro de 1989, via André Singer, "Collor na periferia: a volta por cima do populismo?", em B. Lamounier (org.), *De Geisel a Collor, o balanço da transição*. São Paulo: Sumaré, 1990, p. 137.

TABELA 3:

CONCORDÂNCIA/DISCORDÂNCIA COM O USO DE TROPAS CONTRA
GREVES POR RENDA FAMILIAR MENSAL, 1990

	ATÉ 2 SM	+ DE 2 a 5 SM	+ DE 5 a 10 SM	+ DE 10 SM	+ 20 SM	TOTAL
Concorda	41,6%	24,3%	15,7%	15,7%	8,6%	25,7%
Discorda	49,2%	63,9%	72,1%	70,1%	73,6%	62,5%
Depende	4,4%	8,1%	9,7%	13,4%	13,4%	8,4%
Não sabe	4,8%	3,7%	2,5%	0,7%	4,3%	3,5%
TOTAL	100%	100%	100%	100%	100%	100%*

Fonte: Cultura Política (Consórcio USP/Cedec/Datafolha), pesquisa realizada com amostra nacional de 2480 eleitores em março de 1990, conforme André Singer, "Ideologia e voto no segundo turno da eleição presidencial de 1989". Dissertação de mestrado, Departamento de Ciência Política/USP, 1993, p. 71.

* Pequenas variações no total correspondem ao arredondamento das porcentagens.

TABELA 4:

RECONHECIMENTO DE QUE O GOVERNO DEVE INTERVIR MAIS NA ECONOMIA POR AUTOLOCALIZAÇÃO NA ESCALA ESQUERDA-DIREITA, 1993

	ESQ.	2	3	4	5	6	7	8	9	DIR.	TOTAL
Concorda											
(1)	59,7%	58,9%	59,0%	43,7%	42,2%	50,9%	61,3%	64,4%	67,4%	68,1%	57,4%
(2)	11,2%	15,0%	13,8%	18,2%	20,0%	20,6%	18,1%	15,6%	16,2%	12,6%	16,6%
(3)	3,4%	8,7%	8,6%	12,4%	6,9%	8,6%	3,8%	5,9%	6,5%	2,3%	6,6%
Discorda											
(4)	25,8%	17,5%	18,5%	25,7%	30,9%	19,9%	16,8%	14,0%	9,9%	17,1%	19,5%
TOTAL	100%	100%	100%	100%	100%	100%	100%	100%	100%	100%	100%*

Fonte: Cultura Política (Consórcio USP/Cedec/Datafolha), pesquisa com amostra nacional de 2499 eleitores realizada em março de 1993, conforme André Singer, *Esquerda e direita no eleitorado brasileiro*. São Paulo: Edusp, 2000, p. 188.

* Pequenas variações no total correspondem ao arredondamento das porcentagens.

TABELA 5:

VOTO NO PRIMEIRO TURNO POR LOCALIZAÇÃO NO

ESPECTRO IDEOLÓGICO, 2002

	ESQUERDA	CENTRO	DIREITA	TOTAL
Lula	66%	52%	50%	53%
Serra	10%	17%	19%	16%
Garotinho	9%	12%	13%	12%
Ciro	5%	11%	7%	8%
Outros/BR/Nulo/ Não lembra/Não votou	9%	8%	9%	11%
TOTAL	100%	100%	100%	100%*

Fonte: Criterium Avaliação de Políticas Públicas, Pesquisa pós-eleitoral com amostra nacional de 2291 eleitores realizada em novembro de 2002. Obs.: As posições na escala de 1 a 7 foram assim agrupadas: esquerda = 1 e 2; centro = 3, 4 e 5; direita = 6 e 7. Dados cedidos por Gustavo Venturi.

* Pequenas variações no total correspondem ao arredondamento das porcentagens.

TABELA 6:

VOTO NO PRIMEIRO TURNO DE 2006 POR LOCALIZAÇÃO NO

ESPECTRO IDEOLÓGICO

	ESQUERDA	CENTRO	DIREITA	TOTAL
Lula	62%	49%	63%	55%
Alckmin	19%	28%	20%	24%
Heloísa Helena	5%	5%	3%	4%
Cristovam	1%	3%	1%	2%
Outros/BR/Nulo/Não lembra/ Não votou/Não respondeu	14%	16%	12%	15%
TOTAL	100%	100%	100%	100%

Fonte: Criterium Avaliação de Políticas Públicas. Pesquisa pós-eleitoral com amostra nacional de 2400 eleitores realizada em novembro de 2006. Obs.: As posições na escala de 1 a 7 foram assim agrupadas: esquerda = 1 e 2; centro = 3, 4 e 5; direita = 6 e 7. Dados cedidos por Gustavo Venturi.

TABELA 7:

PREFERÊNCIA PARTIDÁRIA (RESPOSTA ESPONTÂNEA E ÚNICA),

1989-2010

	1989	1994	1996	1998	2002	2005	2006	2007	2010
PT	12%	13%	13%	12%	21%	16%	19%	21%	24%
PMDB	19%	18%	13%	12%	8%	5%	7%	10%	6%
PSDB	1%	3%	4%	4%	4%	8%	5%	5%	6%
PFL/DEM	6%	4%	4%	5%	4%	4%	3%	2%	1%

Fontes: Datafolha. Abril de 1989, fevereiro de 1994, junho de 1996, setembro de 1998 e outubro de 2002, via Y. S. Carreirão e M. D. Kinzo, "Partidos políticos, preferência partidária e decisão eleitoral (1989/2002)", *Dados*, vol. 47, n. 1, 2004, pp. 144-5; dezembro de 2005, via G. Venturi, "PT 30 anos: crescimento e mudanças na preferência partidária, impacto nas eleições de 2010", *Perseu*, n. 5, segundo semestre de 2010; janeiro de 2006, março de 2007, dados cedidos pelo Cesop (Unicamp); março de 2010, via <www.datafolha.com.br>, consultado em 29 jun. 2010.

TABELA 8:

PREFERÊNCIA PELO PT POR ESCOLARIDADE, 1989-2010

	1º GRAU/ FUNDAMENTAL	ENSINO MÉDIO	ENSINO SUPERIOR	TOTAL
1998	8%	17%	20%	12%
2000	12%	21%	24%	15%
2002	17%	28%	29%	22%
2006	18%	20%	22%	19%
2007	19%	23%	18%	21%
2010	20%	27%	24%	24%

Fonte: Datafolha. Setembro de 1998, junho de 2000, via Y. S. Carreirão e M. D. Kinzo, "Partidos políticos, preferência partidária e decisão eleitoral (1989/2002)", *Dados*, vol. 47, n. 1, 2004, pp. 148-9. Setembro de 2002, janeiro de 2006 e março de 2007, via Cesop (Unicamp); março de 2010, via <www.datafolha.com.br>, consultado em 24 abr. 2010.

TABELA 9:

NÚMERO DE DEPUTADOS FEDERAIS ELEITOS PELO PT POR

REGIÃO DO PAÍS, 1982-2010

	SUL	SUDESTE	NORDESTE	NORTE	CENTRO--OESTE	TOTAL
1982	-	8	-	-	-	8
1986	2	14	-	-	-	16
1990	8	19	2	4	2	35
1994	12	24	7	2	4	49
1998	13	26	9	5	5	58
2002	19	37	17	10	8	91
2006	14	30	23	10	6	83
2010	17	30	24	10	7	88

Fontes: 1982-2002, Jairo Nicolau, *Dados eleitorais do Brasil*, via V. A. de Angelo e M. A. Villa (orgs.), *O Partido dos Trabalhadores e a política brasileira* (*1980-2006*). São Carlos: EdUFSCar, 2009, p. 118. Para 2006, Jairo Nicolau, "Dados eleitorais do Brasil (1982-2006)", via <jaironicolau.iesp.uerj.br/jairo2006/port/cap2/cadeiras/cap2_2006html>, consultado em 5 abr. 2012. Para 2010, <http://eleicoes.uol.com.br/2010/raio-x/deputados-federais-eleitos/>, consultado em 3 abr. 2012.

TABELA 10:

INTENÇÃO DE VOTO POR RENDA FAMILIAR

MENSAL NO PRIMEIRO TURNO DE 2002

	ATÉ 2 SM	+ DE 2 a 5 SM	+ DE 5 a 10 SM	+ DE 10 SM	TOTAL
Lula	43%	46%	50%	50%	46%
Serra	19%	20%	17%	22%	19%
Garotinho	17%	16%	14%	8%	15%
Ciro	11%	11%	12%	14%	11%

Fonte: Datafolha. Pesquisa com amostra nacional realizada em 27 de setembro de 2002.

TABELA 11:

VOTO POR REGIÃO NO PRIMEIRO TURNO DE 2010 (EM MILHÕES)

	SUL	SUDESTE	NORDESTE	NORTE	CENTRO--OESTE	BRASIL
Dilma	6,7	18,3	15,9	3,7	2,9	47,6
Serra	6,9	15,4	5,6	2,4	2,8	33,1
Marina	2,2	10,3	4,2	1,3	1,5	19,6

Fonte: TSE, via *Folha de S.Paulo*, 5 out. 2011, *Especial Eleições 2010*, p. 9.

TABELA 12:

VOTOS VÁLIDOS POR REGIÃO NO SEGUNDO TURNO DE 2010 (EM %)

	SUL	SUDESTE	NORDESTE	NORTE	CENTRO--OESTE
Dilma	46%	52%	71%	57%	49%
Serra	54%	48%	29%	43%	51%
TOTAL	100%	100%	100%	100%	100%

Fonte: TSE, via *Folha de S.Paulo*, 1 nov. 2011, *Especial Eleições 2010*, p. 12.

QUADRO 1:

PERFIL DO GASTO PÚBLICO NO GOVERNO LULA (EM % DO PIB)

	2002	2003	2004	2005	2010
Receita bruta	21,7%	21%	21,6%	22,7%	23,8%
Pessoal e encargos	4,8%	4,5%	4,3%	4,3%	4,7%
Transferência de renda às famílias	6,8%	7,2%	7,7%	8,1%	9%
Investimentos	0,8%	0,3%	0,5%	0,5%	1,2%

Fonte: *Valor Econômico*, 27 dez. 2010; elaboração: Nelson Barbosa. Editado por André Singer.

QUADRO 2:

ÍNDICE DE GINI DO BRASIL, 1995-2010

1995	2002	2009	2010
0,5994	0,5886	0,5448	0,5304

Fontes: Para 1995, 2002 e 2009, CPS/FGV, a partir de microdados da Pnad/IBGE, via Marcelo Neri, *A nova classe média: o lado brilhante dos pobres*. Rio de Janeiro: CPS/ FGV, 2010, p. 40, consultado em <cps.fgv.org>. Para 2010, FGV/RJ, a partir da Pesquisa Mensal de Emprego do IBGE para 2010, via "Desigualdade no Brasil atinge o menor nível em 2010, diz FGV", em <http://www1.folha.uol.com.br/poder/ 910726-desigualdade-no-brasil-atinge-o-menor-nivel-em-2010-diz-fgv. shtml>, consultado em 4 jan. 2012.

QUADRO 3:

PROPORÇÃO DE SALÁRIOS NO PIB, BRASIL, 1995-2009

1995	2002	2004	2007	2009
35,2%	31,4%	30,8%	32,7%	35,1%

Fonte: Cálculo de João Sicsú sobre Contas Nacionais do IBGE (2009: estimativa de Sicsú), via *Teoria e Debate*, n. 88, maio/jun. 2010, p. 14.

QUADRO 4:

RENDA DOS MAIS RICOS E MAIS POBRES PERTO DO ANO 2000

	10% MAIS RICOS	10% MAIS POBRES
Namíbia	65%	0,5%
Brasil	47%	0,5%
África do Sul	47%	0,7%
Rússia	36%	1,8%
México	33%	1%
Suécia	22%	4%

Fonte: Dados da Cepal, Pnud e outros, elaborados por Göran Therborn, via G. Therborn (ed.), *Inequalities of the world*. Londres: Verso, 2006, p. 34.

QUADRO 5:

RENDA DOS MAIS RICOS E MAIS POBRES EM 2010

	10% MAIS RICOS	10% MAIS POBRES
Brasil	45%	1%

Fonte: Indicadores Sociais Municipais do Censo Demográfico 2010 do IBGE, via <www1.folha.uol.com.br/cotidiano/1007141-metade-mais-pobre-da-populacao-fica-com-177-da-renda-mostra-IBGE.shtml>, consultado em 6 abr. 2012.

QUADRO 6:

ÍNDICE DE GINI EM VÁRIOS PAÍSES

Dinamarca/2005	0,24
Alemanha/2005	0,26
Espanha/2005	0,32
EUA/2005	0,46
Brasil/2010	0,53
África do Sul/2000	0,58
Colômbia/2003	0,59

Fontes: Para Alemanha, Espanha e EUA: Ipea, *Comunicado da Presidência*, n. 38, jan. 2010, p. 8. Para o Brasil: FGV/RJ, a partir da Pesquisa Mensal de Emprego do IBGE, via "Desigualdade no Brasil atinge o menor nível em 2010, diz FGV", em <http://www1.folha.uol.com.br/poder/910726-desigualdade-no-brasil-atinge--o-menor-nivel-em-2010-diz-fgv.shtml>, consultado em 4 jan. 2012. Para África do Sul e Colômbia: "Brasil reduz desigualdade e sobe no ranking", em <www.pnud.org.br/pobreza-desigualdade/reportagens/index.php?id01=2390&lay=pde>, consultado em 6 abr. 2012.

Posfácio
No meio do caminho tinha uma pedra[1]

O relato que segue busca delinear a trajetória intelectual que vai de minha formação universitária, sob a segunda metade da ditadura militar, ao trabalho de interpretação do lulismo, realizado trinta anos depois. Não julgo relevante conhecer o percurso do autor para avaliar os argumentos apresentados nas páginas precedentes. Mas penso que, apesar da evidente modéstia dos fatos narrados, talvez possam interessar a um ou outro leitor curioso a gênese das ideias que acabaram de ser expostas.

Tomei a decisão de dedicar-me ao tema do lulismo consciente dos problemas de analisar fatos recentes, cujo sentido ainda não se revelou e, para maior perigo, nos quais estive pessoalmente envolvido. Corri o risco porque ele me permitia tentar entender a realidade que encontrei entre os sonhos de juventude e a idade da razão. Espero com as linhas abaixo esclarecer em algo a natureza da pedra que havia no meio do caminho.

1. Versão bastante modificada do memorial apresentado ao concurso de livre-docência em ciência política na Universidade de São Paulo em setembro de 2011.

TEMPOS DE ESPERANÇA[2]

Ingressei no curso de Ciências Sociais em 1976. Apesar de estarmos quase ainda nos anos de chumbo, o ambiente intelectual na Universidade de São Paulo apresentava-se, para minha surpresa juvenil, inteiramente livre. Desde então tenho a sensação de morar na aldeia gaulesa da Faculdade de Filosofia, Letras e Ciências Humanas da USP. Sempre que saio, volto, como se minha casa fosse. Lá fora, a transição para a democracia dava passos iniciais inseguros. Havia assassinatos de opositores, como ocorreu com a direção do Partido Comunista do Brasil (PCdoB) logo após as eleições municipais de 1976. A tortura aos presos políticos não estava banida. Tanto é que, em maio de 1977, militantes que chamavam para manifestação no Dia do Trabalhador no ABC foram presos e seviciados, o que provocou o retorno dos estudantes ao centro de São Paulo pela primeira vez desde 1968. Logo depois de contido o "apito da panela de pressão", pela violenta invasão da PUC-SP em setembro de 1977, rumores de golpe encheram o ar, quando o ministro do Exército foi defenestrado pelo general Geisel. Lembro-me de que na noite do acontecimento houve caloroso debate sobre a conjuntura em sala repleta da escola, que funcionava no prédio improvisado da Cidade Universitária conhecido por "barracão", desde a expulsão da, para nós, legendária rua Maria Antônia.

Apesar da nítida presença da ditadura, textos de Marx, Gramsci e Benjamin ocupavam lugar de honra na bibliografia das disciplinas e as discussões em sala de aula se davam sem censura. Como a época era de clara influência do pensamento de esquerda, a compreensão das relações de classe, da evolução dos modos de

---

2. Norberto Bobbio, *O tempo da memória*. Inspirado pelo título em português de volume de Bobbio, organizei este relato em três tempos: de esperança, de experiência e de reflexão.

234

produção, da construção da hegemonia e da indústria cultural eram os focos principais. Ao mesmo tempo, fazia-se uma leitura compenetrada de autores da vertente liberal, como Locke, Montesquieu e Tocqueville. A peculiar abertura *simultânea* para o pensamento socialista e político liberal que encontrei na USP ficaria comigo em definitivo. Professores como Célia Galvão Quirino, Francisco Weffort, Gabriel Cohn, Juarez Brandão Lopes, Maria Tereza Sadek e Ruth Cardoso, entre outros, tinham a rara capacidade de transitar nas duas tradições. Ali adquiri a convicção de que a esquerda, para ser democrática, precisa conhecer o liberalismo político.

No campo editorial publicavam-se livros "perigosos", mostrando que se voltava a viver liberdade cultural desconectada da repressão política, como se dera entre 1964 e 1969.[3] Em 1975, a Paz e Terra editava *Formações econômicas pré-capitalistas*, de Marx, um excerto dos *Grundrisse*, que utilizamos numa das disciplinas. Em 1974, a Abril Cultural havia publicado outro texto dos *Grundrisse*, a *Introdução à crítica de economia política*, que também usamos em sala de aula. Continuava, assim, o trabalho de atualização do pensamento crítico que ocorrera antes de 1968, interrompido com o AI-5. Em 1977, começava a circular a revista *Temas de Ciências Humanas*, com escritos de Gramsci, Lukács, Marx e Engels. O número 1 trazia artigo inédito em português de Gramsci, que estudamos na época e de cujo título, "Alguns temas da questão meridional", faço despretensiosa referência na Introdução deste livro.

A verdade é que, apesar da ditadura militar vigente, dispúnhamos do necessário para iniciar a viagem pelas humanidades: bons currículos, ótimos professores, ambiente acadêmico livre. Observado à distância, creio que o fato de estarmos num momen-

3. Ver Roberto Schwarz, "Cultura e política, 1964-69", em *O pai de família e outros estudos*.

to em que a moda intelectual era *gauche* nos brindou com instrumentos de interesse ainda atual para a compreensão da política e da sociedade.

Foi nessa atmosfera que entrei em contato com os textos a que gosto de voltar e aos quais poderia chamar de os "meus clássicos": *O príncipe*, de Maquiavel, *O 18 Brumário*, de Marx, *A política como vocação*, de Weber, e *Alguns temas da questão meridional*, de Gramsci. Uma das marcas da USP era, justamente, propor o contato direto dos iniciantes com autores fundamentais. Cito, a respeito, o depoimento esclarecedor de Décio de Almeida Prado, que, falando do grupo que fez a revista *Clima*, conta:

> Havíamos herdado, da Faculdade de Filosofia, menos um saber acabado — e este nunca o é — do que uma técnica de pensar e produzir, baseada na pesquisa de fontes primárias, na leitura dos autores seminais, não em comentários de terceiros, no raciocínio cerrado, que não permitia excesso de fantasias ou de interpretações pessoais. O progresso mental nos viera não do número de leituras, mas da natureza delas, muitas vezes abstrata, de difícil apreensão, requerendo um esforço redobrado da atenção e da inteligência.[4]

Acreditava-se que a exposição dos alunos ao contato, sem intermediários, com obras fundadoras como *O espírito das leis* ou *A democracia na América* seria a melhor maneira de estimulá-los a raciocinar por conta própria. Tempos depois me disseram que era modelo oriundo de tradição filosófica francesa, segundo a qual a compreensão minuciosa das escrituras relevantes constituía método de trabalho. Conta Roberto Schwarz a propósito do seminário do *Capital*: "A inovação mais marcante foi [...] tam-

4. Décio de Almeida Prado, "*O Clima de uma época*", em F. Aguiar (org.), *Antonio Candido, pensamento e militância*, p. 29.

bém devida a Giannotti, que na sua estada na França havia aprendido que os grandes textos se devem explicar com paciência, palavra por palavra, argumento por argumento, em vista de lhes entender a arquitetura".[5]

Sem saber, fui moldado por tal estilo de ensinar e pensar. Lamento não ter me dedicado com mais afinco, então, ao estudo, pois, para lidar com a infinidade de variáveis sociais, não vejo outro caminho que não seja a apreensão da teoria, entendida como reflexão crítica sobre as condições de produção da totalidade social.[6] Acontece que, atraído pela atividade militante, entrei no movimento estudantil que renascia.[7] Imaginava que, ao conjugar teoria e prática, viria a ser melhor cientista social. Só mais tarde descobri que, ao menos no meu caso, a necessária concentração requeria esforço maior para ser alcançada. Consola-me lembrar das sessões de estudo que organizávamos dentro da tendência estudantil que ajudei a criar. Pelas características do grupo que constituíamos, tais encontros eram sérios e até hoje me beneficio de ensinamentos ali obtidos.

Não existe trabalho de conclusão nas Ciências Sociais da USP. No entanto, para uso pessoal considero o pequeno ensaio que publiquei aos 23 anos na *Folha de S.Paulo* com o título "Liberdade e igualdade"[8] como sendo o resumo da minha passagem pelas aulas da Faculdade de Filosofia. Embora imatura, a reflexão ali contida foi o início da trajetória que me trouxe, volvidas três déca-

5. Roberto Schwarz, "Um seminário de Marx", em R. Schwarz, *Sequências brasileiras*, p. 91.
6. Ver Theodor W. Adorno e Max Horkheimer, *La sociedad. Lecciones de sociología.*
7. Uma rápida análise do movimento estudantil de 1977 pode ser encontrada em André Singer, "A conjuntura política em 1977", em F. Maués e Z. Abramo (orgs.), *Pela democracia, contra o arbítrio.*
8. André Singer, "Liberdade e igualdade", *Folha de S.Paulo*, Folhetim, 16 ago. 1981.

das, à tentativa de entender se o lulismo, talvez o fenômeno mais marcante da democracia brasileira reiniciada em 1989, nos leva para perto ou longe da utopia igualitária. Cumpre registrar que assumi, no período formativo da faculdade, profundo e duradouro compromisso com a democracia. Acredito no socialismo, porém não fora da democracia, do estado de direito, das garantias constitucionais, da plena liberdade de expressão e organização, da rotatividade no poder e do respeito sagrado às minorias, que aprendi a ver como conquistas da humanidade. Daí a perenidade, como tema, das relações entre liberdade e igualdade.

No texto de 1981, afirmo que liberalismo e socialismo se encontravam sem resposta para a crescente alienação do ser humano, pois nem o mercado nem o Estado apresentavam soluções para certas características da segunda metade do século XX: aumento constante do tamanho das organizações, expansão do número de aparatos estatais com poder descendente, crescente complexidade técnica da vida e massificação cultural. A solução sugerida era, na ausência de respostas globais, valorizar as iniciativas de *participação* em todas as esferas da vida coletiva: nas empresas, nos partidos, no Estado, nas Igrejas, nas famílias. Enfim, uma expansão da democracia para todas as áreas da vida.

Em essência, me mantive fiel a esse modo de pensar e, como se verá, na década de 1990 retornei aos clássicos da teoria política em busca de respostas aos problemas da participação e, de passagem, para preencher algumas das lacunas que a militância estudantil tinha deixado na formação do aluno irregular que fui. No entanto, é chocante perceber agora como em 1981 o que estava começando a acontecer na Grã-Bretanha e nos Estados Unidos ainda não entrara nas cogitações da geração brasileira de 77. Entre as esperanças utópicas dos anos 1970 no socialismo democrático e a tênue reforma do capitalismo realizada pelo lulismo nos anos 2000, haveria a inesperada pedra neoliberal no meio do caminho, colocando-nos na defensiva e rebaixando o horizonte das aspirações.

Em maio de 1979 a conservadora Margaret Thatcher tomava posse como primeira-ministra do Reino Unido, e em janeiro de 1981 Ronald Reagan assumia a Presidência dos EUA, com o que a plataforma regressiva passava a comandar a maior potência da Terra. Enquanto Thatcher e Reagan preparavam o desmantelamento do Welfare State, o meu texto preocupava-se com o *excesso de Estado*. "De todos os processos ocorridos neste último século um é visível a olho nu. *Trata-se do crescimento do poder de Estado*" (grifo posterior), dizia eu, ingenuamente.[9]

Contudo, reconheço na frase o espírito do momento. No ano anterior (1980), o sindicato *Solidarnosc*, da Polônia, tinha posto em marcha importante pressão pela democratização do socialismo real. A organização dos operários poloneses foi acolhida no Brasil como o símile europeu das greves desencadeadas no ABC paulista em 1978. Nessa visão, lá e cá se combatia o Estado opressor em nome de um socialismo com liberdade. Havia otimismo quanto à possibilidade de alcançar-se, tanto no Brasil quanto na Polônia, democracia participativa com justiça social. Aqui acreditávamos que a redemocratização, sob o impacto de um movimento social autêntico e de base como o dos metalúrgicos, permitiria a refundação da República, dessa vez sem bestializados e comprometida com a igualdade social.

Não passava pela minha cabeça que, ao contrário, ocorreria a vitória, *urbi et orbi*, de um *capitalismo selvagem e desregulamentado*. Não lembro de ninguém, por sinal, ter previsto que passaríamos os trinta anos seguintes discutindo não o *excesso de Estado*, mas o excesso *de mercado*. Espanta-me a incapacidade de perceber o que viria pela frente. Estávamos tão ocupados em

---

9. Idem, ibidem.

projetar a radical democratização via participação, que não nos demos conta do tsunami regressivo que se armava no centro do capitalismo: conquistas advindas da trava que o Estado coloca no moinho satânico do mercado (Karl Polanyi) iam ser retiradas, com graves consequências em termos de aumento da desigualdade e da infelicidade.

É verdade que o vigor do movimento social no Brasil adiou por uma década a chegada do neoliberalismo e resultou na Constituição de 1988, que garante, entre outros, os direitos universais ao trabalho, à saúde, à educação e à cultura, além de mecanismos democráticos participativos. Isto é, de um ângulo estritamente nacional, as esperanças da geração 77 não eram de todo infundadas. Parece-me útil fixar, pois a memória é mais curta do que se supõe, que a década 1978-88 foi, talvez, a de maior participação política na história do país — uma verdadeira onda democrática. Por isso, tornar efetiva a Carta Constitucional que resultou dela continua a ser programa razoável, que ainda empolga parte dos hoje grisalhos jovens de então.

Mas, como o Brasil não vive fora do contexto capitalista mundial, era inevitável o tipo de contradição com o qual teríamos que lidar a partir dos anos 1990. Uma das vantagens de sobreviver é ter mais chance de experimentar diretamente as reviravoltas da história. Por mais que a leitura esteja na essência do trabalho intelectual, é diferente o que se conhece apenas nas bibliotecas. Florestan Fernandes afirmava que "o sociólogo, como ser humano, sempre interage e recebe o impacto do que estiver investigando".[10] Como se diz na metodologia cristã, a cabeça pensa de acordo com o chão que os pés pisam. O ofício do cientista social é, em vários sentidos, distinto do trabalho do biólogo, do físico e do químico, já que o seu laboratório é a rua. De certo ponto de vista, ele *nunca*

10. Florestan Fernandes, *A condição de sociólogo*, p. 96.

sai do laboratório, pois a sociedade sempre está presente. Isso dá à experiência valor heurístico. Ter passado pela intensa valorização e expansão das áreas mercantis em detrimento dos espaços de relação pública aguçou a minha sensibilidade: considero a ascensão do neoliberalismo um dos mais fascinantes enigmas da época. Como isso foi possível, depois dos avanços sociais obtidos nos trinta anos gloriosos (1945-75)? Não sei responder, mas foi necessária a réplica da realidade aos sonhos de juventude, a "*verità effettuale della cosa*", como sugeria Maquiavel, para, ao menos, discernir as perguntas fundamentais, algumas das quais tentei responder no presente livro.

TEMPOS DE EXPERIÊNCIA

Na minha vida pessoal a importância do mercado também apareceu de chofre e com feições imperiosas. Terminado o curso de Ciências Sociais, defrontei-me com a necessidade premente de conseguir inserção profissional. Trabalhara desde o primeiro ano de faculdade como estagiário em instituição pública, mas, com o fim do curso, o contrato caducara. Procurei, sem sucesso, colocação em centros de pesquisa e de ensino superior. Acabei por receber, por intermédio de José Augusto Guilhon Albuquerque e iniciativa de Otavio Frias Filho, convite da *Folha de S.Paulo*. Nunca havia pensado em ser jornalista, pois pretendia seguir carreira acadêmica. A possibilidade, contudo, de ganho financeiro, associada ao momento efervescente pelo qual passava o jornal, tornava preciosa a chance oferecida.

Quando fui para a *Folha*, começava a etapa da experiência em que os sonhos de juventude se veriam confrontados com a áspera realidade. Por sorte, carreguei para dentro dessa fase o que me dera a faculdade em matéria de valores, cultura e estilo de pensamento. Como disse Antonio Candido, "a universidade não é apenas um grupo de cultura; é também um conjunto de estímulos para viver adequadamente fora dela".[11] Sem isso, nunca poderia ter voltado.

De início, a função para a qual fora convidado na *Folha* tinha características parajornalísticas, a serem combinadas com a continuação dos meus estudos, pois havia começado a pós-graduação. Com o tempo, no entanto, vi-me atraído pelo dia a dia do jornal, e em 1982 prestei vestibular para jornalismo. Cursando a Escola de Comunicações e Artes da USP, concluída em 1986, acabei por ingressar na redação em funções propriamente jornalísticas. Além do diploma, no cotidiano aprendi um ofício completo: entrevistar, escrever, diagramar e editar. Exerci por bem mais de duas décadas o jornalismo, com momentos de intenso prazer. Ademais de inestimável experiência de vida, o jornalismo me garantiu, do ponto de vista material, meios de sobrevivência exclusivos até que consegui chegar ao posto de docente da USP que hoje ocupo. Em que pese a dedicação cobrada pelo jornalismo, estou convencido de ter acertado ao abraçar essa segunda profissão, porque ela me fez amadurecer.

Como jornalista, foi-me destinada a cobertura política. Por meio dela, estabeleci relação com os políticos profissionais. Levei inúmeros choques, uma vez que a universidade no Brasil, e talvez a USP em particular, está muito distante da política *real*. No caso da USP, a distância vem de longe,[12] diferente, talvez, dos Estados Unidos, onde os governos habitualmente recrutam nas universidades e os *think tanks* fazem pontes entre um e outro mundo. Não sei se isso é bom ou ruim. Só posso afirmar que, para o jovem cientista

11. Antonio Candido, "Discurso de agradecimento", em F. Aguiar, *Antonio Candido, pensamento e militância*, p. 99.
12. "A USP era uma ilha, não queria ter contaminação com a vida", diz Fernando Henrique Cardoso. Ver F. Moura e P. Montero (orgs.), *Retrato de grupo*, p. 27.

social que fui, o contraste entre o ambiente universitário e o político era chocante.

Comecei como repórter durante a campanha das Diretas. Tive a oportunidade de acompanhar as manobras de bastidores que, desde o Palácio dos Bandeirantes, resultaram na candidatura Tancredo Neves, apresentada ao Colégio Eleitoral no início de 1985. Jornalista "foca", tinha a sensação, ao entrevistar Jânio Quadros, Franco Montoro, Ulysses Guimarães, Golbery do Couto e Silva, Leonel Brizola e José Sarney, de que os personagens saltavam da bibliografia para tomar assento diante do gravador. Gostava de recordar as palavras de Weber em *A política como vocação*: como-vo-me "diante da atitude de um homem maduro — seja velho ou jovem — que se sente responsável pelas consequências dos seus atos".[13] Quantos deles se sentiriam assim?

A atividade política profissional, como qualquer ramo de especialização, tem regras internas. Maquiavel e Weber estavam certos ao assinalar que o exercício do poder nunca é *absolutamente* transparente. Por definição, o dirigente político não é autêntico, pois representa algo geral. O seu papel é condensar os pontos de vista da unidade política que lidera, desde uma facção partidária, um partido inteiro, uma região, até um país. Em qualquer hipótese, não cumprirá bem a função para a qual foi destinado se decidir simplesmente dizer o que "verdadeiramente" pensa sobre cada assunto. Creio até que aquilo que ele "verdadeiramente pensa" pode não ser importante, a menos que venha a influenciar decisões, o que por vezes ocorre, mas não é comum. Daí deriva uma questão delicada: como satisfazer a exigência de transparência que acompanha a democracia com a verificação empírica de que a política real é sempre uma arte de "representação"?

É necessário separar dois tipos de transparência: a que diz

---

13. Max Weber, *Ciência e política, duas vocações*, p. 122.

respeito às informações que o público tem o direito de conhecer e os políticos não têm o direito de esconder e a que se refere àquelas informações que fazem parte da privacidade dos representantes e não interessam a ninguém a não ser a eles mesmos. Daí a minha repulsa à exploração de aspectos da intimidade dos homens públicos. Além de ser desonesta, parece-me irrelevante.

Avaliando em retrospectiva, acredito que a formação em ciências sociais me ajudou a procurar nos políticos aquilo que havia de "perspectiva de ação", no sentido de Weber: "A política é um esforço tenaz e enérgico para atravessar grossas vigas de madeira".[14] Isto é, em que *direção* eles propõem à sociedade caminhar? Quais problemas veem pela frente? Foi o que busquei fazer neste livro: descobrir um sentido para as decisões de Lula, com quem trabalhei como jornalista entre 2002 e 2007. Se tive êxito na empreitada, caberá ao leitor julgar, mas o intuito foi o de encontrar o fio que unia episódios aparentemente acidentais.

O fato de a política brasileira ser excessivamente personalista obscurece o sentido coletivo da ação dos políticos. É necessário procurar nexos invisíveis por trás do que parecem meras jogadas individuais de poder. O que muitas vezes faz esse exercício parecer inútil é o fato de os grandes políticos brasileiros dialogarem pouco antes de tomar decisões. Penso que isso acontece porque há um déficit de participação no Brasil. Sérgio Buarque de Holanda assinalava que "uma das consequências da escravidão e da hipertrofia da lavoura latifundiária na estrutura de nossa economia colonial, foi a ausência, praticamente, de qualquer esforço sério de cooperação".[15] Mas deve-se observar também que a política democrática no mundo todo está se "abrasileirando" (o termo que se usa em ciência política é "americanizando", mas trata-se, no fundamental,

14. Idem, ibidem, p. 123.
15. Sérgio Buarque de Holanda, *Raízes do Brasil*, p. 26.

da mesma coisa). Tal como outras esferas da vida social, a política vem ficando menos coletiva, ajustando-se o político ao padrão do empreendedor capitalista, em que o cálculo individual prevalece sobre o interesse público. Em tais circunstâncias, o esforço para encontrar as conexões sociais por trás das decisões precisa ser maior e, por vezes, soará vão. Continuo a crer que vale a pena, embora deva ser feito sem ingenuidade.

Seja como for, por funcionar como representante, mesmo que isso fique implícito, o líder político tem que usar várias máscaras, em camadas diferentes, e há uma para a conversa com o jornalista. No bate-papo informal com o profissional da imprensa, surge um rosto diferente do apresentado na exposição para o público em geral. Mas engana-se quem acredita que esse é o político em sua "verdade íntima". Trata-se de outra representação, adequada para o momento do contato com alguém que se destaca do público em geral ao cumprir o papel de transmitir uma determinada versão dos acontecimentos. Minha experiência confirma que a política é guerra pesada, luta sem quartel e sem misericórdia. Então, comunicar adequadamente os conteúdos a serem transmitidos pelo jornalista é importante, sob o risco de prejuízo grave se isso não acontecer. A verdade íntima do político só surge em família e com amigos muito próximos, isso quando vem à tona. Em muitos casos, não se expressa nunca, e essa é, do meu ponto de vista, uma das perdas mais sofridas que a atividade política profissional impõe.

O jornalismo acabou por me levar ao olho do furacão. Em 2002, convidado a ser porta-voz da campanha presidencial do PT, mudei de lado do balcão, como se diz na gíria dos repórteres. Passei de buscador de notícia a fonte de informação. De estilingue a vidraça, o que me provocou contradições internas dolorosas. Em compensação, vi por dentro as engrenagens da campanha presidencial a que, em parte, tinha assistido no segundo turno de 1989, quando militei no setor de imprensa da campanha de Lula, pleito sobre o qual acabei organizando um livro.[16] Mas desta feita seria diferente, pois estava próximo do comando e o peso da responsabilidade cairia como chumbo sobre mim.

Por ter a função de apresentar diariamente aos jornalistas as informações do comitê e responder às indagações dos colegas, vivi a experiência de ser crivado pelas mais difíceis perguntas e pude completar o retrato que tinha começado a fazer da atividade política prática. Para os que desejam servir ao interesse público — e não servir-se dele —, é trabalho extremamente árduo e pouco compreendido. As crises constantes levam a ter que matar mais de um leão por dia, e o arsenal insuspeito envolvido na disputa pelo poder exige nervos de aço e carapaça de rinoceronte. As compensações existem se os projetos se realizam, no entanto a taxa de fracasso tende a sobrepor-se, deixando, com frequência, sabor amargo na boca.

Quando o ex-presidente Lula venceu a eleição de 2002, deu-me a oportunidade de manter a mesma posição no governo federal. Tive a chance de ver, então, desde a Presidência, como funciona o Executivo brasileiro. Terminei o ciclo governamental com sensação ambígua. De um lado, o aspecto diplomático, protocolar, simbólico, cerimonial, que é o código pelo qual são sinalizadas as alianças, as hierarquias, as forças dispostas em cada conjuntura, constitui cansativa dança de salão. De outro, verifiquei que decisões fundamentais são tomadas em meio à mais alta pressão das circunstâncias, fazendo girar para um lado ou outro as rodas da história, o que dá um sentido à vida. Sem ser um relato factual daqueles tempos, que ainda pretendo escrever, o livro que o leitor tem em mãos não deixa de ser uma busca de resgatar aspectos relevantes do período em que estive no Palácio do Planalto.

Hoje, afastado do contato com os políticos profissionais,

16. André Singer (org.), *Sem medo de ser feliz.*

penso que cabe ao intelectual participar da vida pública de modo peculiar. Justamente por não ser representante, a não ser de si mesmo, ele tem a liberdade de falar o que os profissionais não podem dizer. Deve fazer uso dessa franquia para, com a bagagem do conhecimento acumulado, intervir na agenda pública, usando, sem medo, o senso de perspectiva histórica que o treino intelectual propicia. A sociedade necessita de balizas fundamentadas no mar de eventos encapelados que os jornais, revistas, televisões e páginas da internet oferecem dia a dia.

A própria imprensa tornou-se peça importante na decisão política, o que justifica a análise acadêmica do papel dos meios de comunicação no jogo democrático. Ao longo dos anos, em virtude da minha experiência, fui chamado em algumas ocasiões para falar e escrever em torno do assunto. Mas considero limitadas as minhas tentativas de responder aos convites, e nos textos publicados identifico, hoje, múltiplas falhas. Penso, no entanto, que constituem um pequeno roteiro de problemas, que vão da substituição pela imprensa do rol antes desempenhado pelos partidos políticos à constituição de um sistema de mídia dotado de independência suficiente para fiscalizar o poder no Brasil.[17] Contraditoriamente, tal capacidade de fiscalização, que é essencial à democracia, desgasta a dimensão política e pode estar a serviço de obstaculizar mudanças sociais progressistas. Lidar com essas contradições é tarefa para os estudiosos.

Peço licença ao leitor para fazer aqui um pequeno desvio e contar um detalhe alheio ao tema deste livro. Talvez porque a faina

---

17. Idem, "A mídia influindo no sistema político", *Revista Brasileira de Comunicação*, ano 7, n. 51, nov./dez. 1984; idem, "Nota sobre o papel da imprensa na transição brasileira", em C. H. Filgueira e D. Nohlen (orgs.), *Prensa y transición democrática*; idem, "Mídia e democracia no Brasil", *Revista USP*, n. 48, dez./jan./ fev. 2000-1; André Singer, Mário Hélio Gomes, Carlos Villanova e Jorge Duarte (orgs.), *No Planalto, com a imprensa.*

tenha sido excessivamente desgastante, mantive um vínculo com o que se poderia chamar de "evasão programada" dos tempos de juventude. Ao encerrar a graduação em ciências sociais, encontrava-me interessado pela relação entre política e indústria cultural. Decidi então, simultaneamente, ingressar no curso de Letras da USP e propor tema inusitado para mestrado em ciência política: uma interpretação da obra dos Beatles, aceito graças à generosidade do professor José Álvaro Moisés. Nos semestres que cursei Letras (cerca de quatro), ampliei meu contato com a literatura, num convívio proveitoso que recomendaria a qualquer estudante. Sobre o rock reuni abundante material analítico, e cheguei a publicar artigo a respeito da evolução política do gênero em *Lua Nova*,[18] embora a dissertação sobre o quarteto de Liverpool nunca tenha sido escrita. Muitos anos depois, parte da reflexão acerca dos Beatles tornou-se ensaio na revista *piauí*.[19] Algumas outras ideias da época comparecem em pequeno texto que escrevi sobre Roberto Carlos[20] para coletânea organizada por Arthur Nestrovski em 2002. Enfim, seguindo a orientação de Chico Buarque, cheirei Ary e fumei Vinicius nos recessos da política nacional.

Voltemos ao principal. Quando decidi entregar meu posto na equipe do governo Lula, após a eleição presidencial de 2006, tinha tido a fortuna de fazer um roteiro integral no jornalismo, começando como repórter, passando a editor e depois secretário de Redação da *Folha*, editor de revista na Abril, e finalmente porta-voz e secretário de Imprensa da Presidência da República. Entre mortos e feridos, a experiência se completara.

18. André Singer, "Mudou o rock ou mudaram os roqueiros?", *Lua Nova*, vol. 2, n. 1, abr. jun. 1985.
19. Idem, "Crítica e autocrítica em Sergeant Pepper's", *piauí*, n. 9, junho 2007.
20. Idem, "Roberto Carlos", em Arthur Nestrovski (org.), *Música popular brasileira hoje*.

TEMPOS DE REFLEXÃO

No começo de 1990, tive a alegria de encontrar concurso aberto no recém-formalizado Departamento de Ciência Política (DCP) da USP. Para voltar à *alma mater*, preparei-me revisitando a bibliografia conhecida desde a graduação e, ao chegar às provas, havia dado os primeiros passos do que faria nos anos seguintes: recompor a formação acadêmica interrompida. Aprovado no certame, retornei à sala de aula, agora como docente. Durante muito tempo fui professor do primeiro ano. Tive gosto em preparar cursos para alunos que acabavam de chegar ao campo. Com exceção de um ou outro semestre, concentrei-me em dois tipos de assunto. Um núcleo sobre democracia, envolvendo tópicos como cidadania, ideologias contemporâneas e comportamento político. Outro sobre autores clássicos como Maquiavel, Hobbes, Locke, Montesquieu, Rousseau, Madison e Tocqueville.

De início tenso e desajeitado, creio ter ido, aos poucos, encontrando a maneira de falar aos alunos. Apreciava dar aulas para o primeiro ano porque sabia que, se não me comunicasse bem, o fracasso seria inevitável, uma vez que os estudantes nessa fase não possuem os recursos que vão adquirir ao longo dos semestres para lidar com aulas complicadas. Não me considero bom professor, mas sim esforçado, e sempre fico com a impressão de que aprendi mais com os alunos do que eles comigo.

Reencontrei então, como colegas, alguns dos meus professores de graduação que se dedicavam à teoria política. Havia bastante atividade no setor, com intercâmbio de experiências e discussões de interesse. Lembro-me, em particular, de uma série de conferências pronunciadas no DCP no começo dos anos 1990 por Michelangelo Bovero, sucessor de Norberto Bobbio em Turim. Ele resumiu para nós a obra de sistematização da filosofia política que Bobbio, uma espécie de decano do pensamento democrático, concluía por aquele tempo. A questão do liberalismo, com a qual tinha me envolvido nos anos 1970, retornava naqueles debates do início da década de 1990. Por isso, ao mesmo tempo que entrava na pesquisa empírica, me aproximei do grupo que, dentro do departamento, desenvolvia reflexão teórica.

Se o leitor ainda tiver paciência, faço um último desvio do tema central. Inspirado pelos debates e aulas de teoria política que ministrei por cerca de dez anos, publiquei textos que retomam e desenvolvem aspectos apontados em "Liberdade e igualdade", de 1981. O primeiro, de 2000, trata da relação entre Maquiavel e a participação política. Nele, pretendi apontar que o raciocínio de Maquiavel,[21] muitas vezes interpretado pelos liberais apenas como um realista, envolve forte acento participativo, como meio de garantir o desenvolvimento de virtudes cívicas republicanas. O segundo, também de 2000, tenta estabelecer pontes entre duas linhagens de pensamento consideradas afastadas e mesmo opostas: a de Rousseau e a de Madison, Hamilton e Jay, os autores de *O federalista*.[22] Outra vez, a participação ocupa a cena, agora procurando vê-la no interior da tradição norte-americana, em geral tida como temerosa do "perigo popular". A tese predominante é a de que nas raízes da teoria democrática há o pressuposto da participação, de tal forma que o déficit participativo que se observa nas democracias contemporâneas atinge o âmago do regime. O terceiro, de 2002, mobiliza Montesquieu, formulador do princípio de que nenhum poder se limita a si mesmo, para discutir a relação entre a esquerda e a democracia.[23] Minha crença é que esse princí-

21. Idem, "Maquiavelo y el liberalismo: la necesidad de la república", em Atílio A. Boron (org.), *La filosofía política moderna. De Hobbes a Marx*.
22. Idem, "Rousseau e o federalista: pontos de aproximação", *Lua Nova*, n. 51, 2000.
23. Idem, "Para recordar algo de la relación entre izquierda y democracia", em Atílio A. Boron (org.), *Filosofía política contemporánea*.

pio obriga o pensamento socialista a aceitar que a própria maioria precisa ser limitada e o pensamento liberal a assumir que a luta de classes é útil à democracia. À medida que a ideologia neoliberal ganha hegemonia quase absoluta, com a política deixando de expressar a luta de classes, a democracia sofre um esvaziamento. Uma vez que não enxergo nenhum caminho fora da democracia, resta mostrar que ela necessita ser revigorada por meio de movimentos moleculares de reapropriação, por parte da sociedade e das classes, se quisermos voltar a ter esperança no futuro. Vistos em conjunto, os artigos constituem buscas, na leitura de pensadores clássicos, de visões que possam iluminar os problemas do presente. O que a leitura de Maquiavel, de Montesquieu, de Rousseau e de Madison pode nos dizer sobre as dificuldades da democracia contemporânea? Essas excursões por páginas inspiradoras, com o olhar voltado para colher nelas ensinamentos por vezes menos óbvios, são um modo de conversar com os antigos. Como escreveu Maquiavel ao amigo Vettori: "Chegando a noite [...] penetro na convivência dos grandes homens do passado".[24] Como julgo que é, também, o melhor jeito de ensiná-los, gosto de pensar que os artigos são como notas de leitura para ajudar o professor. Mesmo em sua dimensão limitada, eles apontam para as inúmeras possibilidades de leitura dos clássicos, que justamente por isso são clássicos. É divertido pensar um Maquiavel participacionista, um Montesquieu amigo da luta de classes e um Madison simpático à democracia deliberativa (desde que balanceada pela representação).

Mas agora cabe retomar o fio principal e voltar ao convívio com os homens do presente. De 2007 em diante, ao retornar de Brasília, concentrei-me em ensinar comportamento eleitoral. O assunto, que fora escolhido para o mestrado, me manteve na órbita da política brasileira contemporânea. A eleição de 1989, com

24. Nicolau Maquiavel, *O príncipe/ Escritos políticos*, p. 119.

um candidato de esquerda chegando perto da vitória no segundo turno e sendo derrotado pelo adversário conservador com o voto dos mais pobres, funcionou como estímulo para entrar no campo das eleições. O caráter fundante daquele pleito, retratado em livro jornalístico que organizei em 1990, pode ser observado na entrevista com Lula, a qual antecipava movimentos que viriam a acontecer somente em 2002.[25]

Acima de quaisquer diferenças políticas, é mister reconhecer que devo a dois intelectuais particularmente inteligentes, rigorosos e criativos — Bolívar Lamounier e José Augusto Guilhon Albuquerque —, com os quais trabalhei sobre o comportamento eleitoral, ter aprendido a pesquisar. Comecei por integrar, em 1990, o centro então coordenado por Lamounier. Originalmente no Cebrap e depois no Idesp, Bolívar tinha liderado uma série de pesquisas eleitorais entre 1974 e 1989, e era um dos mais destacados pesquisadores do setor no Brasil. Entre 1990 e 1992, retomei com ele o estudo das escolas de análise do comportamento eleitoral, cujos rudimentos haviam aparecido no curso que Maria do Carmo Campello de Souza ministrara na minha primeira pós-graduação (inconclusa). O instrumental teórico preferido por Bolívar ia da escola sociológica à escola psicológica, com uma queda pela segunda. Os conceitos da escolha racional, que então começavam a entrar com força no Brasil, não o seduziam.

Vale assinalar que, no início da década de 1990, a atmosfera intelectual havia mudado na USP. A influência marxista que eu encontrara efervescente quando cheguei à graduação nos anos 1970 fora substituída por correntes oriundas de universidades norte-americanas. A escolha racional, ponto de vista com o qual eu nunca tinha entrado em contato, apesar de o livro inaugural de Anthony Downs ser de 1957, começava a se tornar linguagem

---

25. André Singer (org.), *Sem medo de ser feliz.*

corrente. Confesso que não me adaptei à nova gramática. Estudei tardiamente a escola downsiana, de modo a compreender o que diziam colegas, mas o estilo de trabalho, os pressupostos metodológicos, as hipóteses principais, a formalização matemática não me atraíram. Para consulta eventual, guardo um texto de crítica aos pontos de vista da escolha racional que escrevi usando argumentos de Alessandro Pizzorno, com o que encerrei, depois de alguns anos, minha viagem por esse quadrante da ciência social.

Retive e utilizo até hoje, entretanto, algumas noções a respeito da importância que a economia exerce nas eleições. Não é necessário, a meu ver, gostar da teoria dos jogos para aceitar que inflação e emprego são elementos decisivos na definição do voto. A noção de que os indivíduos agem no "mercado" político como o fazem no econômico talvez tenha tornado os pesquisadores da escolha racional mais sensíveis ao "bolso" do eleitor, de onde deriva certa literatura útil. Acho igualmente aproveitável o uso criativo feito por Adam Przeworski da noção de escolha estratégica para explicar a evolução da social-democracia europeia assim como a relação entre incerteza e democracia.

O contato com a equipe do Idesp — Maria Tereza Sadek, que havia sido minha iniciadora em Maquiavel na graduação, Maria D'Alva Kinzo, Elizabeth Balbachevsky, Judith Muszinsky, Rogério Arantes —, no começo dos anos 1980, foi importante para avançar na compreensão do comportamento eleitoral brasileiro e para entender como associar dados empíricos a hipóteses de pesquisa, numa química difícil de realizar e mais difícil ainda de explicar. Como resultado do estágio no instituto, publiquei um artigo intitulado "Collor na periferia: a volta por cima do populismo?".[26] Ali

26. Idem, "Collor na periferia: a volta por cima do populismo", em B. Lamounier (org.), *De Geisel a Collor: o balanço da transição.*

se iniciava a minha pesquisa sobre o Brasil, retomada na volta de Brasília e que resultou nas páginas deste livro.

Visto desde hoje, considero indispensável o contato com a análise de dados para o cientista social. Buscar as evidências empíricas ajuda a reformular as hipóteses construídas até que elas tenham consistência suficiente para estar à altura do objeto. No entanto, a "comprovação" não pode se tornar um fetiche. Muita coisa, talvez quase tudo, em ciências sociais é impossível de comprovar, como certa vez me disse Bolívar. O que existe é reunião de evidências que fazem determinada direção plausível. Com os dois pratos, o dos dados e o da boa articulação teórica, equilibra-se a balança.

Ao deixar o Idesp, em 1992, tinha um tema, mas me faltava um objeto de pesquisa. Foi graças à orientação de José Augusto Guilhon Albuquerque, o qual me acompanhou como orientador até 1998, que consegui entender a dificuldade, e a necessidade, de recortar o campo até encontrar um problema específico. Guilhon Albuquerque, com formação em filosofia, operava o raciocínio com lógica impecável, o que ajudou a encontrar um caminho nos dados que ele e José Álvaro Moisés gentilmente disponibilizaram (Pesquisa USP/Datafolha/Cedec sobre Cultura Política realizada entre 1989 e 1993). Dessa forma, o conhecimento e o rigor conceitual de Guilhon Albuquerque foram fundamentais em meu mestrado[27] (1993) e doutorado[28] (1998), com os quais creio ter me tornado pesquisador. Uma coisa é ter perspectiva teórica, o que envolve alguns requisitos já mencionados; outra é saber pesquisar; e a terceira, juntar as duas pontas.

Terminei por fixar como problema do estudo que desenvolvi

27. Idem, "Ideologia e voto no segundo turno da eleição presidencial de 1989", Departamento de Ciência Política da FFLCH/USP, 1993.
28. Idem, "Identificação ideológica e voto no Brasil. O caso das eleições presidenciais de 1989 e 1994", Departamento de Ciência Política da FFLCH/USP, 1998.

de 1992 a 1998 a influência da identificação ideológica sobre o voto nas eleições presidenciais de 1989 e 1994. Surpreso pelos dados a respeito de 1989, que mostravam existir coerência entre a autolocalização ideológica do eleitor no espectro esquerda/direita e o candidato escolhido, procurei indicar, já no mestrado, que a ideologia havia sido uma variável equivocadamente deixada de lado no Brasil pelos estudos dos anos 1970. Estava claro que os eleitores que se posicionavam à esquerda votavam em Lula, enquanto os que se posicionavam à direita escolhiam Collor. A segunda novidade foi que os eleitores pobres, além de optarem por Collor, colocavam-se à direita no espectro. Um terceiro aspecto surgiria: havia uma tendência autoritária associada ao posicionamento à direita, à baixa renda e ao voto em Collor. Ou seja, o voto em Collor não era mero fruto da propaganda, mas tinha conotações ideológicas inesperadas. Hoje percebo que o confronto entre esquerda e direita vigorou num período em que o PT, enquanto partido nitidamente de esquerda, polarizava o sistema político nacional, o que perdurou até 2002, com os pobres votando contra o PT, e setores das camadas médias aproximando-se dele. Embora o PT continue a polarizar a disputa, o conteúdo ideológico mudou.

Ao testar a hipótese da identificação ideológica para o caso do pleito de 1994, em que Fernando Henrique Cardoso foi levado ao Palácio do Planalto, fui obrigado a incorporar a literatura a respeito da influência da economia sobre o voto. O evidente peso do Plano Real na escolha de FHC introduzia uma variável ausente no segundo turno de 1989, uma vez que os dois candidatos eram de oposição e estavam, por isso, em igualdade de condições com relação à economia. Em 1994, o postulante governista tinha a seu favor o controle da inflação, e Lula, o ônus da crítica ao plano exitoso. Porém, ao investigar mais os resultados de pesquisa, vislumbrei que a identificação ideológica continuava operando. Perante a estabilização monetária, depois de quase quinze anos de inflação galopante, a influência da ideologia deslizou para o pano de fundo. Embora predominasse a associação do voto com a avaliação do Real, notava-se que avaliação do plano estava influenciada pela posição do eleitor no espectro ideológico. Quem se posicionava à direita tendia a ver o Real com melhores olhos e a dar mais importância ao controle da inflação do que os que se colocavam à esquerda.

Passados catorze anos da defesa do doutorado, e da polêmica que se seguiu à publicação do livro, acredito que as principais conclusões estavam corretas.[29] Tanto a hipótese de que uma parte maior do que se supunha do eleitorado possui uma intuição ideológica, isto é, sabe localizar os políticos, os partidos e a si próprio no espectro, quanto a hipótese de que o voto era relativamente coerente com esse posicionamento se sustentaram ao longo do tempo. Contudo, o mais interessante é mirar em perspectiva e ver que o período 1980-2002 foi marcado por uma ruptura na política brasileira: o surgimento do Partido dos Trabalhadores. O PT constituiu uma novidade por colocar a luta de classes no centro da luta institucional. O antecessor do PT, o PCB, não o fizera em parte porque ficou na ilegalidade por seis décadas, com exceção de dois anos, entre 1945 e 1947. Foi impedido, assim, de concorrer a eleições e apresentar o ponto de vista dos trabalhadores na disputa das urnas. Mas deve-se considerar também que o PCB, desde 1945, compôs-se com forças tanto do centro (Vargas), da direita (Adhemar de Barros), quanto da centro-esquerda (Goulart), numa oscilação que prejudicava a nitidez ideológica. O PT, ao contrário, recusou qualquer composição: *não* apoiou Tancredo Neves no Colégio Eleitoral, *não* votou a favor da Constituição de 1988, *não* aceitou o apoio do PMDB no segundo turno de 1989.

29. Idem, *Esquerda e direita no eleitorado brasileiro.*

Não se deve subestimar o efeito do PT sobre a política brasileira nos anos 1980, uma vez que estava sustentado não apenas pelas análises dos setores intelectuais que fizeram a crítica do PCB e do populismo, mas por um poderoso movimento social, que produziu um número inédito de greves no Brasil, de norte a sul e de leste a oeste. Quando princípios radicais encontram suporte social, como o que se deu nos anos 1980, acontecem rupturas. Os eventos funestos de Volta Redonda, com invasão de soldados do Exército e da polícia em 1988, resultando na morte de três operários na usina ocupada e, posteriormente, na vitória de Luiza Erundina em São Paulo,[30] davam o tom do que viria a ser o *annus mirabilis* de 1989. Quando, para incredulidade geral, Lula passou ao segundo turno e quase ganhou a eleição, logo após a queda do Muro de Berlim, a burguesia brasileira desesperou-se a ponto de apostar todas as fichas numa espécie de aventureiro que ela mesma seria obrigada a retirar da cadeira presidencial três anos depois, por meio do impedimento. Valia tudo para evitar que o movimento social radicalizado, cujo núcleo era o ABC paulista, chegasse ao poder.

Não surpreende que, nesse clima, se tivessem encontrado nas pesquisas evidências de polarização ideológica. Quando Collor foi à televisão para mostrar que, caso Lula vencesse, a bandeira brasileira seria substituída pela foice e o martelo, era sinal de que o eleitorado de massa estava percebendo, direta ou indiretamente, que havia uma disputa entre esquerda e direita. Para cerca de 25% dos eleitores, os que *não sabiam* se colocar no espectro, a variável ideológica nada significava, e poder-se-ia advertir que, num pleito decidido por poucos pontos percentuais, 25% era mais que suficiente para resolver a eleição sem nenhuma influência ideológica. O argumento é correto, embora boa parte desses eleitores (em

---

30. Ver análise a respeito em Lúcio Kovarick e André Singer, "A experiência do Partido dos Trabalhadores na prefeitura de São Paulo", *Novos Estudos*, n. 35, mar. 1993.

torno de 20% do total do eleitorado) se aliene do processo, na forma de abstenção, votos nulos e brancos. Com efeito, as pesquisas norte-americanas da escola psicológica do voto tinham mostrado que na base da pirâmide eleitoral havia um estrato dos votantes completamente distanciados da política, dispostos a não sufragar ou fazê-lo de modo tão arbitrário que a sua opção se tornava imprevisível. A novidade no Brasil era que, para um segmento significativo dos eleitores, a intuição ideológica funcionava e ajudava a definir o voto. Pesquisas realizadas sob a condução do Datafolha e de Gustavo Venturi ao longo das décadas de 1990 e 2000 confirmaram a estabilidade da localização dos eleitores no espectro esquerda/direita, como evidenciam os dados expostos no capítulo 1 deste livro.

No último capítulo de *Esquerda e direita no eleitorado brasileiro* anotei que havia uma questão merecedora de pesquisas posteriores. Referia-me à associação entre quatro fatores: baixa renda, hostilidade aos movimentos reivindicativos, posicionamento à direita e apoio à intervenção do Estado em favor da igualdade. Confesso que não esperava ver esses elementos funcionarem *a favor* de Lula poucos anos depois da publicação do livro. A meu ver, os dados indicavam que o PT, se quisesse vencer a eleição presidencial, teria que fazer um trabalho de convencimento de eleitores de centro, puxando-os para a esquerda. Mas, quando as voltas da história apresentaram quadro inesperado, com os pobres reelegendo Lula em 2006, *sem deixarem de estar à direita*, dei-me conta de que a "*verità effettuale*" era outra.

O estalo sobre os sentidos do lulismo aflorou no regresso a São Paulo. Depois de viver com paixão o primeiro mandato de Lula na Presidência da República, retornei à USP ansioso por entender o que havia acontecido. Tinha a intuição de haver presenciado transformações importantes sem que a voragem da atividade governamental me permitisse refletir sobre elas. Foi uma releitura de *O 18 Brumário* que me levou a pensar no lulismo como expressão de mudança da base de classe. Mais tarde, os elementos empíricos confirmaram a ideia, que veio de uma "conversa" com Marx, na linhagem das "visitas" aos grandes homens do passado que gostava de fazer Maquiavel ao entardecer.

No doutorado, evitei entrar na discussão das classes. Em parte porque o campo dos estudos eleitorais prefere as teorias de médio alcance e, em parte, porque a ênfase do trabalho era empírica: tratava-se de uma compreensão, colada às tabelas, das eleições de 1989 e 1994. Continuo a achar útil o conhecimento acumulado sobre comportamento eleitoral, mas desta feita quis descer alguns degraus e ir aonde se processam as relações de classe, de modo a verificar se elas ajudavam a explicar a quadra lulista da política brasileira. Retomo, assim, o tipo de reflexão aprendido no meu curso de graduação nos anos 1970.

É por essa razão que este livro dialoga com a geração dos meus professores, especialmente nas figuras de dois Franciscos. De um lado, Francisco (Chico) de Oliveira e, de outro, Francisco Weffort, de quem copiei parte do título do capítulo 1. Em 1965, o jovem Weffort publicara "Raízes sociais do populismo em São Paulo", na *Revista Civilização Brasileira*. Foi buscando maneiras de entender o lulismo que revisitei esse artigo, que considero, junto com o seu "Política de massas",[31] particularmente interessante. Weffort procurava, para apreender o populismo, seguir o método proposto por Marx: partir do concreto, buscar as determinações mais profundas (raízes) nas relações de classe e, então, reconstruir o real, explicando as suas múltiplas determinações. Foi o que, dentro dos limites de minhas possibilidades, tentei na decifração do lulismo.

---

31. Trata-se do primeiro capítulo de Francisco Weffort, *O populismo na política brasileira*.

Penso, com Paul Singer, que "muita coisa importante não decorre da luta de classes".[32] Mas algumas decorrem. Depende da análise concreta da situação concreta. Espero que a tentativa de olhar para o lulismo sob o ângulo de classe tenha aberto um caminho de interpretação. O deslocamento do subproletariado, constituindo-se pela primeira vez em base social para Lula e o PT (e a concomitante adesão da classe média ao PSDB), deveria mexer com o arranjo político do país, pois se tratava de uma fração de classe numerosa o suficiente para chacoalhar toda a superestrutura, com reflexos, por sua vez, nas decisões econômicas. Com a verificação dos dados — não só os eleitorais, mas também os de política econômica e social —, as peças começaram a se encaixar.

Parece-me, por isso, que vale a pena recuperar o estilo de interpretação do Brasil gerado na USP no fim dos anos 1950 e início dos 1960. Refiro-me à produção do grupo de estudos que, nucleado na Faculdade de Filosofia, decidiu ler *O capital*, sobre o qual Roberto Schwarz escreveu o ensaio aqui citado. Não se trata de arqueologia intelectual, mas de verificar até que ponto "a ênfase no interesse material e nas divisões da sociedade"[33] esclareceram problemas brasileiros postos naqueles anos e em que medida podem contribuir para resolver charadas atuais.

A visão que Weffort constrói a respeito do populismo é, nesse sentido, exemplar, pois, partindo de *O 18 Brumário* e de *História e consciência de classe* (Georg Lukács), reconstrói múltiplas determinações de um fenômeno complexo. Como toda produção intelectual, está sujeita a contestação, correção e desmentido por evidências desconhecidas. O progresso do conhecimento, em

---

32. Paul Singer, "O manifesto contestado", em J. Almeida e V. Cancelli (orgs.), *150 anos de Manifesto Comunista*, p. 104.
33. Roberto Schwarz, "Um seminário de Marx", em R. Schwarz, *Sequências brasileiras*, p. 86.

ciências sociais, se faz dessas idas e vindas. Mas, não obstante falhas que possa ter, aquele ponto de partida dá relevância à "vida do espírito", como diria Schwarz. Daí ser o Weffort dos anos 1960 e 1970 uma espécie de debatedor oculto deste livro. O debatedor explícito é Chico de Oliveira, que, a partir dos mesmos princípios teóricos, fez a crítica do governo Lula, dando-lhe um sentido regressivo. A minha aspiração foi a de apresentar uma interpretação alternativa à de Chico, situando-me no mesmo campo de pensamento que o dele. Sem o brilho de sua prosa cortante, espero que os leitores tenham encontrado aqui uma reflexão que justifique, minimamente, as doces esperanças da juventude e as duras experiências do amadurecimento.

Bibliografia

ADORNO, Theodor W. & HORKHEIMER, Max. *La sociedad. Lecciones de sociología.* Buenos Aires: Proteo, 1969.

AGUIAR, Flávio (org.). *Antonio Candido, pensamento e militância.* São Paulo: Humanitas/Fundação Perseu Abramo, 1999.

ALMEIDA, Jorge. *Como vota o brasileiro.* São Paulo: Casa Amarela, 1996.

_____ & CANCELLI, Vitória (org.). *150 anos do Manifesto Comunista.* São Paulo: Xamã, 1998.

_____. *Marketing político, hegemonia e contra-hegemonia.* São Paulo: Fundação Perseu Abramo, 2002.

AMARAL, Oswaldo E. do. *A estrela não é mais vermelha. As mudanças no programa petista nos anos 90.* São Paulo: Garçoni, 2003.

ANDERSON, Perry. "Jottings on the conjuncture". *New Left Review,* n. 48, nov./dez. 2007.

_____ & CAMILLER, Patrick (orgs.). *Um mapa da esquerda na Europa Ocidental.* Rio de Janeiro: Contraponto, 1994.

ANGELO, Vitor Amorim de & VILLA, Marco Antônio (orgs.). *O Partido dos Trabalhadores e a política brasileira (1980-2006), uma história revisitada.* São Carlos: EdUFSCar, 2009.

ANTUNES, Ricardo & BRAGA, Ruy (orgs.). *Infoproletários, degradação real do trabalho virtual.* São Paulo: Boitempo, 2009.

ARAÚJO, José Prata. *Um retrato do Brasil. Balanço do governo Lula.* São Paulo: Fundação Perseu Abramo, 2006.

ARON, Raymond. *Main currents in sociological thought* (vol. 1). Nova York: Doubleday, 1968.

ASCHCRAFT, Richard. "A análise do liberalismo em Weber e Marx". In COHN, G. (org.). *Sociologia: para ler os clássicos*. Rio de Janeiro: Livros Técnicos e Científicos, 1977.

BARBOSA, Nelson. "Uma nova política macroeconômica e uma nova política social". In PIETÁ, E. (org.). *A nova política econômica, a sustentabilidade ambiental*. São Paulo: Fundação Perseu Abramo, 2010.

_____ & SOUZA, José Antonio Pereira de. "A inflexão do governo Lula: política econômica, crescimento e distribuição de renda". In SADER, E. & GARCIA, M. A. (orgs.). *Brasil entre o passado e o futuro*. São Paulo: Fundação Perseu Abramo/Boitempo, 2010.

BARROS, Ricardo Paes de; FOGUEL, Miguel Nathan & ULYSSEA, Gabriel. *Desigualdade de renda no Brasil: uma análise da queda recente* (vol. 1). Brasília: Ipea, 2007.

BERG, John C. "The debate over realigning elections: where do we stand now?". *Paper* apresentado na reunião anual da North Eastern Political Science Association, 2003. Consultado em <www.allacademic.com>, 18 ago. 2010.

BETTO, Frei. *Calendário do poder*. Rio de Janeiro: Rocco, 2007.

BOBBIO, Norberto. *O tempo da memória. De Senectute e outros ensaios autobiográficos*. Rio de Janeiro: Campus, 1997.

BORON, Atilio A. (org.). *La filosofía política moderna. De Hobbes a Marx*. Buenos Aires: Clacso, 2000.

_____. *Filosofía política contemporánea. Controversias sobre civilización, imperio y ciudadanía*. Buenos Aires: Clacso, 2002.

BRANDÃO, Gildo Marçal. *A esquerda positiva. As duas almas do Partido Comunista, 1920/1964*. São Paulo: Hucitec, 1997.

BRESSER-PEREIRA, Luiz Carlos. *Globalização e competição: por que alguns países emergentes têm sucesso e outros não*. Rio de Janeiro: Elsevier, 2009.

CANDIDO, Antonio. *Vários escritos*. São Paulo/Rio de Janeiro: Duas Cidades/Ouro sobre Azul, 2004.

CARDOSO, Fernando Henrique. *Política e desenvolvimento em sociedades dependentes. Ideologias do empresariado industrial argentino e brasileiro*. Rio de Janeiro: Zahar, 1978.

CARREIRÃO, Yan de Souza. "Identificação ideológica, partidos e voto na eleição presidencial de 2006". *Opinião Pública*, vol. 13, n. 2, nov. 2007.

_____ & KINZO, Maria D'Alva. "Partidos políticos, preferência partidária e decisão eleitoral (1989/2002)". *Dados*, vol. 47, n. 1, 2004.

CASTEL, Robert. *El ascenso de las incertidumbres. Trabajo, protecciones, estatuto del individuo*. Buenos Aires: Fondo de Cultura Económica, 2010.

COUTINHO, Carlos Nelson. *Gramsci, um estudo sobre seu pensamento político*. Rio de Janeiro: Civilização Brasileira, 2007.

EIJK, Cees van der & FRANKLIN, Mark N. *Elections and voters*. Nova York: Palgrave Macmillan, 2009.

ELEY, Geoff. *Un mundo que ganar; historia de la izquierda en Europa, 1850-2000*. Barcelona: Crítica, 2003.

EVANS, Geoffrey (ed.). *The end of class politics? Class voting in comparative context*. Oxford: Oxford University Press, 1999.

FARIA, Glauco. *O governo Lula e o novo papel do Estado brasileiro*. São Paulo: Fundação Perseu Abramo, 2010.

FERNANDES, Florestan. *A condição de sociólogo*. São Paulo: Hucitec, 1977.

_____. *A revolução burguesa no Brasil. Ensaio de interpretação sociológica*. São Paulo: Globo, 2006.

FILGUEIRA, Carlos H. & NOHLEN, Dieter (orgs.). *Prensa y transición democrática. Experiencias recientes, en Europa y América Latina*. Frankfurt am Main/ Madri: Vervuert/Iberoamericana, 1994.

FURTADO, Celso. *O longo amanhecer: reflexões sobre a formação do Brasil*. Rio de Janeiro: Paz e Terra, 1999.

GRAMSCI, Antonio. "Alguns temas da questão meridional". *Temas de Ciências Humanas*, São Paulo, Grijalbo, n. 1, 1977.

GUIMARÃES, Juarez. *A esperança equilibrista. O governo Lula em tempos de transição*. São Paulo: Fundação Perseu Abramo, 2004.

_____. *A esperança crítica*. Belo Horizonte: Scriptum, 2007.

HADDAD, Fernando. *Trabalho e linguagem. Para a renovação do socialismo*. Rio de Janeiro: Azougue, 2004.

HOLANDA, Sérgio Buarque de. *Raízes do Brasil*. Rio de Janeiro: José Olympio, 1971.

HOLZHACKER, Denilde Oliveira & BALBACHEVSKY, Elizabeth. "Classe, ideologia e política: uma interpretação dos resultados das eleições de 2002 e 2006". *Opinião Pública*, vol. 13, n. 2, nov. 2007.

HUNTER, Wendy. "The Partido dos Trabalhadores: still a party of the left?". In KINGSTONE, P. R. & POWER, T. J. (orgs.). *Democratic Brazil revisited*. Pittsburgh: University of Pittsburgh Press, 2008.

_____ & POWER, Timothy. "Rewarding Lula: Executive power, social policy, and the Brazilian elections of 2006". *Latin American Politics and Society*, vol. 49, n. 1, 2007.

KECK, Margaret E. *PT — A lógica da diferença. O Partido dos Trabalhadores na construção da democracia brasileira*. São Paulo: Ática, 1991.

KEY, Jr., V. O. "A theory of critical elections". *The Journal of Politics*, vol. 17, n. 1, fev. 1955.

_____. *The responsible electorate*. Nova York: Vintage, 1966.

KINGSTONE, Peter R. & POWER, Timothy J. (eds.). *Democratic Brazil revisited*. Pittsburgh: University of Pittsburgh Press, 2008.

LAMOUNIER, Bolívar (org.). *De Geisel a Collor, o balanço da transição*. São Paulo: Sumaré, 1990.

_____ & FIGUEIREDO, Rubens (orgs.). *A era FHC: um balanço*. São Paulo: Cultura, 2002.

LAVAREDA, Antonio. *A democracia nas urnas. O processo partidário eleitoral brasileiro*. Rio de Janeiro: Rio Fundo, 1991.

LEAL, Victor Nunes. *Coronelismo, enxada e voto: o município e o regime representativo no Brasil*. São Paulo: Alfa-Omega, 1978.

LICIO, Elaine Cristina; RENNÓ, Lucio R. & CASTRO, Henrique Carlos de O. de. "Bolsa Família e voto na eleição presidencial de 2006: em busca do elo perdido". *Opinião Pública*, vol. 15, n. 1, jun. 2009.

LIMONGI, Fernando & CORTEZ, Rafael. "As eleições de 2010 e o quadro partidário". *Novos Estudos*, n. 88, dez. 2010.

LOUREIRO, Isabel; LEITE, José Corrêa & CEVASCO, Maria Elisa (orgs). *O espírito de Porto Alegre*. São Paulo: Paz e Terra, 2002.

LUKÁCS, Georg. *História e consciência de classe — Estudos sobre a dialética marxista*. Porto: Escorpião, 1974.

MACHADO, Ralph. *Lula a.c.-d.c. Política econômica antes e depois da "Carta ao Povo Brasileiro"*. São Paulo: Annablume, 2007.

MAINWARING, Scott; MENEGUELLO, Rachel & POWER, Timothy. *Partidos conservadores no Brasil*. São Paulo: Paz e Terra, 2000.

MAQUIAVEL, Nicolau. *O príncipe/ Escritos políticos*. São Paulo: Abril, 1973.

MARQUES, Rosa Maria & FERREIRA, Mariana Ribeiro Jansen (orgs.). *O Brasil sob a nova ordem — A economia brasileira contemporânea*. São Paulo: Saraiva, 2010.

MARTINS, José de Souza. *A política do Brasil, lúmpen e místico*. São Paulo: Contexto, 2011.

MARX, Karl. *El capital. Crítica de la economía política*. México: Siglo XXI, 1975.

_____ "O 18 Brumário de Luís Bonaparte". In MARX, Karl. *A revolução antes da revolução*. São Paulo: Expressão Popular, 2008.

_____ & ENGELS, Friedrich. *Manifesto comunista*. Rio de Janeiro: Horizonte, 1945.

_____. *Obras escolhidas* (vol. 1). Rio de Janeiro: Vitória, 1961.

MAUÉS, Flamarion & ABRAMO, Zilah (orgs.). *Pela democracia, contra o arbítrio. A oposição democrática, do golpe de 1964 à campanha das Diretas Já*. São Paulo: Fundação Perseu Abramo, 2006.

MELO, Carlos Ranulfo & SÁEZ, Manuel Alcântara (orgs.). *A democracia brasileira: balanço e perspectivas para o século 21.* Belo Horizonte: UFMG, 2007.

MENDES, Antonio Manuel Teixeira & VENTURI, Gustavo. "Eleição presidencial: o Plano Real na sucessão de Itamar Franco". *Opinião Pública,* vol. 2, n. 2, dez. 1994.

MENEGUELLO, Rachel. *PT, a formação de um partido, 1979-1982.* Rio de Janeiro: Paz e Terra, 1989.

MERCADANTE, Aloizio. *Brasil, primeiro tempo — Análise comparativa do governo Lula.* São Paulo: Planeta, 2006.

_____. *Brasil, a construção retomada.* São Paulo: Terceiro Nome, 2010.

MOURA, Flavio & MONTERO, Paula (orgs.). *Retrato de grupo.* São Paulo: Cosac Naify, 2009.

NATANSON, José. *La nueva izquierda. Triunfos y derrotas de los gobiernos de Argentina, Brasil, Bolivia, Venezuela, Chile, Uruguay y Ecuador.* Buenos Aires: Sudamericana, 2008.

NERI, Marcelo. "Miséria, desigualdade e políticas de renda: o Real do Lula", 2007. Consultado em <www3.fgv.br>, 30 ago. 2009.

_____. *A nova classe média: o lado brilhante dos pobres.* Rio de Janeiro: CPS/FGV, 2010. Consultado em <cps.fgv.br>, 26 jun. 2012.

NESTROVSKI, Arthur (org.). *Música popular brasileira hoje.* São Paulo: Publifolha, 2002.

NORONHA, Eduardo G. "Ciclo de greves, transição política e estabilização: Brasil, 1987-2007". *Lua Nova,* n. 76, 2009.

OLIVEIRA, Francisco de. *Collor, a falsificação da ira.* São Paulo: Imago, 1992.

_____. "Privatização do público, destituição da fala e anulação da política: o totalitarismo neoliberal". In OLIVEIRA, Francisco de & PAOLI, M. C. (orgs.). *Os sentidos da democracia. Políticas do dissenso e hegemonia global.* Petrópolis: Vozes, 1999.

_____. *Crítica à razão dualista/ O ornitorrinco.* São Paulo: Boitempo, 2003.

_____ & RIZEK, Cibele (orgs.). *A era da indeterminação.* São Paulo: Boitempo, 2008.

_____; BRAGA, Ruy & RIZEK, Cibele (orgs.). *Hegemonia às avessas. Economia, política e cultura na era da servidão financeira.* São Paulo: Boitempo, 2010.

PANEBIANCO, Angelo. *Modelos de partido. Organização e poder nos partidos políticos.* São Paulo: Martins Fontes, 2005.

PAULANI, Leda. *Brasil delivery.* São Paulo: Boitempo, 2008.

PEREIRA, Merval. *O lulismo no poder.* Rio de Janeiro: Record, 2010.

PIETÁ, Elói (org.). *A nova política econômica. A sustentabilidade ambiental.* São Paulo: Fundação Perseu Abramo, 2010.

POCHMANN, Marcio. *Desenvolvimento, trabalho e renda no Brasil.* São Paulo: Fundação Perseu Abramo, 2010.

POLANYI, Karl. *A grande transformação. As origens de nossa época.* Rio de Janeiro: Elsevier, 2000.

POULANTZAS, Nicos. *As classes sociais no capitalismo de hoje.* Rio de Janeiro: Zahar, 1975.

PRADO JR., Caio. *A revolução brasileira.* São Paulo: Brasiliense, 1966.

REIS, Fábio Wanderley. *Mercado e utopia: teoria política e sociedade brasileira.* São Paulo: Edusp, 2000.

_____. "Identidade política, desigualdade e partidos brasileiros". *Novos Estudos*, n. 87, jul. 2010.

RICCI, Rudá. *Lulismo: da era dos movimentos sociais à ascensão da nova classe média brasileira.* Brasília: Fundação Astrojildo Pereira/Contraponto, 2010.

ROCHA, Sonia. *Pobreza no Brasil. Afinal, de que se trata?.* Rio de Janeiro: FGV, 2006.

SADER, Emir (org.). *Gramsci, poder, política e partido.* São Paulo: Expressão Popular, 2005.

_____ & GARCIA, Marco Aurélio (orgs.). *Brasil entre o passado e o futuro.* São Paulo: Fundação Perseu Abramo/Boitempo, 2010.

SALLUM JR., Brasílio. "A crise do governo Lula e o déficit de democracia no Brasil". In BRESSER-PEREIRA, L. C. (org.). *A economia brasileira na encruzilhada.* São Paulo: FGV, 2006.

_____. "El Brasil en la 'pos-transición': la institucionalización de una nueva forma de Estado". In BIZBERG, I. (org.). *México en el espejo latino-americano: ¿democracia o crisis?.* México: El Colegio de México-KAS, 2010.

_____ & KUGELMAS, Eduardo. "Sobre o modo Lula de governar". In SALLUM JR., Brasílio. *Brasil e Argentina hoje — Política e economia.* Bauru: Edusc, 2004.

SAMUELS, David. "From socialism to social democracy". *Comparative Political Studies*, vol. 37, n. 9, 2004.

_____. "Sources of mass partisanship in Brazil". *Latin American Politics and Society*, vol. 48, n. 2, verão 2006.

_____. "A evolução do petismo (2002-2008)". *Opinião Pública*, vol. 14, n. 2, nov. 2008.

SARTORI, Giovanni. *Partidos e sistemas partidários.* Brasília: UnB, 1982.

SASSOON, Donald. *One hundred years of socialism. The West European left in the twentieth century.* Nova York: New Press, 1996.

SCHMITT, Rogério. *Partidos políticos no Brasil (1945-2000).* Rio de Janeiro: Jorge Zahar, 2000.

SCHORSKE, Carl. *German social democracy (1905-1917). The development of the great schism.* Cambridge (Mass.): Harvard University Press, 1983.

SCHWARZ, Roberto. *O pai de família e outros estudos*. Rio de Janeiro: Paz e Terra, 1978.

_____. *Sequências brasileiras*. São Paulo: Companhia das Letras, 1999.

SECCO, Lincoln. *Caio Prado Jr. O sentido da revolução*. São Paulo: Boitempo, 2008.

SICSÚ, João. "Dois projetos em disputa". *Teoria e Debate*, n. 88, maio/jun. 2010.

SINGER, André. *Esquerda e direita no eleitorado brasileiro. A identificação ideológica nas disputas presidenciais de 1989 e 1994*. São Paulo: Edusp, 2000.

_____. *O PT*. São Paulo: Publifolha, 2001.

_____ (org.). *Sem medo de ser feliz: cenas de campanha*. São Paulo: Scritta, 1990.

_____; GOMES, Mário Hélio; VILLANOVA, Carlos & DUARTE, Jorge (orgs.). *No Planalto, com a imprensa*. Recife: Massangana, 2010.

SINGER, Paul. *A crise do "milagre". Interpretação crítica da economia brasileira*. Rio de Janeiro: Paz e Terra, 1976.

_____. *Dominação e desigualdade. Estrutura de classe e repartição da renda no Brasil*. Rio de Janeiro: Paz e Terra, 1981.

_____. *Repartição da renda — Pobres e ricos sob o regime militar*. Rio de Janeiro: Zahar, 1985.

SOARES, Gláucio Ary Dillon. *Sociedade e política no Brasil. Desenvolvimento, classe e política durante a Segunda República*. São Paulo: Difel, 1973.

SOUZA, Amaury de & LAMOUNIER, Bolívar. *A classe média brasileira. Ambições, valores e projetos de sociedade*. Rio de Janeiro: Elsevier, 2010.

SOUZA, Jessé. *A construção social da subcidadania. Para uma sociologia política da modernidade periférica*. Belo Horizonte/Rio de Janeiro: UFMG/Iuperj, 2006.

_____. *A ralé brasileira. Quem é e como vive*. Belo Horizonte: UFMG, 2009.

_____. *Os batalhadores brasileiros. Nova classe média ou nova classe trabalhadora?*. Belo Horizonte: UFMG, 2010.

SOUZA, Maria do Carmo Campello de. *Estado e partidos políticos no Brasil (1930-1964)*. São Paulo: Alfa-Omega, 1976.

STIGLITZ, Joseph E. *Os exuberantes anos 90. Uma nova interpretação da década mais próspera da história*. São Paulo: Companhia das Letras, 2003.

TAVARES, Maria da Conceição. *Desenvolvimento e igualdade*. Brasília: Ipea, 2010.

THERBORN, Göran (ed.). *Inequalities of the world*. Londres: Verso, 2006.

VEIGA, José Eli da. *Metamorfoses da política agrícola dos Estados Unidos*. São Paulo: Annablume, 1994.

VEIGA, Luciana Fernandes. "Os partidos brasileiros na perspectiva dos eleitores: mudanças e continuidades na identificação partidária e na avaliação das principais legendas após 2002". *Opinião Pública*, vol. 13, n. 2, nov. 2007.

VENTURI, Gustavo. "PT 30 anos: crescimento e mudanças na preferência partidária, impacto nas eleições de 2010". *Perseu*, n. 5, segundo semestre 2010.

VIANNA, Luiz Werneck. *A revolução passiva: iberismo e americanismo no Brasil*. Rio de Janeiro: Revan, 2004.

_____. "O Estado Novo do PT", no sítio *Gramsci e o Brasil*. Consultado em <www.acessa.com/gramsci/>, 24 fev. 2011.

WEBER, Max. *Economía y sociedad*. México: Fondo de Cultura Económica, 1944.

_____. *Ciência e política, duas vocações*. São Paulo: Cultrix, 1992.

WEFFORT, Francisco. "Raízes sociais do populismo em São Paulo". *Revista Civilização Brasileira*, n. 2, maio 1965.

_____. *O populismo na política brasileira*. Rio de Janeiro: Paz e Terra, 1978.

Índice onomástico

Abramo, Z., 237n
Abreu, Waldeni Frasão, 134
Adorno, Theodor W., 237n
Aguiar, F., 236n, 242n
Albuquerque, José Augusto Guilhon, 241, 252, 254
Alckmin, Geraldo, 51n, 52, 53-6n, 170, 171, 173n, 213-4n, 226n
Alegre, Silvia Elena, 49, 103n
Alencar, José, 98, 161
Almeida, Jorge, 62n, 94, 260n
Amaral, Oswaldo E. do, 85n, 116-7n
Amaral, Roberto, 52n, 56n
Anderson, Perry, 25, 26, 90, 91n, 197
Angelo, V. A. de, 85-6n, 100n, 229n
Antunes, Ricardo, 138n
Árabe, Carlos Henrique Goulart, 48, 86n
Aranha, Ana, 204n
Arantes, Paulo, 37n, 99
Arantes, Pedro, 153n
Arantes, Rogério, 253

Araújo Jr., Ari Francisco de, 66n
Araújo, José Prata, 64n, 70n, 74n
Araujo, Paulo, 190n
Aron, Raymond, 220n
Arraes, Ana, 204
Arraes, Miguel, 204
Aschcraft, Richard, 24
Azevedo, Ricardo de, 48

Bacelar, Tânia, 167
Bacha, Edmar, 209
Balbachevsky, Elizabeth, 56, 69n, 72, 253
Barbosa, Nelson, 127, 143n, 147n, 149, 150, 151, 157, 158n, 159, 178n, 179, 205, 230
Barros, Adhemar de, 256
Barros, Ricardo Paes de, 185, 209n
Bava, Silvio Caccia, 130n
Benevides, Maria Victoria, 49
Benjamin, Walter, 234
Berg, John C., 15n

Berzoini, Ricardo, 116
Betto, Frei, 188
Bismarck, Otto von, 201
Bizberg, I., 29n
Blair, Tony, 120, 215
Bobbio, Norberto, 234n, 249
Bonaparte III, Carlos Luís Napoleão, 37, 82, 201, 202
Bonaparte, Napoleão, 201
Boron, Atílio A., 250n
Bourdieu, Pierre, 28
Bovero, Michelangelo, 249
Braga, Ruy, 29, 39n, 45n, 47, 52-3n, 81-2n, 138n, 186n, 196n, 199n
Braga, Saturnino, 144
Brandão, Gildo, 85
Bresser-Pereira, Luiz Carlos, 29n, 48, 49, 163, 176
Brito, Agnaldo, 199n
Brizola, Leonel, 57, 243
Buarque, Chico ver Holanda, Chico Buarque de
Buarque, Cristovam, 53n, 170, 226

Camiller, Patrick, 25n, 91n
Cancelli, V., 260n
Candido, Antonio, 88, 242
Canzian, Fernando, 134n, 138n
Cardoso, Fernando Henrique, 10, 29, 31, 33, 36, 42, 61, 62, 64, 74, 75, 76, 92, 93, 94, 111, 144, 146, 148, 159, 177, 181, 197, 212, 213, 215, 255
Cardoso, Ruth, 235
Cariello, Rafael, 87n
Carraro, André, 66n
Carreirão, Yan de Souza, 64, 65n, 68, 71, 72, 106, 227-8n
Castel, Robert, 211
Castro, Henrique Carlos de O. de, 64n

Castro, Mônica Mata Machado de, 73
Cevasco, Maria Elisa, 95n
Chauvel, Louis, 27
Chávez, Hugo, 32n
Clift, Ben, 26n
Clinton, Bill, 215
Cohn, Gabriel, 48, 220n, 235
Coimbra, Marcos, 63, 65, 70
Collor, Fernando, 10, 16, 35, 57, 58, 59, 61, 91n, 92, 93, 197, 224, 253, 255, 257
Comparato, Fábio, 205n
Conti, Mario Sergio, 47, 126n
Correa, Rafael, 32n
Cortez, Rafael, 33, 212
Costa, Iná Camargo, 37n
Costa, Otavio, 49
Coutinho, Carlos Nelson, 37, 38, 40-1n
Covas, Mário, 57
Cucolo, Eduardo, 12n, 190n

Damé, Otávio Menezes, 66n
Delfim Netto, Antonio, 149, 162, 163, 180n, 216
Dilma ver Rousseff, Dilma
Downs, Anthony, 252
Duarte, Jorge, 247n
Durão, Vera Saavedra, 12n
Dutra, José Eduardo, 116
Dyck, Brandon Van, 113n

Eijk, Cees van der, 13n
Eley, Geoff, 187
Engels, Friedrich, 23n, 96, 201n, 235
Erundina, Luiza, 257
Evans, Geoffrey, 26

Falcão, Rui, 116n
Faria, Glauco, 149n

Fernandes, Florestan, 19n, 240
Ferreira, M. R. J., 177, 178
Ferreira, Mariana Ribeiro Jansen, 177n
FHC ver Cardoso, Fernando Henrique
Figueiredo, R., 10n
Filgueira, C. H., 247n
Fiocca, Demian, 11n
Fornetti, Verena, 195
Fraga, Érica, 158n
Franklin, Mark N., 13n
Frias Filho, Otavio, 241
Frizzo, Diogo, 116n
Furtado, Celso, 16, 17, 20, 153, 154

Garcia, M. A., 127n, 147n, 149-51n
Garotinho, Anthony, 226, 229
Genro, Tarso, 61, 62
Giannotti, José Arthur, 237
Gini, Corrado, 12, 46, 139, 140, 142, 181, 182, 183, 184, 185, 186, 195
Goldfajn, Ilan, 139n
Gomes, Ciro, 226
Gomes, Mário Hélio, 247n
Goulart, João, 88, 256
Gramsci, Antonio, 9, 26, 30n, 37, 38--9n, 40, 41, 45, 82, 156n, 157, 201, 202, 234, 235, 236
Grellet, Fábio, 130n
Guimarães, Juarez, 34, 86, 117, 137, 164n
Guimarães, Ulysses, 243

Haddad, Fernando, 27
Haenisch, Konrad, 84
Hamilton, Alexander, 250
Helena, Heloísa, 53n, 55, 170, 226
Holanda, Chico Buarque de, 69n, 164, 248
Holanda, Sérgio Buarque de, 244

Holzhacker, Denilde Oliveira, 56, 69n, 72
Horkheimer, Max, 237n
Hunter, Wendy, 62, 66, 67, 73, 86, 104, 105, 106, 108, 112, 114n, 126

Jay, John, 250

Keck, Margaret, 105
Key Jr., V.O., 14n
Khair, Amir, 48, 139, 151n, 152, 175--6n, 207n
Kingstone, P. R., 86n
Kinzo, Maria D'Alva, 106, 227, 228, 253
Kirchner, Néstor e Cristina, 32n
Kovarick, Lúcio, 257n
Krugman, Paul, 127, 128, 142, 195
Kugelmas, Eduardo, 29n, 97n

Lacerda, Antonio Corrêa de, 178n
Lage, Janaina, 164n
Lamounier, Bolívar, 10n, 27, 28, 115, 137, 204, 210, 211, 252
Lavareda, Antonio, 14n
Lavinas, Lena, 138n
Leal, Victor Nunes, 41
Leite, José Corrêa, 95n
Lessa, Carlos, 151, 160, 161
Libânio, Gilberto, 175
Licio, Elaine Cristina, 64
Lima, Samantha, 139n
Limongi, Fernando, 14n, 33, 48, 49, 115, 116n, 212
Locke, John, 235, 249
Lopes, Juarez Brandão, 235
Loureiro, Isabel, 95n
Lourenço, o Magnífico ver Médici, Lourenço de
Lucena, Eleonora de, 194n

Lukács, Georg, 156, 235, 260
Lula *ver* Silva, Luiz Inácio Lula da
Luna, Maria, 204

MacDonald, Ramsay, 201
Machado, Ralph, 10
Machado, Uirá, 102*n*
Madison, James, 249, 250, 251
Magalhães, Luís Eduardo, 42*n*
Mainwaring, Scott, 41, 98*n*, 105, 107*n*, 109*n*
Maluf, Paulo, 57
Mantega, Guido, 146, 148
Maquiavel, Nicolau, 236, 241, 243, 249, 250, 251, 253, 259
Maricato, Erminia, 153*n*
Marques, R. M., 177-8*n*
Martins, José de Souza, 52*n*
Marx, Karl, 18*n*, 20*n*, 23, 24, 25, 27, 37, 59, 79, 81, 82, 96, 120*n*, 125, 201, 202, 208, 234, 235, 236, 237*n*, 259, 260*n*
Maués, F., 237*n*
Médici, Lourenço de, 201
Meirelles, Henrique, 216
Melchiades Filho, 114
Mello, Fernando Collor de *ver* Collor, Fernando
Melo, C. R., 62*n*, 67*n*, 73*n*, 105-6*n*, 114*n*, 126*n*
Menchen, Denise, 130*n*
Mendes, Antonio Manuel Teixeira, 61
Meneguello, Rachel, 41, 105, 107*n*, 109*n*, 116-7*n*
Mercadante, Aloizio, 150*n*, 162, 176, 177-8*n*
Mesquita, Lara, 115-6*n*
Moisés, José Álvaro, 248, 254
Monastério, Leonardo Monteiro, 66*n*

Montesquieu, Charles de, 235, 249, 250, 251
Montoro, Franco, 243
Morales, Evo, 32*n*
Moura, Flávio, 47
Muraro, Rose Marie, 194
Musse, Ricardo, 47
Muszinsky, Judith, 253

Napoleão III *ver* Bonaparte III, Carlos Luís Napoleão
Nascimento, José João do, 203
Nascimento, Luzimaria Silva, 203, 204
Nassif, Luís, 10*n*
Natanson, José, 142
Neri, Marcelo, 12*n*, 27, 68, 69*n*, 70, 132, 133, 135, 136, 139, 140, 146, 160, 181, 183, 184, 206, 209, 211, 231
Nestrovski, Arthur, 248
Neves, Tancredo, 91, 92, 243, 256
Nicolau, Jairo, 64*n*, 65, 229*n*
Nobre, Marcos, 31
Nohlen, D., 247*n*
Noronha, Eduardo G., 91, 92, 93*n*

Oliveira, Francisco de, 11, 19, 29, 38, 39, 44, 45, 47, 49, 52, 53, 54, 70, 78, 81, 82, 86*n*, 88*n*, 91*n*, 141, 186, 196, 197*n*, 207*n*, 259, 261
Oliveira, Priscilla, 147*n*
Ominami, Carlos, 142

Panebianco, Conforme Angelo, 88
Paulani, Leda, 11*n*, 49, 141, 149*n*, 152*n*, 181, 182
Peixoto, Vitor, 64*n*, 65
Pereira, Merval, 52*n*
Pietá, Elói, 48, 121, 143-4*n*, 151*n*, 158--9*n*, 162*n*, 167*n*, 178*n*

Pizzorno, Alessandro, 253
Pochmann, Marcio, 140, 141, 182, 211n
Polanyi, Karl, 43, 44, 196, 240
Pompeu, Renato, 48
Poulantzas, Nicos, 26
Power, Timothy, 14n, 41, 62, 66, 67n, 73, 86n, 104, 105, 106, 108, 109n, 112, 114n, 126
Prado Jr., Caio, 16, 17, 18, 89n, 207, 208n
Prado, Décio de Almeida, 236
Prates, Daniela Magalhães, 176
Przeworski, Adam, 253
Puls, Maurício, 102n

Quadros, Jânio, 243
Quadros, Waldir, 69
Quirino, Célia Galvão, 235

Reagan, Ronald, 239
Rêgo, Walquiria Domingues Leão, 134, 135n, 194
Reis, Elisa P., 185n
Reis, Fábio Wanderley, 32, 71, 73, 87, 115
Rennó, Lúcio R., 64n
Resende, Tatiana, 136
Ribeiro, Pedro Floriano, 86n, 100
Ricci, Rudá, 33, 39, 40, 52n, 221
Ricupero, Rubens, 164n
Rizek, C., 29n, 39n, 45n, 52-3n, 78n, 81-2n, 86n, 88n, 186n, 196n
Roberto Carlos, 248
Rocha, Camila, 115n
Rocha, Sonia, 44
Rodrigues, Roberto, 176n
Roosevelt, Franklin Delano, 14, 126, 127, 128
Rousseau, Jean-Jacques, 249, 250, 251

Rousseff, Dilma, 21, 40, 97, 122, 127, 128, 142, 153, 155, 158, 167, 169, 170, 171, 172, 173, 174, 192, 198, 199, 200, 217, 218, 219, 230

Sadek, Maria Tereza, 235, 253
Sader, Emir, 38n, 127n, 147n, 149-51n, 156n, 201-2n
Sáez, M. A., 62n, 67n, 73n, 105-6n, 114n, 126n
Sallum Jr., Brasílio, 29, 30, 31, 97n
Sampaio, Plínio de Arruda, 128, 218
Samuels, David, 85-6n, 104, 105, 106, 107, 108, 112, 118
Sarney, José, 243
Sartori, Giovanni, 94n, 213n
Sassoon, Donald, 120n, 187-88n
Schmitt, Rogério, 98n
Schorske, Carl, 84n
Schwartzman, Simon, 142n, 148
Schwarz, Roberto, 47, 88, 186n, 235n, 236, 237, 260, 261
Scolese, Eduardo, 11n
Secco, Lincoln, 207
Sen, Amartya, 129, 133, 135, 143, 194
Sennett, Richard, 221
Serra, José, 51n, 52, 127, 128, 170, 171, 174, 213, 214, 226, 230
Shikida, Cláudio Djissei, 65, 66
Sicsú, João, 140, 148, 166n, 182, 231n
Silva, Antonio Ozaí da, 85n
Silva, Fernando de Barros e, 127, 128, 164n
Silva, Golbery do Couto e, 243
Silva, Luiz Inácio Lula da, 10, 12, 14-6, 18, 21, 28-33, 35, 37, 39-40, 46, 51-9, 61-76, 78, 80-2, 85-7, 89, 92, 96-102, 104-6, 108, 111, 113-4, 119, 121-3, 125-8, 132-3, 135-7, 140-1, 143-56, 158-9, 162, 165,

167-71, 173-4, 176-8, 180-91, 198, 200, 203-7, 213-5, 217, 219, 224, 226, 229, 244-6, 248, 252, 255, 257-8, 260-1; *ver também* Rousseff, Dilma

Silva, Marina, 128, 170, 174, 213, 230

Silva, Micineia, 134

Simões, Renato, 52n

Singer, André, 22n, 35n, 57-8n, 60n, 80n, 98n, 102n, 125n, 152n, 154n, 223-5n, 230, 237n, 246-8n, 252n, 257n

Singer, Paul, 18, 19, 20n, 26, 27n, 49, 61n, 76, 77, 78n, 191n, 260

Soares, Gláucio, 36

Soares, Sergei Dillon, 186, 195

Souza, Amaury de, 27, 28, 137, 204, 210, 211

Souza, Jessé, 27, 28, 42, 43, 91n, 164, 206, 210, 211, 215, 221

Souza, José Antonio Pereira de, 127, 147n, 149-50n, 151

Souza, Maria do Carmo Campello de, 36, 252

Stiglitz, Joseph E., 127

Suzuki Jr., Matinas, 49

Tavares, Maria da Conceição, 12, 19, 154

Thatcher, Margaret, 239

Therborn, G., 27n, 185n

Therborn, Göran, 48, 182, 183, 207, 231n

Tocqueville, Alexis de, 220, 235, 249

Toledo Jr., Joaquim, 47

Truman, Harry, 127

Unger, Roberto Mangabeira, 215, 221

Vargas, Getúlio, 17, 81, 256

Veiga, José Eli da, 126n, 129, 130, 132, 135, 143, 194

Veiga, Luciana Fernandes, 86n, 103, 104, 108n, 118n

Venturi, Gustavo, 14n, 48, 54n, 61, 79, 86n, 108, 110, 111, 112, 226, 258

Vettori, Francesco, 251

Viana, Gilney, 51n

Vianna, Luiz Werneck, 30, 31, 38, 39, 40, 44, 45, 156n, 157, 200

Villa, M. A., 85-6n, 100n, 229n

Villanova, Carlos, 247n

Vita, Álvaro de, 48

Weber, Max, 23, 24, 26, 28, 236, 243, 244

Weffort, Francisco, 33, 42, 89, 156, 235, 259, 260, 261

Williamson, John, 158

1ª EDIÇÃO [2012] 5 reimpressões

ESTA OBRA FOI COMPOSTA PELA SPRESS EM MINION E IMPRESSA EM OFSETE
PELA GEOGRÁFICA SOBRE PAPEL PÓLEN SOFT DA SUZANO S.A.
PARA A EDITORA SCHWARCZ EM JULHO DE 2021

A marca FSC® é a garantia de que a madeira utilizada na fabricação do papel deste livro provém de florestas que foram gerenciadas de maneira ambientalmente correta, socialmente justa e economicamente viável, além de outras fontes de origem controlada.